新潮文庫

海辺のカフカ

上巻

村上春樹著

JN285525

新潮社版

7639

海辺のカフカ

上巻

カラスと呼ばれる少年

「それで、お金のことはなんとかなったんだね？」とカラスと呼ばれる少年は言う。いくぶんのっそりとした、いつものしゃべりかただ。深い眠りから目覚めたばかりで、口の筋肉が重くてまだうまく動かないときのような。でもそれはそぶりみたいなもので、じっさいには隅《すみ》から隅まで目覚めている。いつもと同じように。

僕はうなずく。

「どれくらい？」

もう一度頭の中で数字を確認してから、僕は答える。「現金が40万ほど。そのほかにカードで出せる銀行預金も少し。もちろんじゅうぶんとは言えないけど、とりあえずはなんとかなるんじゃないかな」

「まあ悪くない」とカラスと呼ばれる少年は言う。「とりあえずはね」

僕はうなずく。

「でもそれは去年のクリスマスにサンタクロースがくれたお金じゃなさそうだね」と彼は言う。

「ちがう」と僕は言う。

カラスと呼ばれる少年は皮肉っぽく、唇を軽く曲げてあたりを見まわす。「出どころはこのあたりの誰かの引き出し——というところかな？」

僕は返事をしない。もちろん彼は最初からそれがどういう金なのかを知っている。まわりくどい質問をするまでもなく。そういう言いかたをして僕をからかっているだけだ。

「まあいいさ」とカラスと呼ばれる少年は言う。「君はそのお金を必要としている。切実にね。そして君はそれを手に入れる。借りる、黙って拝借する、盗む……なんでもいい。どのみち君の父親のお金だ。それだけあればとりあえずはなんとかなるだろう。でも、その40万円だかなんだかを使い切ってしまったときはどうするつもりなんだい？　だって財布に入れたお金が、森のきのこみたいに自然に増えていくわけはないんだからさ。君には食べるものも必要だし、寝るところも必要だ。お金はいつかなくなる」

「そのときはそのときで考える」と僕は言う。

「そのときはそのときで考える」と少年は手のひらにのせて重みをはかるみたいに、僕の言葉をそのまま繰《く》りかえす。

　僕はうなずく。

「たとえば仕事をみつけるとか？」

「たぶんね」と僕は言う。

　カラスと呼ばれる少年は首を振る。「ねえ、君はもっと世間ってものを知らなくちゃいけないよ。だってさ、15歳の子どもが遠くの知らない土地で、いったいどんな仕事を見つけられると思うんだい？　だいたい君はまだ義務教育だって終えていないんだぜ。誰がそんな人間を雇ってくれる？」

　僕は少し赤くなる。僕はすぐに赤くなる。

「まあいいや」とカラスと呼ばれる少年は言う。「まだなんにも始まってもいないうちから、暗いことばかり並べたててもしょうがないものな。君はもう心をきめたんだ。あとはそれを実行に移すだけのことだ。なにはともあれ君の人生なんだ。基本的には、君が思うようにするしかない」

　そう、なにはともあれこれは僕の人生なのだ。

「しかしこれから先、君はずいぶんタフにならないとやっていけないぜ」

「努力はしている」と僕は言う。

「たしかに」とカラスと呼ばれる少年は言う。「この何年かで君はずいぶん強くなった。そのことを認めてないってわけじゃないんだよ」

僕はうなずく。

カラスと呼ばれる少年は言う。「しかしなんといっても君はまだ15歳なんだ。君の人生は、ごく控えめに言って、まだ始まったばかりだ。君がこれまで見たこともないようなものが、世界にはいっぱいあるわけさ。今の君には想像もできないようなものがね」

僕らはいつものように父の書斎の古い革のソファの上に、並んで座っている。カラスと呼ばれる少年はその場所が気に入っている。そこにある細々したものが彼は大好きなのだ。今は蜂《はち》のかたちをしたガラスの文鎮を手の中でもてあそんでいる。もちろん父が家にいるときには近寄りもしないけど。

僕は言う。「でもなにがあっても、僕はここから出て行かなくちゃならないんだ。それは動かしようのないことだよ」

「そうかもしれない」とカラスと呼ばれる少年は同意する。文鎮をテーブルの上に置き、頭の後ろで手を組む。「しかしそれですべてが解決するわけじゃない。またまた君の決意に水を差すようだけど、どれほど遠くまで行ったところで、君がうまくここから逃げだせるかどうか、それはわかったものじゃないぜ。距離みたいなものにはあまり期待しないほうがいいような気がするね」

僕はあらためて距離について考える。カラスと呼ばれる少年はひとつため息をつき、それから指の腹で両方の瞼《まぶた》の上を押さえる。そして目を閉じ、その暗闇《くらやみ》の奥から僕に語りかける。

「いつものゲームをやろう」と彼は言う。

「いいよ」と僕は言う。僕も同じように目を閉じ、静かに大きく息をする。

「いいかい、ひどいひどい砂嵐《すなあらし》を想像するんだ」と彼は言う。「ほかのことはぜんぶすっかり忘れて」

言われたとおり、ひどいひどい砂嵐を想像する。ほかのことはぜんぶすっかり忘れてしまう。自分が自分であることさえ忘れてしまう。僕は空白になる。ものごとはすぐに浮かんでくる。いつものように僕と少年は、父の書斎の古い革の長《なが》椅子《いす》の上でそのものごとを共有する。

「ある場合には運命というのは、絶えまなく進行方向を変える局地的な砂嵐に似ている」とカラスと呼ばれる少年は僕に語りかける。

ある場合には運命っていうのは、絶えまなく進行方向を変える局地的な砂嵐に似ている。君はそれを避けようと足どりを変える。そうすると、嵐も君にあわせるように足どりを変える。君はもう一度足どりを変える。すると嵐もまた同じように足どりを変える。何度でも何度でも、まるで夜明け前に死神と踊る不吉なダンスみたいに、それが繰りかえされる。なぜかといえば、その嵐はどこか遠くからやってきた無関係ななにかじゃないからだ。そいつはつまり、君自身のことなんだ。君の中にあるなにかなんだ。だから君にできることといえば、あきらめてその嵐の中にまっすぐ足を踏みいれ、砂が入らないように目と耳をしっかりふさぎ、一歩一歩とおり抜けていくことだけだ。そこにはおそらく太陽もなく、月もなく、方向もなく、あるばあいにはまっとうな時間さえない。そこには骨をくだいたような白く細かい砂が空高く舞っているだけだ。そういう砂嵐を想像するんだ。

僕はそんな砂嵐を想像する。白いたつまきが空に向かって、まるで太いロープのようにまっすぐたちのぼっている。僕は両手で目と耳をしっかりとふさいでいる。身体《からだ》の中にその細かい砂が入ってしまわないように。その砂嵐はこちらをめがけてどんどん近づいてくる。僕はその風圧を遠くから肌に感じることができる。それは今まさに僕を呑《の》みこもうとしている。

やがてカラスと呼ばれる少年は僕の肩にそっと手を置く。すると砂嵐は消える。でも僕はまだ目を閉じたままでいる。

「君はこれから世界でいちばんタフな15歳の少年にならなくちゃいけないんだ。なにがあろうとさ。そうする以外に君がこの世界を生きのびていく道はないんだからね。そしてそのためには、ほんとうにタフであるというのがどういうことなのか、君は自分で理解しなくちゃならない。わかった?」

僕はただ黙っている。少年の手を肩に感じながら、このままゆっくり眠りに入ってしまいたいと思う。かすかな羽ばたきが耳に届く。

「君はこれから世界でいちばんタフな15歳の少年になる」とカラスと呼ばれる少年は、眠ろうとしている僕の耳もとで静かに繰りかえす。僕の心に濃いブルーの字で、入れ墨として書きこむみたいに。

そしてもちろん、君はじっさいにそいつをくぐり抜けることになる。そのはげしい砂嵐を。形而上的《けいじじょう》で象徴的な砂嵐を。でも形而上的であり象徴的でありながら、同時にそいつは千の剃刀《かみそり》のようにするどく生身を切り裂くんだ。何人もの人たちがそこで血を流し、君自身もまた血を流すだろう。温かくて赤い血だ。君は両手にその血を受けるだろう。それは君の血であり、ほかの人たちの血でもある。

そしてその砂嵐が終わったとき、どうやって自分がそいつをくぐり抜けて生きのびることができたのか、君にはよく理解できないはずだ。いやほんとうにそいつが去ってしまったのかどうかもたしかじゃないはずだ。でもひとつだけはっきりしていることがある。その嵐から出てきた君は、そこに足を踏みいれたときの君じゃないっていうことだ。そう、それが砂嵐というものの意味なんだ。

15歳の誕生日がやってきたとき、僕は家を出て遠くの知らない街に行き、小さな図書館の片隅で暮らすようになる。

もちろん順を追ってくわしい話をしようと思えば、たぶんこのまま一週間だって話をつづけることはできる。しかしひとまず要点だけを言うと、だいたいそういうことになる。15歳の誕生日がやってきたとき、僕は家を出て遠くの知らない街に行き、小さな図書館の片隅で暮らすようになった。

なんだかおとぎ話みたいに聞こえるかもしれない。でもそれはおとぎ話じゃない。どんな意味あいにおいても。

第1章

家を出るときに父の書斎から黙って持ちだしたのは、現金だけじゃない。古い小さな金のライター（そのデザインと重みが気にいっていた）と、鋭い刃先をもった折り畳み式のナイフ。鹿《しか》の皮を剝《は》ぐためのもので、手のひらにのせるとずしりと重く、刃渡りは12センチある。外国旅行をしたときのみやげものなんだろうか。やはり机の引き出しの中にあった強力なポケット・ライトももらっていくことにした。サングラスも年齢をかくすためには必要だ。濃いスカイブルーのレヴォのサングラス。

父が大事にしているロレックスのオイスターを持っていこうかとも思ったけれど、迷った末にやめた。その時計の機械としての美しさは僕を強くひきつけたが、必要以上に高価なものを身につけて人目をひきたくはなかった。それに実用性を考えれば、僕がふだん使っているストップウォッチとアラームのついたカシオのプラスチックの腕時計でじゅうぶんだ。むしろそちらのほうがずっと使いやすいはずだ。あきらめてロレックスを机の引き出しに戻す。

ほかにはは小さいころの姉と僕が二人並んでうつった写真。その写真も机の引き出しの奥に入っていた。僕と姉はどこかの海岸にいて、二人で楽しそうに笑っている。姉は横を向き、顔の半分は暗い影になっている。おかげで笑顔がまんなかで分断されたみたいになっている。教科書の写真で見たギリシャ演劇の仮面みたいに、その顔には二重の意味がこめられている。光と影。希望と絶望。笑いと哀《かな》しみ。信頼と孤独。一方の僕はなんのてらいもなくまっすぐにカメラのほうを見ている。海岸には僕ら二人のほかに人の姿はない。僕と姉は水着を着ている。姉は赤い花柄のワンピースの水着を着て、僕はみっともないブルーのぶかぶかのトランクスをはいている。僕は手になにかをもっている。それはプラスチックの棒のように見える。白い泡になった波が足もとを洗っている。

どこでいつ、誰がそんな写真をとったのだろう。どうして僕はそんなに楽しそうな顔をしているのだろう。いったいどうしてそんなに楽しそうな顔ができるんだろう。どうして父はこの写真だけを手もとに残していたのだろう。すべては謎《なぞ》めいている。僕はたぶん3歳、姉は9歳くらいだ。僕と姉はそんなに仲がよかったのだろうか。僕には家族と一緒に海に行った記憶はまったくない。どこに行った記憶もない。でもなんにしても僕としては、そんな写真を父親の手もとに残していきたくなかった。その古い写真を財布の中に入れる。母親の写真はない。父は母の写っている写真を一枚残らず捨ててしまったようだった。

少し考えてから携帯電話を持っていくことにする。なくなったことがわかれば、父は電話会社に連絡をして契約を取り消すかもしれない。そうなればなんの役にもたたない。しかし僕はそれをリュックに入れた。充電用のアダプターも入れた。どうせ軽いものだ。死んでいることがわかったら、そのときに捨てればいいのだ。

リュックにはどうしても必要なものだけを入れることにする。服を選ぶのがいちばんむずかしい。下着は何組必要だろう。セーターは何枚必要だろう。シャツは、ズボンは、手袋は、マフラーは、ショートパンツは、コートは？　考えはじめるときりがない。でもひとつはっきりとしていることがある。大きな荷物をかついで、いかにも家出少年ですというかっこうをして、知らない土地をうろうろと歩きまわりたくはない。そんなことをしたらすぐに誰かの注意をひいてしまう。警察に保護され、あっというまに家に送りかえされる。あるいは土地のろくでもない連中とかかわりあうことになる。

寒い場所にいかなければいいんだ。僕はそういう結論にたどりつく。簡単なことじゃないか。どこか暖かい土地に行こう。そうすればコートなんていらない。手袋もいらない。寒さを考えなければ、必要な服の量は半分くらいになる。洗濯しやすくてすぐに乾いて、なるべくかさばらない薄手の服を選び、小さくたたんでリュックの中に詰めた。洋服のほかには、空気を抜いて小さく折りたためるスリー・シーズン用の寝袋、簡単な洗面用具キット、雨天用ポンチョ、ノートとボールペン、録音のできるソニーのMDウォークマン、10枚ほどのディスク（音楽はどうしても必要だ）、予備の充電式電池、そんなところだ。キャンプ用の調理用具まではいらない。重すぎるしかさばりすぎる。食べものならコンビニエンス・ストアで買える。長い時間をかけて僕は持ちもののリストを短いものにしていった。いろんなものをそこに書き加え、それから削った。また多くを書き加え、またそれを削った。

15歳の誕生日は、家出をするにはいちばんふさわしい時点のように思えた。それより前では早すぎるし、それよりあとになると、たぶんもう手遅れだ。

中学校に入ってからの2年間、僕はその日のために、集中して身体《からだ》を鍛えた。小学校の低学年のころから柔道の教室にかよっていたし、それは中学生になってもある程度つづけてはいた。でも学校では運動クラブには入らなかった。時間があればひとりでグラウンドを走り、プールで泳ぎ、区立の体育館にかよって機械を使って筋肉を鍛えた。そこでは若い指導員がただで正しいストレッチングのやりかたやマシンの使いかたを教えてくれた。どのようにすれば全身の筋肉を効率よく強くすることができるか。どの筋肉がふだんの生活の中で使われるもので、どの筋肉が機械でしか強化されないものなのか。彼らは正しいベンチプレスのやりかたを教えてくれた。幸運なことに僕はもともと背が高かったし、日々の運動のおかげで肩幅も広くなり、胸も厚くなった。知らない人の目にはじゅうぶん17歳には見えるはずだ。もし僕が15歳で、そのまま15歳みたいな外見をしていたら、行く先ざきでまずまちがいなく面倒を背負いこむことになるだろう。

体育館の指導員とのやりとりや、一日置きにうちにかよってくるお手伝いさんとの簡単なやりとりをべつにすれば、そして学校でのどうしても必要な会話をべつにすれば、僕はほとんど誰とも口をきかなかった。父とはずいぶん前から顔をあわせないようになっていた。同じひとつの家に住んでいても生活する時間帯はまったくちがっていたし、父は一日のほとんどの時間、離れた場所にある工房にこもっていた。そして言うまでもないことだけど、僕は父と顔をあわせないですむようにいつも用心していた。

僕がかよっていたのは、主として上流家庭の、あるいはただ単に金持ちの子どもたちをあつめた私立中学だった。よほどの失敗をしないかぎり、そのまま高等部まで進むことができる。みんな歯並びがよく、清潔な服を着て、話が退屈だった。もちろん僕はクラスでは誰からも好かれなかった。僕は自分のまわりに高い壁をめぐらせ、誰一人その中に入れず、自分をその外に出さないようにつとめていた。そんな人間が誰かに好かれるわけがない。彼らは僕を敬遠し、そして警戒していた。あるいは不愉快に思ったり、ときにはおびえたりしていたかもしれない。でも人にかまわれないことはむしろありがたかった。僕にはひとりでやらなくてはならないことが山ほどあったからだ。休み時間になるといつも学校の図書室に行って、むさぼるように本を読んだ。

それでも学校の授業だけはずいぶん熱心に聴いた。それはカラスと呼ばれる少年が強く勧めてくれたことだった。

中学校の授業で教えられる知識やら技術やらが、現実生活でなにかの役にたつとはあまり思えないよ、たしかに。教師だって、ほとんどはろくでもない連中だ。それはわかる。でもいいかい、君は家出をするんだ。そうなれば、これから先学校に行く機会といってもたぶんないだろうし、教室で教わることは好きも嫌いもなくひとつ残らず、しっかりと頭の中に吸収しておいたほうがいいぜ。君はただの吸い取り紙になるんだ。なにを残してなにを捨てるかは、あとになってきめればいいんだからさ。

僕はその忠告に従った（僕はだいたいにおいてカラスと呼ばれる少年の与えてくれる忠告には従うことにしていた）。意識を集中し、脳を海綿のようにし、教室で語られるすべての言葉に耳をすませ、頭にしみこませた。それらを限られた時間の中で理解し、記憶した。おかげで教室の外ではほとんど勉強をしなかったにもかかわらず、試験の成績では僕はいつもクラスの上位にいた。

筋肉は金属を混ぜこんだみたいに強くなり、僕はますます無口になっていった。感情の起伏が顔に出るのをできるかぎり抑え、自分がなにを考えているのか、教師やまわりのクラスメートに気づかれないようにする訓練をした。僕はやがて荒々しい大人の世界の中に入りこみ、そこでひとりで生きのびていかなくてはならないのだ。誰よりもタフにならなくてはならない。

鏡を見ると、自分の目がとかげのような冷ややかな光を浮かべ、表情がますます硬く薄くなっていくことがわかった。考えてみれば、僕は思い出せないくらい昔から一度も笑っていなかった。微笑《ほほえ》みさえしなかった。他人に対しても、それから僕自身に対しても。

でもいつもそういった静かな孤立をまもりきれたわけじゃない。自分のまわりにめぐらせたはずの高い壁があっさりと崩れてしまうことだってあった。それほど何度もあったというのではないけど、ときどきはあった。壁は知らないあいだにうしなわれて、僕は裸で世界の前にむき出しになっていた。そういうときには僕は混乱した。それもひどく混乱した。おまけにそこには予言があった。予言はいつも暗い水みたいにそこにあった。

予言は暗い秘密の水のようにいつもそこにある。

ふだんはどこか知らない場所にこっそりと潜んでいる。しかしそれはある時が来ると音もなくあふれ出て、君の細胞のひとつひとつを冷ややかにひたし、君はその残酷な水の氾濫《はんらん》の中で溺《おぼ》れ、あえぐことになる。君は天井近くにある通気口にかじりついて、外の新鮮な空気を必死に求める。しかしそこから吸いこむ空気はからからに乾ききって、君の喉《のど》を熱く焼く。水と渇き、冷たさと熱という対立するはずの要素が、力を合わせて同時に君に襲いかかる。

世界にこれほど広い空間があるのに、君を受けいれてくれるだけの空間は——それはほんのささやかな空間でいいのだけれど——どこにも見あたらない。君が声を求めるとき、そこにあるのは深い沈黙だ。しかし君が沈黙を求めるとき、そこには絶えまのない予言の声がある。その声がときとして、君の頭の中のどこかにかくされている秘密のスイッチのようなものを押す。

君の心は長い雨で増水した大きな河に似ている。地上の標識はひとつ残らずその流れの下にかくされ、たぶんもうどこか暗い場所に運ばれている。そして雨は河の上にまだ激しく降りつづいている。そんな洪水の風景をニュースなんかで見るたびに君は思う。そう、そのとおり、これが僕の心なんだと。

家を出る前に石鹸《せっけん》を使って洗面所で手を洗い、顔を洗う。爪《つめ》を切り、耳の掃除をし、歯を磨く。時間をかけて、できるだけ身体を清潔にする。ある場合には清潔であるというのは何よりも大切なことなのだ。それから洗面台の鏡に向かい、自分の顔を注意深く眺める。そこには僕が父親と母親から——とはいえ母の顔はまったく覚えていないのだけど——遺伝として引きついだ顔がある。どれだけそこに浮かぶ表情を殺したところで、どれだけ目の光を薄めたところで、どれだけの筋肉を身体につけたところで、顔の様子をかえてしまうことはできない。どれだけ強く望んでも、父親から受け継いだとしか思えない二本の濃い長い眉《まゆ》と、そのあいだに寄った深いしわをひきむしってしまうことはできない。そうしようと思えば父親を殺すことはできる（現在の僕の力をもってすれば決してむずかしいことじゃない）。母親を記憶から抹殺することもできる。でも僕の中にある彼らの遺伝子を追い払うことはできない。もしそれを追い払いたければ、僕自身を僕の中から追放するしかない。

そしてそこには予言がある。それは装置として僕の中に埋めこまれている。

それは装置として君の中に埋めこまれている。

僕は明かりを消し、洗面所を出る。

家の中には重く湿った沈黙が漂っている。それは存在しない人々のささやきであり、生きていない人々の息吹《いぶき》だ。僕はあたりを見まわし、立ちどまり、深呼吸をする。時計の針は午後の3時をまわっている。その二本の針はひどくよそよそしく見える。それは中立的なふりをしていながら、僕の側には立っていない。そろそろこの場所をあとにする時間だ。僕は小型のリュックを手にとり、肩にかける。何度もためしに肩にかけたものなのに、それはいつもよりずっと重く感じられる。

行く先は四国ときめている。四国でなくてはならないという理由はない。でも地図帳を眺めていると、四国はなぜか僕が向かうべき土地であるように思える。何度見ても、いや見るたびにますます強く、その場所は僕をひきつける。東京よりずっと南にあり、本土から海によって隔てられ、気候も温暖だ。これまで一度も訪れたことのない土地であり、そこにはひとりの知りあいも、ひとりの親戚《しんせき》もいない。だからもし誰かが僕のゆくえを探すとしても（そんな人間が出てくるとは思えないけれど）、四国に目を向ける可能性はない。

予約していた切符を窓口で受けとり、夜行バスに乗る。それが高松までのいちばん安い交通手段だ。1万円と少し。誰も僕に注意を払わない。年齢をたずねられることもない。顔をのぞきこまれることもない。車掌も事務的に切符をチェックするだけだ。

バスのシートは全体の三分の一くらいしか埋まっていない。乗客の大半は僕と同じようにひとり旅で、車内は不自然なくらいしんとしている。高松まではずいぶん長い道のりだ。時刻表によればおおよそ10時間かかり、到着は明日の早朝になる。しかし時間の長さは気にならない。時間なら、今の僕にはそれこそいくらでもある。夜の8時過ぎにバスがターミナルを出発すると、僕はシートの背もたれを倒し、そのまま眠りこんでしまう。いったんシートに身を沈めると、まるで電池が切れたみたいに意識が薄れていく。

真夜中前からとつぜん強い雨が降りはじめる。僕はときどき目をさまし、安物のカーテンのあいだから夜の高速道路の風景を眺める。雨粒が音をたてて激しく窓をたたき、道路に沿ってならんだ街路灯の明かりをにじませている。街路灯は同じ間隔をたもちながら、世界につけられた目盛りのようにどこまでもつづいている。新しい光がたぐり寄せられ、次の瞬間にはもう古い光となり、背後に過ぎ去っていく。気がついたときには、時計は夜中の12時を過ぎている。そして自動的に、まるで前に押しだされるように僕の15歳の誕生日が訪れる。

「誕生日おめでとう」とカラスと呼ばれる少年が言う。

「ありがとう」と僕は言う。

しかし予言はまだ影となって僕に付き添っている。自分のまわりに築いた壁がまだ崩れていないことを僕は確認する。僕は窓のカーテンを閉じ、また眠る。

第2章

当文書はアメリカ国防省によって「極秘資料」として分類され保管されていたものであり、情報公開法に基づき1986年に一般公開された。現在ワシントン特別区のアメリカ国立公文書館（NARA）において、閲覧可能となっている。

ここに記録された一連の調査は、陸軍情報部ジェームズ・P・ウォレン少佐の指示に従い、1946年3月から4月にかけて実施された。ロバート・オコンネル少尉《しょうい》とハロルド・カタヤマ曹長《そうちょう》が山梨県**郡の現場での直接の調査に従事した。すべての面接の質問者はロバート・オコンネル少尉である。日本語通訳にはカタヤマ曹長があたり、書類作成はウィリアム・コーン一等兵が担当した。

面接は12日間にわたって実施され、場所には山梨県**町役場の応接室が使用された。**郡**町立**国民学校女性教師、当地在住の1名の医師、当地の警察署に所属する2名の警察官、6名の児童が、オコンネル少尉の質問に個別に答えた。

なお添付された1／10、000および1／2、000現地地図は、内務省地理調査所作成のものである。

アメリカ陸軍情報部（MIS）報告書

作成年月日・1946年5月12日

タイトル「RICE BOWL HILL INCIDENT, 1944: REPORT」

文書整理番号 PTYX-722-8936745-42213-WWN

以下は事件当時**町立**国民学校、四年生乙組の担任教師であった岡持節子（26歳）の面接インタビュー。録音テープ使用。このインタビューに関する付帯資料請求番号はPTYX-722-SQ-118から122である。

質問者ロバート・オコンネル少尉による所感

〈岡持節子は顔立ちのいい小柄な女性である。知的で責任感も強く、質問に対する答えは的確で誠実である。ただし事件から少なからざるショックを受け、その余波は現在もなお続いているように見受けられる。記憶をたどりながら、ときとして精神的な緊張が強くなるのが感じられる。それにあわせて話し方も遅くなる〉

たぶん午前10時を少し過ぎたころだったと思いますが、空のずっと上の方に銀色の光が見えました。銀色の鮮やかなきらめきでした。ええ、間違いなく金属の反射する光でした。そのきらめきはかなり長い時間をかけてゆっくりと、東から西の方へと、空を移動していきました。Ｂ29なのだろうと私たちは思いました。それは私たちのちょうど真上にいました。ですからまっすぐに上を見上げなくてはなりませんでした。雲一つない青空で、あまりにも光がまぶしく、見えたのは銀色のジュラルミンらしきもののきらめきだけです。

しかしいずれにしてもそれは、かたちも見えないくらい高いところにありました。ということは、向こうからも私たちの姿は見えないわけです。ですから攻撃されるおそれもありませんし、とつぜん空から爆弾が落ちてくる心配もありません。こんな山奥に爆弾を落としたところで、何の効果もないからです。たぶんその飛行機は、どこかの大きな都市に爆撃に行く途中か、あるいは爆撃を済ませた帰りか、どちらかだろうと思いました。ですから私たちは飛行機の姿を目にしても、とくに警戒せず、そのまま歩き続けました。むしろその光の奇妙な美しさに打たれたくらいでした。

――軍の記録によるとその時刻に、つまり１９４４年の11月７日午前10時前後に、その地域上空をアメリカ軍の爆撃機、あるいはその他の航空機が飛行していた事実はありません。

でも私と、そこにいた16人の子どもたちはみんなはっきりと見ましたし、全員がそれをＢ29だと思いました。そんなに高空を飛べる飛行機はＢ29以外にありません。県内に小さな航空基地はありましたし、ときおり日本の航空機は見かけることもありましたが、みんな小さなもので、そんなに高いところまでは上がれません。それにジュラルミンの光りかたというのは、ほかの金属の光りかたとは違っています。ただそれは大きな編隊ではなく、一機だけの飛行であるように見えましたので、ちょっと妙だなという気がしました。

――あなたはこの土地の出身ですか。

いいえ。私は広島県の生まれです。昭和16年に結婚し、それから当地にやって参りました。夫はやはり当県の中学校で音楽の教師を勤めておりましたが、昭和18年に応召いたしまして、昭和20年6月にルソン島の戦闘に参加し、戦死いたしました。マニラ市近郊の火薬庫の警備にあたっております際に、米軍の砲撃を受けて引火爆発し、亡《な》くなったと聞いております。子どもはおりません。

――そのときにあなたが引率していた学級の児童の数は全部で何人でしたか？

男女あわせて16名、病欠していた2人を除いて、学級の全員でした。内訳は男子が8名、女子が8名です。そのうちの5名は東京から疎開《そかい》してきた子どもたちでした。

私たちは野外実習をするために、水筒とお弁当を持って、朝の9時に学校を出ました。野外実習と言っても特別な学習をするわけではありません。山に入ってキノコとか、食べられる山菜を探すのが主目的です。私たちの住んでいるあたりは農村部ですので、まだ食料にそれほど不自由しておりませんでしたが、決して食べ物が十分にあったわけではありません。強制的な供出の割り当ては厳しいものでしたし、一部の人を別にすれば、みんな慢性的におなかをすかせていました。

ですから子どもたちも、食料になるものをどこかで見つけてくることを奨励されていました。非常時ですから、勉強どころではありません。そういう「野外実習」は当時はみんなよくやっていました。学校のまわりは自然に恵まれて、「野外実習」に適した場所がいくらでもあったのです。そういう意味では私たちは幸運でした。都会にいる人々はみんな飢えていました。当時はもう台湾や大陸からの補給路は完全に断たれていて、都市部での食糧不足、燃料不足は深刻なものになっていましたから。

――学級の中に5人、東京から疎開してきた児童がいたわけですが、地元の子どもたちと、彼らとのあいだはうまく行っていたのですか?

私の学級についていえば、おおむねうまくことは運んでいたと思います。もちろんこんな田舎と東京の真ん中ですから、育った環境はまるで違います。使う言葉も違いますし、着ている服だって違います。地元の子どもの大半は貧しい農家の子どもですし、東京から来た子どもたちの多くは、会社員か官吏の家の子どもたちでした。ですから子どもたちがお互いに理解し合っていたとは、とても言えません。

とくに最初のうちふたつのグループのあいだには、ぎくしゃくした空気が漂っていました。喧嘩《けんか》やいじめがあったわけではないのですが、ただお互いに相手が何を考えているのか、理解できなかったのです。ですから地元の子どもたちは地元の子どもたちだけで、東京の子どもたちは東京の子どもたちだけで固まっていました。しかし2カ月ほどたつと、お互いにずいぶん慣れました。子どもたちがいったん夢中になって一緒に遊び始めると、文化や環境の垣根というのは比較的簡単にはずれてしまうものなのです。

——その日にあなたが学級の子どもを引率していった場所について、できるだけくわしく話してください。

それは私たちがよく遠足にでかける山でした。お椀《わん》を伏せたような丸い形をしておりまして、私たちはそれを普通「お椀山」[1]と呼んでいました。それほど険しい山ではありませんし、誰でも簡単に登れます。学校から少し西に向けて歩いたところにあります。頂上までたどりつくのに、子どもの足でだいたい2時間ほどかかります。途中の森でキノコを探し、そこで簡単にお弁当を食べることになっていました。子どもたちは教室で勉強をするより、そういう「野外実習」に出かける方を喜びます。

空の高いところに見えた飛行機らしきもののきらめきは、少しの間私たちに戦争のことを思い出させましたが、それも一瞬のできごとでしたし、だいたいにおいて私たちはみんな上機嫌で、幸福でした。雲ひとつないお天気でしたし、風もなく、山の中は静かで、聞こえるものといえば鳥の声くらいです。そんな中を歩いていると、戦争なんてどこか遠い国の、私たちには関係のないできごとであるように思えました。私たちはみんなで歌を歌いながら山道を歩きました。ときどき鳥の鳴き声のまねをしました。戦争がまだ続いていることをべつにすれば、完璧《かんぺき》と言ってもいいくらい素晴しい朝でした。

――飛行機らしきものを目撃したあと、まもなくして全員で森に入ったのですね。

そうです。森に入ったのは、飛行機を目撃してから5分も経過していなかったと思います。私たちは途中で登山道を離れ、森の中の斜面についた踏み分け道に入りました。ここだけはかなり険しい上りです。10分ほど登ったところで、森が開けた場所に出ます。けっこう広い部分が、まるでテーブルのようにきれいに平らになっています。

---

1) OWAN-YAMA. “Rice Bowl Hill”

いったん森の中に足を踏み入れますと、しんとして、太陽の光はさえぎられ、空気は冷ややかになりますが、そこだけは頭上も明るくひらけて、小さな広場みたいになっていました。私たちの学級は「お椀山」に登ると、よくその場所を訪れました。そこにいるとなぜか穏やかで親密な気持ちになれたからです。

私たちは「広場」につくとひと休みし、荷物を下ろし、それから3名から4名ずつのグループに分かれてキノコ探しにとりかかりました。お互いの姿が目に入らないところにはいかないというのが私の決めたルールでした。私はみんなを集めてそのルールをあらためて徹底させました。よく知った場所とはいえやはり森の中ですし、いったん奥に迷い込んでしまうと面倒なことになります。しかし小さな子どもたちです。キノコとりに夢中になりますと、ついついそんなルールは忘れてしまいます。ですから私は自分でもキノコを探しながら、常に目で子どもたちの頭数を勘定していました。

子どもたちが地面に倒れ始めたのは、その「広場」を中心にキノコとりを始めてからおよそ10分くらいたってからです。

最初に地面に3人の子どもたちがかたまって倒れているのを目にしたとき、私はまず毒キノコを食べたのではないかと考えました。この土地には生死にかかわるような猛毒をもったキノコがたくさん生えています。地元の子どもたちは見分けることができますが、それでも中には紛《まぎ》らわしいものがあります。ですから学校に持って帰って専門家に選別してもらうまでは、どんなものも決して口にはしないようにと強く言い聞かせてはありますが、子どもたちみんながみんな言うことをきくとはかぎりません。

私はあわててそこに駆け寄り、地面に倒れている子どもたちを抱き起こしました。子どもたちの身体《からだ》はまるで、太陽の熱で柔らかくなったゴムみたいにぐんにゃりとしていました。力がすっかり抜けてしまっていて、なんだか抜け殻を抱いているみたいでした。でも呼吸はしっかりしていました。手首に指をあててみますと、脈拍もだいたい正常のようでした。熱もありません。表情も穏やかで、苦しんでいる様子も見受けられません。蜂《はち》に刺されたとか、蛇に嚙《か》まれたとか、そういうのでもなさそうです。ただ意識がないのです。

いちばん奇妙なのは目でした。そのぐったりとした状態は、昏睡《こんすい》している人の状態に近いのですが、でも目は閉じられていません。目はごくふつうに開かれて、何かを眺めているみたいに見えました。ときどきまばたきもします。ですから、眠っていたというわけではないのです。そして瞳《ひとみ》はゆっくりと動いていました。まるでどこか遠くにある風景を端から端まで見わたしているみたいに、静かに左右に動いていました。その瞳には意識がありました。でも実際にはその目は何も見ていません。少なくとも目の前にあるものを見ているのではありません。私が目の前に手をかざして動かしても、瞳は反応らしきものを見せませんでした。

私は3人の子どもたちを順番に抱き上げていったのですが、3人が3人ともまったく同じ状態を示していました。意識はなくみんなが同じように目を開いて、左右にゆっくりと瞳を動かしています。それは尋常ではない光景でした。

――その最初に倒れた子どもたちはどのような構成だったのですか？

女の子ばかり3人です。仲がよい3人組でした。私はその子たちの名前を大声で呼び、順番に頰《ほお》を叩《たた》きました。かなり強く叩きました。しかし反応はありません。何も感じていないのです。私が手のひらに感じたのは、硬い虚空《こくう》のようなものでした。それはとても奇妙な感覚でした。

私は誰かを学校に走って帰らせようと思いました。私ひとりの力では意識のない3人の子どもを担《かつ》いで帰ることは不可能です。ですからいちばん足の速い男の子の姿を探しました。しかし立ち上がってあたりを見まわしたとき、ほかの子どもたちもみんな地面に倒れていることに私は気づきました。16人の子どもたちが全員、ひとり残らずそこに倒れて意識を失っていました。倒れていないのは、立って意識を保っているのは、私ひとりだけだったのです。それはまるで……戦場のようでした。

——そのときに現場で何か異常なことに気がつきませんでしたか？　たとえば匂《にお》いとか、音とか、光とか？

（しばらく考える）。いいえ、先ほども申し上げましたとおり、あたりはとても静かで、平和そのものでした。音にも光にも匂いにも、変わった点はありません。ただ私の学級の子どもたちがひとり残らずそこに倒れていただけです。私はそのとき、この世界にたったひとりで取り残されてしまったような気がしました。とても孤独でした。どんなものとも比べようがないくらい孤独でした。何も考えずにそのまま虚空の中に消え入ってしまいたいような気持ちでした。

でももちろん私には引率の教師としての責任があります。私はすぐに気を取り直し、転げるように斜面を駆け降り、助けを求めるために学校に向かいました。

第3章

目が覚めたときには夜が明けようとしている。僕は窓のカーテンを引き、外の風景を眺める。雨はもうすっかりあがっていたけれど、降りやんでまだ間がないらしく、窓の外にある目に映るものすべてが黒く濡《ぬ》れ、水滴をしたたらせている。東の空には、輪郭《りんかく》のくっきりした雲がいくつか浮かび、それぞれの雲のまわりには光の縁どりがついている。光の色は不吉にも見えるし、同時に好意的なものにも見える。眺める角度によってその印象は刻々と変化していく。

バスは高速道路の上を一定の速度で走りつづけている。耳に届くタイヤ音は高まることもなく、低くなることもない。エンジンの回転数もまったく変化しない。その単調な音は石臼《いしうす》のようになめらかに時間を削りとり、人々の意識を削りとっていく。まわりの乗客は窓のカーテンをぴったりと閉め、シートの中で身をかがめて眠りこんでいる。目を覚ましているのは僕と運転手だけのようだ。僕らは効率よく、とても無感覚に目的地に向けて運ばれていく。

喉《のど》が渇いたので、リュックのポケットからミネラル・ウォーターのボトルを出して、なまあたたかい水を飲む。同じポケットからソーダ・クラッカーの箱を出し、何枚かを食べる。口の中にクラッカーのなつかしい乾いた味が広がっていく。腕時計の数字は4:32を示している。僕は念のために日付と曜日をたしかめる。その数字は、僕が家を出てからおおよそ13時間が経過したことを教えてくれる。時間は進みすぎてもいないし、あと戻りしてもいない。僕はまだ誕生日の中にいる。僕は新しい人生の最初のいちにちの中にいる。目を閉じ、目を開け、もう一度時計の時刻と日にちを確認する。それから読書灯をつけ、文庫本を読み始める。

5時過ぎにバスは気配もなく高速道路を離れ、どこかのサービスエリアの広い駐車場の一角に停まる。圧縮空気の音が聞こえ、前方のドアが開けられる。車内の明かりがつき、運転手からの短いアナウンスがある。みなさまおはようございます。お疲れさまでした。予定通りあと1時間ばかりでバスは高松駅前に到着いたしますが、その前に当サービスエリアで20分ほどの朝の休憩になります。出発時刻は5時30分になっております。どなた様もそれまでに車内にお戻りください。

ほとんどの乗客がそのアナウンスで目を覚まし、黙って席を立つ。あくびをし、面倒くさそうにバスを降りる。高松に着く前に多くの人々はここで身支度をととのえるのだ。僕もバスを降りて何度か深呼吸をし、背筋を伸ばし、朝の新鮮な空気の中で簡単なストレッチをする。洗面所に行って洗面台で顔を洗う。そしてここはいったいどこなのだろうと考える。外に出て、あたりの風景をひととおり見まわしてみる。とくにこれという特徴もない平凡な高速道路沿いの風景だ。でも、気のせいかもしれないけれど、山のかたちや樹木の色あいが東京とはどことなくちがって見える。

カフェテリアに入って無料サービスの熱い緑茶を飲んでいると、ひとりの若い女性がやってきてとなりのプラスチックの椅子《いす》に腰をおろす。彼女は自動販売機で買ったばかりのコーヒーの紙コップを右手に持っていて、そこから白い湯気が立ちのぼっている。左手にはこれも販売機で買ったらしい、サンドイッチの入った小さな箱を持っている。

彼女の顔立ちは正直なところ一風変っている。というか、どう好意的に見ても、整ったものではない。額は広くて、鼻は小さく丸く、頰はそばかすだらけだ。耳も尖《とが》っている。どっちかといえばかなり目だつつくりの顔だ。乱暴なつくりと言ってもいいくらいだ。でも全体の印象はぜんぜん悪くない。本人も自分の容姿に完全に満足はしていないまでも、うまく馴染《なじ》んでくつろいでいるように見える。それはきっと大事なことなのだろう。そこにある子供っぽさみたいなものが相手を安心させる。少なくとも僕を安心させる。背はあまり高くないけど、身体《からだ》はすらりと細く、その割に胸が大きい。脚のかたちもきれいだ。

両方の耳たぶには薄い金属片のイヤリングが下がっていて、ジュラルミンのようにときどき眩《まぶ》しく光る。肩までの髪を濃い茶色に染めて（ほとんど赤に近い）、太い横《よこ》縞《じま》のボートネックの長袖《ながそで》シャツを着ている。肩に小さな革のリュックをかけ、夏物の薄いセーターを首に巻いている。クリーム色のコットンのミニスカート、ストッキングはなし。洗面所で顔を洗ってきたらしく、前髪が何本か、植物の細い根っこのように広い額に張りついていて、それがどことなく僕に親しみをいだかせる。

「君はあのバスに乗ってた人だよね？」と彼女は僕にたずねる。少ししゃがれた声だ。

「そう」

彼女は眉《まゆ》をひそめてコーヒーを一口すする。「君はいくつなの？」

「17歳」と僕は嘘《うそ》を言う。

「高校生だね」

僕はうなずく。

「どこまで行くの？」

「高松」

「じゃあ私と同じだ」と彼女は言う。「君は高松に行くの？　それとも帰るの？」

「行くほう」と僕は答える。

「私も同じ。あっちに友だちがいるんだ。仲のいい女の子なんだけどね。君は？」

「親戚《しんせき》がいます」

彼女はなるほどというようにうなずいて、それ以上は質問しない。

「私にも君と同じくらいの年頃の弟がいるんだよ」とふと思いだしたように彼女は言う。「事情があって、もうずいぶん長く会ってないんだけどね……。それでさ、うん、君ってあの子にすごーく似てるね。誰かにそう言われたことない？」

「あの子？」

「あのバンドで歌っている、あの子。バスの中で見かけたときから、ずっとそう思っていたんだ。でも名前が出てこない。頭に穴が開いちゃうくらいずっと真剣に考えていたんだけど、駄目なの。そういうことってあるでしょう？　思い出せそうで思い出せないってこと。誰かに似ているって、これまで言われたことない？」

僕は首を振る。誰も僕にそんなことは言わない。彼女はまだ目を細めて僕を見ている。

「どんな人に？」と僕はたずねてみる。

「テレビの人」

「テレビに出ている人？」

「そう、テレビに出ている人」、彼女はハムのサンドイッチを手にとって、無表情にそれを咀嚼《そしやく》し、またコーヒーを飲む。「どっかのバンドで歌を歌っている男の子なんだ。だめだな。そのバンドの名前も思いだせない。関西弁をしゃべる背の高いやせた男の子。心当たりはない？」

「わからないな。テレビは見ないから」

彼女は顔をしかめる。そしてしげしげと僕を見る。「見ないって、ぜんぜん？」

僕は黙って首を振る。いや、うなずくべきなのかな？　僕はうなずく。

「君はあまりしゃべらないし、しゃべってもだいたい一度に一行くらいしかしゃべらないんだね。いつもそうなの？」

僕は赤くなる。僕がしゃべらないのは、もちろんもともとが無口だったということもある。しかし声の高さがまだ完全に落ちついていないのもその理由のひとつだ。いつもはだいたい低い声で話すのだけれど、ときどき急に声が裏返ってしまう。だからなるべく長くしゃべらないようにしている。

「まあいいや、とにかく」と彼女はつづける。「君はそのバンドで歌を歌っていて、しゃべるときは関西弁でしゃべる男の子に感じがよく似ているんだ。君はもちろん関西弁じゃないけどね。ただその、なんていうか……、雰囲気がよく似ているっていうだけ。わりに感じのいい子なんだ。それだけ」

彼女は微笑《ほほえ》みを少しだけシフトさせる。その微笑みはどこかにちょっとでかけて行って、すぐにまた戻ってくる。僕の顔はまだ赤くなったままだ。

「その髪型をかえればもっとよく似てくると思うな。もう少し長くのばして、ヘアジエルをつかってひょいひょいっと髪を立てるんだ。できるものなら、今ここでやってあげたいけどね。きっと似合うわよ。じつを言うと私は美容師なんだ」

僕はうなずく。そしてお茶を飲む。カフェテリアの中はとても静かだ。音楽もかかっていない。話し声も聞こえない。

「話をするのがきらいなの？」、彼女は片手で頬杖《ほおづえ》をつき、真剣な顔で僕にたずねる。

僕は首を振る。「いや、そんなことはありません」

「迷惑とか、そういうんじゃない？」

僕はもう一度首を振る。

彼女はサンドイッチをひとつ手に取る。いちごジャムのサンドイッチだ。彼女は信じられないという顔をして眉をしかめる。

「ねえ、これを食べてくれない？　私はいちごジャムのサンドイッチって、世の中でいちばん嫌いなもののひとつなの。子どものころからずっと」

僕はそれを受けとる。僕もいちごジャムのサンドイッチは決して好きじゃない。でも黙って食べる。彼女はテーブル越しに僕がちゃんと最後までそれを食べるのを見とどける。

「ひとつ君に頼みごとがあるんだけど」と彼女は言う。

「どんなこと？」

「高松に着くまで、君のとなりの席に座っていていいかな？　ひとりでいるとどうも落ちつかないんだ。変なひとがとなりに座ってきそうな気がして、うまく眠れなかった。切符を買ったときにはひとりずつの独立したシートだって聞いていたんだけど、乗ってみたらじっさいには二人がけなんだよね。高松に着くまでに少しでも眠っておきたいの。君は変なひとには見えないみたいだし。どう、かまわない？」

「かまわないけど」と僕は言う。

「ありがとう」と彼女は言う。「旅は道連れっていうものね」

僕はうなずく。うなずいてばかりいるような気がする。でもなんと言えばいいのだろう?

「そのあとはなんだっけ?」

「そのあと?」

「旅は道連れ、のあと。なにか続きがあったわよね? 思い出せない。私はコクゴが昔から弱いの」

「世は情け」と僕は言う。

「旅は道連れ、世は情け」と彼女は確認するように繰りかえす。紙と鉛筆があったらちゃんと書きとめておくんだけどというような感じで。「ねえ、それってどういう意味なのかしら。簡単に言ってしまえば」

僕は考えてみる。考えるのに時間がかかる。でも彼女はじっと待っている。

「偶然の巡《めぐ》りあいというのは、人の気持ちのためにけっこう大事なものだ、ということだと思うな。簡単にいえば」と僕は言う。

彼女はしばらくそれについて考えていたが、やがてテーブルの上でゆっくりと軽く両手をあわせる。「それはたしかにそうだよね。偶然の巡りあいというのは、人の気持ちのためにけっこう大事なものだ、と私も思う」

僕は腕時計に目をやる。もう5時半になっている。「そろそろ戻ったほうがいいんじゃないかな?」

「うん、そうだね。行こう」と彼女は言う。でも立ちあがる気配はない。

「ところで、ここはいったいどこなんだろう?」と僕はたずねる。

「さあ、どこかしらね」と彼女は言う。首をのばしてあたりをぐるりと見まわす。耳の一対のイヤリングが熟れた果実のようにゆらゆらと不安定に揺れる。

「私にもよくわからないな。時間的にいって、たぶん倉敷のあたりじゃないかという気はするけれど、でもべつにどこだってかまわないわよ。高速道路のサービスエリアなんて、結局はただの通り過ぎる地点じゃない。こっちから、こっちに」、彼女は右手の人差し指と左手の人差し指を空中に立てる。そのあいだには30センチほどの距離がある。

「場所の名前なんてどうだっていいんだよ。トイレと食事。蛍光灯とプラスチックの椅子。まずいコーヒー。いちごジャムのサンドイッチ。そんなものに意味はないよ。なんに意味があるかといえば、私たちがどこから来て、どこに行こうとしているかってことでしょう。ちがう?」

僕はうなずく。僕はうなずく。僕はうなずく。

僕らがバスに戻ったときには、もう乗客は全員座席について、バスは一刻も早く出発しようと待ちかまえている。運転手はきつい目をした若い男だ。バスの運転手というよりは水門の管理人みたいに見える。彼は非難がましい視線を、時間に遅れてきた僕と彼女に向ける。しかしとくになにも言わない。彼女は「ごめんね」とでも言うように、邪気のない微笑みを彼に投げかける。運転手は手をのばしてレバーを押し、再び圧縮空気の音をたててドアを閉める。彼女は小型のスーツケースを抱えて僕のとなりの席にやって来る。量販店で買ってきたようなぱっとしないスーツケースだ。大きさのわりに重い。僕はそれを持ちあげて、頭上のもの入れに入れる。彼女はありがとうと言う。それからシートを倒してすぐに眠りに入る。バスは待ちかねたように出発する。僕はポケットから本を出してつづきを読み始める。

彼女はぐっすりと眠りこみ、やがてカーブでの揺れにあわせるように、僕の肩に頭をもたせかける。そしてそのままそこにとどまる。べつに重くはない。彼女は口を閉じ、鼻で静かに呼吸している。その息が僕の肩の骨の上に規則正しく当たる。見おろすと、ボートネックの襟《えり》からブラジャーの紐《ひも》がのぞいている。クリーム色の細い紐だ。僕はその先にあるデリケートな生地の下着を想像する。その下にある柔らかい乳房を想像する。僕の指先で固くなるピンク色の乳首を想像する。想像したいわけじゃない。でも想像しないわけにはいかない。その結果、もちろん僕は勃起《ぼっき》する。どうして身体の一部がこんなに硬くなれるんだろうというくらい硬く勃起する。

それと同時に、ひょっとして彼女が僕のお姉さんではないかという疑いが、僕の中に生まれる。歳《とし》もだいたい同じくらいだ。彼女の特徴的な顔立ちは、写真にうつっていた姉の顔とはずいぶんちがう。でも写真なんてあてにできないものだ。写しようによっては、実際とはまったくべつの顔に写ってしまうことだってある。彼女には僕と同じくらいの年頃の弟がいるけれど、ずいぶん長く会っていない。その弟が僕であってもおかしくはないはずだ。

僕は彼女の胸を見る。呼吸にあわせて、その丸く盛りあがった部分が、波のうねりのようにゆっくりと上下する。それは静かな雨が降りしきる広大な海原を想像させる。僕はデッキに立つひとりぼっちの航海者であり、彼女は海だ。空は一面の灰色で、それはずっと先のほうで、これもまた灰色の海と一緒になっている。そんなときに、海と空を区別することはとてもむずかしい。航海者と海を区別することもむずかしい。現実のありかたと心のありかたを区別することもまたむずかしい。

彼女の手の指には指輪がふたつはめられている。結婚指輪とか婚約指輪とかじゃない。若者向けの雑貨店で売っているような安物の指輪だ。指は細いけれど、まっすぐで長く、たくましささえ感じられる。爪は短く、きれいに手入れされている。淡いピンクのマニキュア。その手はミニスカートから突きだした膝《ひざ》の上に軽く載せられている。僕はその指に触れたいと思う。でももちろん実際にそんなことはしない。眠っている彼女は小さな子どものように見える。髪のあいだから、尖った耳の先がキノコのようにのぞいている。その耳は不思議に傷つきやすそうな印象を与える。

僕は本を閉じ、窓の外の風景をしばらく眺める。それから知らないうちにまた眠りこんでしまう。

第4章

アメリカ陸軍情報部（MIS）報告書

作成年月日・1946年5月12日
タイトル「RICE BOWL HILL INCIDENT, 1944: REPORT」
文書整理番号 PTYX-722-8936745-42216-WWN

以下は、事件当時＊＊町で内科医を開業していた中沢重一（53歳）の面接インタビュー。録音テープ使用。このインタビューに関する付帯資料請求番号はPTYX-722-SQ-162から183である。

質問者ロバート・オコンネル少尉《しょうい》による所感
〈中沢医師は大柄な体型と日焼けした顔のせいで、医師というよりはむしろ農場監督のような印象を人に与える。人当たりは穏やかだが、しゃべり方はきびきびとして簡潔である。率

直に思ったことを口にする。眼鏡の奥にある眼光は鋭い。記憶力は確かなものであるようだ〉

はい、私は1944年11月7日の午前11時過ぎに、町立国民学校の教頭先生から呼び出しの電話を受けました。以前から学校の嘱託医のようなことをしておりましたので、私のところにまず連絡があったわけです。ひどい慌《あわ》てようでした。

ある学級の全員が山にキノコ取りにいって、その場で意識を失ってしまっているのだという話です。まったく意識がないらしい。引率していった担任の女教師だけが意識を失わずにいて、助けをもとめてひとりで山を下り、ついさっき学校に戻ってきた。しかしずいぶん取り乱しているので、説明を聞いても何がなんだか事情がよくわからない。ひとつ確かなのは、山の中でまだ16人の子どもが倒れたままだということです。

キノコ取りにいったということですから、毒キノコでも食べて神経が麻痺《まひ》したのではないかと私はまず考えました。そうなると話は大変です。キノコは種類によってひとつひとつ毒性も違いますし、それに対する処方も違います。私たちにとりあえずできるのは、胃の中にあるものを全部吐かせ、洗浄することくらいです。しかしそれが毒性の強いもので、消化がかなり進んでいる場合には手の打ちようがありません。この地方では毎年何人かがキノコで命を落とします。

私はとりあえず緊急の役に立ちそうな薬品をあるだけ鞄《かばん》に詰め込み、すぐに自転車に乗って学校に駆けつけました。学校には連絡を受けた警察官も二人来ていました。子どもたちに意識がないとなると、町まで運んでこなくてはなりませんし、人手がいります。しかし戦時中でしたから、若い男のおおかたは兵隊に取られてしまっていました。私とその警察官たちと、年輩の男の先生と、教頭と校長と、用務員、それから担任の若い女の先生とで山に向かいました。そのへんにある自転車をかきあつめ、数が足りないぶんは二人乗りで行きました。

——森の中の現場には何時ごろついたのですか？

そのとき時計を見て時刻をたしかめたのでよく覚えています。11時55分でした。山の入り口あたりの、行けるところまで自転車で行きまして、それからあとは登山道を駆けるようにして登りました。

私がそこに着いたとき、何人かの子どもたちはもうある程度意識を回復して起きあがっていました。何人くらい？　3人か4人か、そんなものです。起きあがるといっても、回復の具合はまだ十分ではなく、ふらふらと身体《からだ》を起こし、四つん這《ば》いになって地面に手をついているという感じでした。残りの子どもたちはまだ地面に倒れていました。しかしそのうちの何人かは、やはり意識を回復しつつあるらしく、まるで大きな虫のように身体をゆっくりとうねらせて動き始めていました。ずいぶん異様な光景でした。子どもたちが倒れていたのは、森の中の奇妙に平らにひらけた場所で、そこだけ切り取られたかのように、秋の太陽の光が明るく射《さ》し込んでおりました。そしてその中に、あるいはその周辺に、16人の小学生がそれぞれの姿勢で倒れています。あるものは動き、あるものはじっとしたままです。まるで前衛的な芝居の場面を見ているようでした。

私は自分が医師としてなすべきことも忘れて、息をのみ、しばしその場に立ちすくんでしまいました。私だけではありません。そこにやってきた全員が多かれ少なかれそういう一時的な麻痺状態に陥ってしまったようでした。妙な表現ですが、普通の人間が目にしてはならないものを、何かの手違いでこうして目の前にしてしまっているような、そんな気さえしました。戦時中でしたから、このような田舎でありましても、私たちは医師として常にいざというときに備えておりました。たとえどんなことが起こっても、ひとりの国民として落ち着いて自分の職責を果たさねばならないと。しかしその情景は文字どおり私を凍りつかせてしまいました。

しかし私はすぐに気を取り直し、倒れている子どもを抱き上げました。女の子でした。身体からいっさいの力が抜け、布人形のようにだらんとしています。呼吸は安定していますが、意識はありません。しかしその目は普通に開いていて、左右に動きながら何かを見ています。私は鞄から小型の懐中電灯を出して、瞳《ひとみ》を照らしました。反応はありません。目は機能して何かを見続けているにもかかわらず、光に反応しないのです。不思議なことです。私は何人かの子どもたちを抱き起こして、同じことをためしてみましたが、反応はそっくり同じでした。

それから私は子どもたちの脈拍と体温を計りました。脈拍は平均しておおよそ50から55、体温は全員が36度を切っていたと記憶しています。35度半ばくらいだったのではないでしょうか。はい、その年齢の子どもとしては脈拍はかなり遅いし、体温は1度ばかり低めになっています。息を嗅《か》いでみましたが、妙な匂《にお》いはまったくありません。喉《のど》にも舌にも変化はありません。

食中毒の症状でないことは一目で判断できました。誰も吐いていません。誰も下痢をしていません。誰も苦しんでいません。悪いものを食べた場合、これだけ時間が経過すれば、その三つの症状のうちの少なくともどれかひとつは必ずやってきます。食中毒ではないらしいとわかって、とりあえず胸をなで下ろしました。しかしじゃあいったい何が起こったのかということになりますと、さっぱり見当がつきません。

症状として似ているのは、日射病です。夏には子どもたちはよく日射病で倒れます。一人が倒れますと、まるで伝染するみたいに、まわりの子どもたちもばたばたと倒れることがあります。しかし季節は11月です。おまけに涼しい森の中です。一人や二人ならまだしも、16人の子どもたち全員がそんなところで日射病になるというのは考えられないことです。

あと考えつくのは、ガスです。毒ガス、おそらくは神経ガスみたいなもの。天然のものか、あるいは人工のものか……。どうしてこんな人里離れた森の中にガスが発生したりするのかと訊《き》かれても、私にはわかりません。しかし仮にそれが毒ガスであれば、このような現象は論理的に説明がつきます。みんなが空気と一緒にそれを吸い込んで、意識をうしなって倒れてしまった。担任の先生だけが大丈夫だったのは、濃度が薄くて、大人の身体はたまたまそれに対抗できたからだというわけです。

しかしじゃあそれに対してどのような治療を施せばいいのかというと、まったく五《ご》里霧中《りむちゆう》です。私はこのような田舎の町医者ですし、特殊な毒性ガスについての専門知識など持ち合わせておりません。ただ途方に暮れるばかりです。山の中ですから専門家に電話で問い合わせることもなりません。ただ実際問題として、子どもたちのうちの何人かが徐々に回復の兆候を見せているわけですから、時間がたてば自然に意識は戻ってくるのかもしれません。あくまで楽観的な見通しではありますが、正直なところそれにかわる良い案も思い浮かびませんでした。だから今しばらくそこに安静に寝かせておいて、様子を見てみようということになりました。

――そのあたりの空気には、何か変わったところはありませんでしたか？

そのことは私も気になりましたので、何か普通ではない匂いがしたりしないかと、その場所の空気を何度か深く吸い込んでみました。しかし普通の山の中の森の空気です。樹木の匂いがします。すがすがしい空気です。あたりの草花にも異常は認められませんでした。変形したものも、変色したようなものも見あたりません。

私は子どもたちが倒れる前に取ったらしいキノコをひとつひとつ点検してみました。それほどたくさんの数ではありません。おそらく集め始めてほどなく倒れてしまったのでしょう。どれもみんな、ごく普通の食用になるキノコでした。私はこのあたりでずっと医師をしておりますし、キノコの種類にはかなり詳しい方です。もちろん念には念を入れてそれらを集めて持って帰り、あとで専門家に点検してもらいました。しかし私の見たとおり、すべて毒性のないごく普通のキノコでした。

——意識を失った子どもたちのことですが、瞳が左右に動く以外に何か、普通ではない症状や反応のようなものはありませんでしたか？　たとえば瞳孔《どうこう》の大きさや、白目の色や、瞬《まばた》きの回数など。

いいえ。瞳がまるで探照灯《たんしょうとう》のように左右に動く以外に、変わったところは何もありませんでした。すべては正常に機能しておりました。子どもたちは何かを見ていました。もっと正確に申し上げますと、子どもたちは、私たちに見えるものを見ないで、私たちには見えないものを見ているように見えました。いや、何かを見ているというよりは、むしろ「目撃している」という方が、印象として近いかもしれません。表情というものはありませんでしたが、全体の印象はきわめて穏やかで、苦痛や怯《おび》えのようなものはまったく認められません。私がそのままそこに寝かせておいて様子を見ようと思ったのには、そういうこともありました。とりあえず苦しんでいないのなら、しばらくそのままにしておいてもいいのではないかということです。

――ガス説についてはその場で誰かに口にされましたか？

はい。いたしました。しかし私と同じように、誰もそんなものに心当たりはありません。山に入って毒性のガスを誰かが吸ったなんて話は、ついぞ聞いたこともありません。そこで、たしか教頭先生だったと思いますが、これは米軍がまいたんじゃないかと言いました。毒ガス爆弾を落としていったのではないかと。そうすると引率の女教師が、そういえば山に入る前にB29らしい機影を空に見たと言いました。ちょうどこの山の真上あたりを飛んでいたと。ひょっとしてそれかもしれないとみんなは口々に言いました。これは米軍が開発した新種の毒ガス爆弾なんじゃないかと。米軍が新型の爆弾を開発しているらしいという噂《うわさ》は、私たちの住んでいるあたりにも広がっておりました。もちろんどうしてそんなものを、わざわざこのようにへんぴな山の中に落とさなくてはならないのか、誰にもわかりません。しかし世の中には間違いというものがあります。何が起こるかは人知のほかです。

――その後子どもたちは少しずつ自然に回復していったわけですね。

そのとおりです。どんなにほっといたしましたことか。子どもたちはまず最初に身をくねらせ、それからよろよろと身を起こし、少しずつ意識を回復しました。その過程で誰かが苦痛を訴えるようなことはありませんでした。とても静かに、深い眠りから自然に覚めるようなかっこうで意識を取り戻していきました。意識を回復すると、それにあわせて目の動きはだんだん正常に戻っていきました。懐中電灯で瞳を照らすと、ごく普通の反応を示すようになりました。しかし口がきけるようになるまでには、しばらく時間がかかりました。ちょうど人が寝ぼけているときの感じに似ています。

私たちは意識を取り戻した一人ひとりに向かって、いったい何が起こったのかと尋ねてみました。しかしみんなただぽかんとするばかりです。身に覚えのないことを問いつめられているみたいでした。子どもたちは、山に入ってこの場所でみんなでキノコを取り始めたところまでは、なんとか思い出せました。しかしそのあとの記憶が消えているのです。時間が経過したという認識すらありません。キノコを取り始めて、そこですとんと幕が下りて、次の瞬間には私たち大人に取り巻かれ、地面に横になっていたわけです。どうして私たちがそんなに真剣な顔をして騒いでいるのか、子どもたちにはまるで理解できず、むしろ私たちの存在に怯えているようでした。

しかし残念ながらその中にひとりだけ、どうしても意識を回復できなかった男の子がいました。疎開《そかい》してきた東京の子どもで、名前はナカタサトルと言いました。たしかそういう名前だったと記憶しています。小柄な色白の子どもでした。その子だけはどうしても意識を取り戻しません。いつまでも地面に横たわって、瞳を動かし続けています。私たちはその子を背負って山を下りました。ほかの子どもたちは何ごともなかったように自分の足で歩いて山を下りました。

——そのナカタという男の子を別にすれば、子どもたちにはその後何の症状も残らなかったのですか？

はい、目に見える異常はまったく認められませんでした。苦痛や不調を訴えることもありませんでした。学校に戻りますと、私は全員を順番に医務室に呼んで熱を計り、聴診器で心音を聞き、視力を調べ、とりあえず点検できるところはすべて点検いたしました。簡単な数字の計算をさせ、目をつぶって片足立ちをさせました。でもすべての身体機能は正常でありました。身体の疲労感もとくにないようでした。食欲もありました。昼食をとらなかったために、全員が空腹を訴えていました。それで握り飯を与えますと、みんな一粒残さず食べてしまいました。

気になりましたので、その後数日にわたって私は学校に顔を出し、事件に遭遇した子どもたちの様子を観察しました。何人かを医務室に呼んで、簡単な面談をしました。しかしやはり異変は認められません。山の中で2時間も意識を失ったという異様な体験をしていながら、子どもたちの精神にも身体にも痕跡《こんせき》ひとつ残ってはいません。そんなことが起こったということすら、思い出せないみたいでした。子どもたちはいつもの日常に戻り、何の違和感もなく生活をおくっていました。授業を受け、歌を歌い、休み時間には元気に校庭を走り回っていました。それとは対照的に、引率をしていた担任の女教師だけは、その事件のあとかなりショックが残ったようでした。

ただナカタという男の子だけは一晩経過してもそのまま意識が戻らず、翌日には甲府の大学病院に運ばれました。その後すぐに軍の病院に移されたということですが、いずれにせよこの町には二度と戻ってきませんでした。その子がどうなったのか、私たちには最後まで知らされませんでした。

その山の中での子どもたちの集団失神事件は、新聞にはいっさい報道されませんでした。おそらくは人心を乱すという理由で、報道が当局に許可されなかったのでしょう。戦争中ですから、軍は流言飛語《りゅうげんひご》にたいへん神経質になっておりました。戦局は思わしくなく、南方でも撤退《てったい》、玉砕《ぎょくさい》が続いておりましたし、米軍による都市の爆撃も始まっておりました。そんなわけですから、民間に反戦機運、厭戦《えんせん》気運が広がることを彼らは恐れていたのです。私たちも数日後に巡回してきた警察官から、この出来事に関して無用な口外は控えるようにと強く注意を受けました。

いずれにせよ実に不可解な、後味《あとあじ》の悪い事件でした。正直に申し上げまして、それは私の胸のつかえのようになっております。

第5章

バスが瀬戸内海にかかる巨大な橋を渡るところを、眠っていて見逃してしまう。地図でしか見たことのないその大きな橋を、じっさいに目にするのを楽しみにしていたのだけれど。誰かが僕の肩を軽くつついて起こす。

「ほら、着いたわよ」と彼女は言う。

僕は座席の中で身体《からだ》をのばし、手の甲で目をこすり、それから窓の外を眺める。たしかにバスは駅前の広場みたいなところにとまりかけている。朝の新しい光があたりに満ちている。まぶしいけれどどことなく穏やかな光だ。東京の光とは少し印象がちがう。僕は腕時計を見る。6時32分。

彼女は疲れきった声で言う。「ああ、長かった。腰がどうにかなってしまいそう。首も痛い。夜行バスになんかもう二度と乗らない。少し値段が高くても飛行機にする。乱気流があろうと、ハイジャックがあろうとぜったいに飛行機に乗る」

僕は頭上のもの入れから彼女のスーツケースと自分のリュックを降ろす。

「名前はなんていうんですか?」と僕はたずねてみる。

「私の名前のこと?」

「そう」

「さくら」と彼女は言う。「君は?」

「田村カフカ」と僕は言う。

「田村カフカ」とさくらは反復する。「変わった名前だね。覚えやすいけど」

僕はうなずく。べつの人間になることは簡単じゃない。でもべつの名前になることは簡単にできる。

彼女はバスを降りるとスーツケースを地面に置き、その上に腰をおろし、肩にかけた小さなリュックのポケットから手帳を出してボールペンで走り書きする。そのページを破って僕に渡す。そこには電話番号のようなものが書いてある。

「私の携帯の番号」と彼女は顔をしかめて言う。「私は友だちのうちにとりあえず泊まるけど、誰かに会いたくなったらここに電話してね。一緒にご飯でも食べよう。遠慮しないでね。ほら、ソデ触れあうも……、っていうじゃない」

「多生《たしょう》の縁」と僕は言う。

「それそれ」と彼女は言う。「どういう意味なの？」

「前世の因縁《いんねん》――たとえささいなことでも、世の中にまったくの偶然というものはない」

彼女は黄色いスーツケースの上に座り、手帳を手に持ったまま、それについて考える。「うん、そいつはひとつの哲学ではあるわね。そういう考えかたも悪くないかもしれない。リインカーネーションというか、ちょっとニューエージっぽいところはあるけどね。でもさ、田村カフカくん、このことは覚えていてね。私は誰にでも簡単に自分の携帯の番号を教えるわけじゃないのよ。私の言いたいことわかる？」

ありがとう、と僕は言う。僕はその電話番号を書いた紙を折りたたんでウィンドブレーカーのポケットに入れる。それから思いなおして財布の中に入れる。

「君はいつまで高松にいるの？」とさくらはたずねる。まだわからない、と僕は言う。なりゆきでたぶん予定は変わってくるから。

彼女は僕の顔をじっと見る。少し首をかしげる。まあいいや、というふうに。そしてタクシーに乗りこみ、軽く手を振ってそのままどこかに行ってしまう。僕は再びひとりぼっちになる。彼女の名前はさくらで、それは姉の名前ではない。でも名前なんて簡単に変えられる。とくに人が誰かから姿を隠そうとしているような場合には。

僕は前もって高松市内のビジネス・ホテルを予約しておいた。東京のYMCAに電話をかけて、そのホテルを紹介してもらった。YMCAをとおすと料金がとくべつに安くなるということだった。ただしそのサービス料金は3泊で終わってしまう。そのあとはふつうの料金を払わなくてはならない。

費用を節約しようと思えば、駅のベンチで寝ることだってできた。寒い季節じゃないし、用意した寝袋をどこかの公園に広げて寝てもいい。しかしそういうところを警官に見かけられたら、きっと身分証明書を見せろと言われるだろう。僕としてはなにがあろうとそんな目にだけはあいたくなかった。だからとりあえず最初の3日はホテルを予約した。そのあとのことはまたあとで考えればいい。

駅の近くにあるうどん屋に入って腹ごしらえをする。見まわしてたまたま目についたところに入っただけだ。僕は東京で生まれ育ったから、うどんというものをほとんど食べたことがない。しかしそれは僕がこれまでに食べたどんなうどんともちがっている。腰が強く、新鮮で、だしも香ばしい。値段もびっくりするくらい安い。あまりにうまかったのでおかわりをする。おかげで久しぶりに満腹になり、幸福な気持ちになる。それから駅前の広場のベンチに座り、晴れあがった空を見あげる。僕は自由なのだと思う。僕はここにいて、空を流れる雲のようにひとりぼっちで自由なのだ。

図書館で夕方まで時間をつぶすことにする。高松市の近辺にどんな図書館があるのか、あらかじめ調べておいた。小さいころから僕はいつも図書館の読書室で時間をつぶしていた。小さな子どもが家に戻りたくないと思ったとき、行ける場所はかぎられている。喫茶店にも入れないし映画館にも入れない。残された場所は図書館しかない。入場料はいらないし、子どもがひとりで入っても文句は言われない。椅子《いす》に座って好きなだけ本が読める。学校から帰ると僕は自転車で近所の区立図書館に行った。休みの日も多くの時間をそこでひとりで過ごした。物語や小説や伝記や歴史、そこにある本を手あたりしだいに読んだ。子ども向けの本をひととおり読んでしまうと、一般向けの書架に移って、大人のための本を読んだ。よく理解できない本でもとにかく最後のページまで読みとおした。本を読むのに疲れると、ヘッドフォンのあるブースに座って音楽を聴いた。音楽についての知識はまったくなかったから、そこにあるものを右から順番にひとつひとつ聴いていった。僕はそのようにしてデューク・エリントンやビートルズやレッド・ツェッペリンの音楽に巡りあった。

図書館は僕の第二の家のようなものだった。というかじっさいには、むしろ図書館のほうが僕にとってのほんとうの我が家のようなものだったかもしれない。毎日のようにそこにかよっているうちに、司書の女性たちとすっかり顔見知りになった。彼女たちは僕の名前を覚え、顔を合わせればあいさつをし、あたたかい言葉をかけてくれた（僕はひどい恥ずかしがり屋だったのでろくに返事もしなかったけれど）。

高松市の郊外に、旧家のお金持ちが自宅の書庫を改築してつくった私立図書館がある。珍しい蔵書もそろっているし、建物も庭も一見の価値があるということだった。その図書館を雑誌『太陽』の写真で見たことがある。古い大きな日本家屋で、応接室のような優雅な閲覧室があり、ゆったりとしたソファに座って人々が本を読んでいた。その写真を見たとき、僕は不思議なほど強く心をひかれた。そしていつかもし機会があったらぜひこの図書館を訪ねてみようと思った。「甲村《こうむら》記念図書館」というのが図書館の名前だった。

駅の観光案内所に行って、甲村図書館の場所をたずねる。カウンターに座ってた親切な中年の女性が僕に観光地図をくれ、図書館のある場所に×をつけ、電車の乗りかたを教えてくれる。その駅までは電車で20分ばかりかかるということだ。僕はお礼を言って、駅の時刻表を調べてみる。電車はだいたい20分に一本運行している。電車が来るまでにまだ少し時間があったので、昼ご飯になりそうな簡単な弁当を駅の売店で買う。

二両連結の小さな電車だ。線路はビルのならんだ繁華街を抜け、小さな商店と住宅が入りまじった区域を抜け、工場や倉庫の前を通りすぎる。公園があり、マンションの建築現場がある。僕は窓に顔をつけ、知らない土地の風景を熱心に眺める。なにもかもが僕の目には新鮮にうつる。僕はこれまで東京以外の町の風景というものをほとんど見たことがなかったのだ。朝の下りの電車はがらがらにすいているが、反対側のホームにはカバンを肩に掛け、夏の制服を着た中学生や高校生たちが鈴なりになっている。彼らはこれから学校に行こうとしているのだ。僕はちがう。僕はひとりぼっちで彼らとはまったく逆の方向にむかっている。僕は彼らとはちがったレールの上に乗っている。そのときなにかがやってきて、僕の胸を強くしめつける。突然まわりの空気が薄くなってしまったみたいに。僕はほんとうに正しいことをしているんだろうか？ そう考えだすと、僕はひどく心細くなる。僕はそれ以上彼らの姿を見ないようにする。

線路は海沿いをしばらく走ってから内陸に入る。高く繁《しげ》ったとうもろこしの畑があり、葡萄《ぶどう》棚があり、傾斜地を利用したみかんの畑がある。ところどころに灌漑《かんがい》用の池があって、朝の光を反射させている。平地を曲がりくねって流れる川の水は涼しげで、空き地は緑の夏草におおわれている。犬が線路のわきに立って、通り過ぎる電車を見ている。そういう風景を眺めていると、僕の心にもう一度あたたかく穏やかな思いが戻ってくる。大丈夫だ、僕は大きく深呼吸してから自分にそう言いきかせる。このまま前に進んでいくしかないんだ。

駅を出て、教えられたとおり古い町並みを北に向かって歩く。道の両側には家々の塀がどこまでもつづいている。そんなにたくさんの、いろんな種類の塀を目にしたのは生まれてはじめてだ。黒い板塀、白壁の塀、御影石《みかげいし》を積んだ塀、石垣の上に植え込みのある塀。あたりはひっそりとしていて、歩いている人の姿もない。車もほとんどとおりかからない。空気を吸いこむとかすかに海の匂《にお》いがする。きっと海岸が近いのだろう。耳を澄ませてみるが、波の音は聞こえない。どこか遠くのほうで建築工事をしているらしく、電動のこぎりの音が蜂の羽音のように小さく聞こえる。駅から図書館まで、矢印のついた小さな案内板がところどころに出ているので、道に迷うことはない。

甲村記念図書館の堂々とした門の手前には、清楚《せいそ》なかたちをした梅の木が二本生えている。門を入ると曲がりくねった砂利道がつづき、庭の樹木は美しく手を入れられて、落ち葉ひとつない。松と木蓮《もくれん》、山吹。ツツジ。植え込みのあいだに大きな古い灯籠《とうろう》がいくつかあり、小さな池も見える。やがて玄関に着く。とても凝ったつくりの玄関だ。僕は開いた戸の前に立ちどまり、中に入ろうかどうしようか少しのあいだ迷う。それは僕の知っているどんな図書館とも違っている。でもわざわざ訪ねて来たのだから、やはり入らないわけにはいかない。玄関を入ってすぐのところにカウンターがあり、そこに座っていた青年が荷物を預かってくれる。僕はリュックをおろし、サングラスをとり帽子をとる。

「ここに来るのは初めて?」と彼はたずねる。リラックスした静かな声だ。どちらかというと高い声だが、滑らかで、耳ざわりなところはまったくない。

僕はうなずく。声がうまく出てこない。僕は緊張している。そんな質問をされることをまったく予期していなかったのだ。

彼は長い削りたての鉛筆を指のあいだにはさんだまま、僕の顔をひとしきり興味深そうに眺める。消しゴムのついた黄色い鉛筆だ。小柄な整った顔だちの青年だった。ハンサムというよりは、むしろ美しいと言ったほうが近いかもしれない。白いコットンのボタンダウンの長袖《ながそで》のシャツを着て、オリーブ・グリーンのチノパンツをはいている。どちらにもしわひとつない。髪の毛は長めで、うつむくと前髪が額に落ちて、それをときどき思いだしたように手ですくいあげる。シャツの袖が肘《ひじ》のところまで折られていて、ほっそりとした白い手首が見える。細くて繊細なフレームの眼鏡が顔のかたちによく似合っている。胸に「大島」と書かれた小さなプラスチックの札をつけている。彼は僕の知っているどんな図書館員ともちがっている。

「書庫には自由に入っていいよ。閲覧したい本があれば、そのまま閲覧室に持っていくことができる。ただし赤いシールがついている貴重な書籍については、その都度閲覧請求カードを書いてもらう。そちらの右手の資料室にはカード式の索引と、検索用のコンピュータがあるから、必要があったら自由に使っていい。本の貸し出しはしていない。雑誌と新聞は置いてない。カメラは禁止。コピーも禁止。飲食は庭のベンチか縁側で。閉館は5時」

それから彼は鉛筆を机の上に置き、つけくわえる。

「高校生?」

そうです、と僕はひとつ深呼吸してから言う。

「ここは普通の図書館とは少しちがっている」と彼は言う。「特殊な専門書が中心だからね。昔の歌人とか俳人とか、そういう人たちの古い本が中心になっている。もちろん一般向けの書籍もある程度は揃《そろ》っているけれど、わざわざ遠くから電車に乗ってここにやって来る人々の大半は、そういう文献を専門に研究する人だ。スティーブン・キングを読みに来る人はまずいない。それから君くらいの年代の人はきわめて珍しい。たまに大学院の研究生がくるけどね。ところで君は短歌か俳句を研究しているの？」

「いいえ」と僕は答える。

「そういう気はしたよ」

「僕なんかが来てもかまわないんですか？」と僕は声が裏返らないように気をつけながらおそるおそるたずねてみる。

「もちろん」と彼は微笑《ほほえ》みを浮かべて言う。そして机の上に両手の指をそろえる。「ここは図書館だもの、本が読みたい人なら誰だって歓迎するよ。それに大きな声じゃ言えないけど、僕だって短歌や俳句にはとりたてて興味はないんだ」

「ずいぶん立派な建物ですね」と僕は言う。

彼はうなずく。「甲村家は江戸時代からつづいている大きな造り酒屋で、先代は書籍の蒐集《しゆうしゆう》にかけては全国的に知られた人だった。いわゆる本道楽だったんだな。そのお父さん、つまり先々代は、自身歌人でもあり、その関係で多くの文人が四国に来るとここに立ち寄った。若山牧水とか、石川啄木とか、あるいは志賀直哉とか。居心地がよかったのか、けっこう長く滞在した人もいる。文芸的なものに惜しげなくお金を使う伝統の家だったんだね。そういう家はだいたいどっかの代で身上《しんしょう》をつぶしてしまうものだけど、幸運なことに甲村家の場合はそうじゃなかった。趣味は趣味として、家業もおろそかにはしなかった」

「お金持ちだったんだ」と僕は言う。

「とても」と彼は言う。そして唇をかすかに曲げる。「戦前ほどではないかもしれないけど、今でもじゅうぶんお金持ちだよ。だからこんな立派な図書館も維持していけるんだ。もちろん財団化することで相続税を減らそうという目的もあるわけだけど、まあそれはべつの話だ。もしこの建物に興味があるのなら、今日の2時から簡単なツアーみたいなのがあるから、それに参加すればいい。週に一度、火曜日にやるんだけど、今日はたまたま火曜日だ。二階には珍しい書画のコレクションもあるし、建築的にも興味深い建物だから、見ておいて損はないよ」

ありがとう、と僕は言う。

どういたしまして、というふうに彼は微笑む。そしてまた鉛筆を手に取り、お尻についた消しゴムで机をとんとんと叩く。とても穏やかに、僕を励ますみたいに。

「あなたが案内するんですか？」

大島さんは微笑む。「僕はただの手伝いだよ。佐伯さんっていう女性がここの責任者で、つまりは僕のボスだ。彼女は甲村家の親戚《しんせき》筋にもあたるんだけど、その人が案内する。とても素敵な人だよ。君もきっと気に入ると思うな」

僕は天井の高い広々とした書庫に入り、書架のあいだをまわって、興味をひきそうな本を探す。天井には太い立派な梁《はり》が何本かとおっている。窓からは初夏の日差しがさしこんでいる。窓のガラスは外に向かって開いていて、そこから庭にやってくる小鳥の声が聞こえる。手前のほうの書架には、たしかに大島さんが言ったように、歌人や俳人の関係した本が多い。歌集や句集や、あるいは評論や伝記。郷土史の本もたくさんある。

奥のほうの書架には一般的な人文関係の書物が並んでいる。日本文学全集、世界文学全集、個人全集、古典、哲学、戯曲、芸術一般、社会学、歴史、伝記、地理……。多くの本は手にとって開くと、ページのあいだから古い時代の匂いがした。表紙と表紙とのあいだで穏やかに長く眠りこんできた深い知識や鋭い情感がはなつ、独特の香りだ。僕はその匂いを吸いこみ、数ページに目をとおし、書棚に戻す。

結局装丁の美しい数冊揃いのバートン版『千夜一夜物語』の中から一冊を選び、閲覧室に持っていく。以前から読みたいと思っていたものだ。開館したばかりの図書館の閲覧室には僕しかいない。その優雅な部屋を僕はすっかりひとりじめにすることができる。雑誌の写真にあったとおりだ。天井が高く、広くゆったりとして、しかも温かみがある。開け放された窓からはときおりそよ風が入ってくる。白いカーテンが音もなくそよぐ。風にはやはり海岸の匂いがする。ソファのかけごこちは文句のつけようがない。部屋の隅には古いアップライト・ピアノがあり、まるで誰か親しい人の家に遊びに来たような気持ちになる。

ソファに腰かけてあたりを見まわしているうちに、その部屋こそが僕が長いあいだ探し求めていた場所であることに気づく。僕はまさにそういう、世界のくぼみのようなこっそりとした場所を探していたのだ。でも今までそれは、架空の秘密の場所でしかなかった。そんな場所がほんとうにどこかに実在したなんて、まだうまく信じられないくらいだ。目を閉じて息を吸いこむと、それがやさしい雲のように僕の中にとどまる。すてきな感覚だ。僕はクリーム色のカバーのかかったソファを手のひらでゆっくりと撫《な》でる。立ちあがってアップライト・ピアノの前に行き、蓋《ふた》を開け、かすかに黄ばんだ鍵盤《けんばん》のうえに十本の指をそっと置いてみる。ピアノの蓋を閉じ、葡萄の模様のついた古いカーペットの上を歩きまわってみる。窓を開け閉めするための古いハンドルをまわしてみる。フロアスタンドの明かりをつけて、消す。壁にかかった絵をひとつひとつ眺める。それからもう一度ソファに腰かけ、本のつづきを読みはじめる。本を読むことに意識を集中する。

お昼になると、僕はリュックからミネラル・ウォーターと弁当を取りだし、庭に面した縁側に座って昼食をとる。いろんな鳥がやってきて、木から木へと渡り、池のまわりに下りて水を飲んだり身づくろいをしたりする。見たことのない鳥もいる。大きな茶色の猫が姿を見せると、鳥たちはあわてて飛びたったが、猫のほうは鳥には関心をはらわなかった。彼はただ敷石の上でのんびりとひなたぼっこをしたいだけだった。

「今日は学校はお休み?」、閲覧室に戻るためにもう一度リュックをあずけたときに大島さんがたずねる。

「お休みじゃないけれど、自分で少しのあいだ休むことにしたんです」と僕は注意深く言葉を選んで答える。

「登校拒否」と彼は言う。

「たぶん」

大島さんは興味深そうに僕の顔を見る。「たぶん?」

「拒否しているんじゃなく、ただ行かないことにきめただけだから」と僕は言う。「ただ穏やかに、自発的に、学校に行くことを停止しただけ？」

僕はただうなずく。なんて返事をすればいいのか、僕には思いつけない。

「プラトンの『饗宴《きょうえん》』に出てくるアリストパネスの話によれば、大昔の神話世界には三種類の人間がいた」と大島さんは言う。「そのことは知ってる？」

「知りません」と僕は言う。

「昔の世界は男と女ではなく、男男と男女と女女によって成立していた。つまり今の二人ぶんの素材でひとりの人間ができていたんだ。それでみんな満足して、こともなく暮らしていた。ところが神様が刃物を使って全員を半分に割ってしまった。きれいにまっぷたつに。その結果、世の中は男と女だけになり、人々はあるべき残りの半身をもとめて、右往左往しながら人生を送るようになった」

「どうして神様はそんなことをしたんですか？」

「人間を二つに割ること？　さあ、どうしてかは僕も知らない。神様のやることはだいたいにおいてよくわからないんだ。怒りっぽいし、あまりになんというか、理想主義的な傾向があるしね。想像するに、たぶんなにかの罰みたいなものだったんじゃないかな。聖書にあるアダムとイブの楽園追放みたいにね」

「原罪」と僕は言う。

「そう。原罪」と大島さんは言う。そして長い鉛筆を中指と人差し指のあいだにはさんで、バランスを取るようにゆっくりと揺らせる。「とにかく僕が言いたいのは、人間がひとりで生きていくのはなかなか大変だということだよ」

僕は閲覧室に戻り、「道化者アブ・アル・ハサンの話」の続きを読み始める。でも本になかなか意識を集中することができない。男男と男女と女女？

時計が2時を指すと、僕は本を読むのを中断してソファから立ちあがり、建物のツアーに参加する。案内をしてくれる佐伯さんという人は、40代半ばくらいに見える痩《や》せた女性だ。その年代にしては背は高いほうかもしれない。青い半袖のワンピースを着て、そのうえに薄いクリーム色のカーディガンを羽織っている。とても姿勢がいい。髪は長く、後ろで軽く束ねられている。上品で知的な顔だちだった。目がきれいだ。そしていつも影のように淡い微笑みを口もとに浮かべている。うまく言えないのだけど、どことなく完結した感じのする微笑みだ。それは僕に小さな日溜《ひだ》まりを思い起こさせる。ある種の奥まった場所にしか生まれるはずのない、とくべつなかたちをした日溜まりのようなものを。僕が住んでいた野方《のがた》の家の庭にもそういう場所があり、そういう日溜まりがあった。僕は子どものころからその日溜まりが好きだった。彼女は僕にとても強い、でもどことなくなつかしい印象を与える。この人が僕の母親だといいのにな、と僕は思う。僕は美しい（あるいは感じのいい）中年の女の人を目にするたびにそう考えてしまう。この人が僕の母親であればいいのにと。言うまでもないことだけれど、佐伯さんがじっさいに僕の母親である可能性はほとんどゼロに近い。しかしそれでも、理論的に言うなら、ほんの少しは可能性がある。なぜなら僕は母親の顔も知らないし、名前すら知らないのだから。つまり彼女が僕の母親であってはならないという理由はないのだ。

　そのツアーに参加したのは、僕のほかには、大阪からやってきた中年の夫婦だけだ。奥さんは小太りで度の強い眼鏡をかけている。夫のほうはやせて、硬い髪を針金のブラシで無理に寝かせたような髪型をしている。目が細く額が広く、いつも水平線をにらんでいる南の島の彫像みたいに見える。奥さんが主に会話を受け持ち、夫は相づちをうつだけだ。それ以外に夫はうなずいたり感心したり、よく聞きとれない切れぎれな言葉をときどきつぶやいたりする。二人とも図書館に来るというよりは山登りにいくような服装だった。どちらもポケットのいっぱいついた防水のベストを着て、頑丈な編み上げの靴をはき、登山帽をかぶっている。それが旅行に出るときの、この夫婦のいつもの服装なのかもしれない。悪い人たちではないようだ。彼らが僕の両親であればいいのにとは思わないけれど、ツァーに参加するのが僕ひとりではないとわかって少し安心する。

佐伯さんは最初に、この甲村記念図書館の誕生したいきさつを説明する。大島さんが僕に教えてくれたのとだいたい同じ内容だ。何代かの当主によって集められた書籍、文献、書画を一般に公開し、地域文化の発展に寄与することを目的としてこの図書館が設立された。甲村家の私財によって財団がつくられ、その財団が図書館の経営にあたっている。ときに応じて講演会や室内楽コンサートといった催し物も行われる。建物はもともと明治時代初期に甲村家の書庫兼来客用の離れとして建てられたものだが、大正期に大がかりな改築が行われ、二階建てになり、そこに投宿する文人のための居室はより立派なものになった。大正から昭和初期にかけて多くの高名な人々が甲村家を訪れ、それぞれの足跡を残していった。寄宿させてもらったことに対する感謝の念として、歌人は歌を残し、俳人は句を残し、文学者は書を残し、画家は絵を残していった。

「数々の選りすぐった貴重な文化遺産を、二階の展示室でみなさんにご覧に入れることができます」と佐伯さんは言う。「このように第二次世界大戦以前の時代におきましては、地方行政府の手によってではなく、主に甲村家のようなディレッタント的な性格を持つ素封家《そほうか》の手によって、豊かな地方文化が育まれていたのです。つまり彼らは文化活動のパトロンとしての役割を果たしていたわけです。香川県は数多くの優れた歌人・俳人を輩出しましたが、甲村家が明治以来数代にわたって当地で質の高い芸術サークルの形成・維持に心血を注いでいたという事実も、その背景のひとつになっています。この興味深い文化サークルの形成事情と変遷《へんせん》につきましては、これまでにも数多くの研究書や随想、回想が発表されており、それらの文献は閲覧室に揃っておりますす。もしよろしければごらんになってください。

甲村家の当主は代々文芸に造詣《ぞうけい》が深く、優れた鑑識眼を持っていました。血筋というべきかもしれません。彼らは偽物《にせもの》と本物を見分け、本当に優れたものだけを厚く処遇し、高い志だけを大事に育てることができました。ただご存じのように、世の中に完璧《かんぺき》な鑑識眼というようなものはありません。気の毒なことに彼らのお眼鏡にかなわず、しかるべき処遇を受けることができなかった優れた作家もいないわけではありません。たとえば俳人、種田山頭火《たねださんとうか》の関係したものは、残念ながらほとんど廃棄されてしまったようです。来客署名簿によれば、山頭火は数度にわたってここに投宿し、そのたびに句や書を残していきましたが、当主は彼を『ただのほらふきの乞食坊主《こじきぼうず》』と見なしてろくに相手にもせず、作品のおおかたを捨ててしまったということです」

「そら、もったいないことしましたな」と大阪から来た奥さんが本当に惜しそうに言った。「山頭火、今やったらもうえらいお値打ちですのにねえ」

「おっしゃるとおりですね。でも当時の山頭火はまったく無名の存在でしたから、やむを得ないことかもしれません。あとになってみないとわからないこともたくさんあります」と佐伯さんはにこやかに言った。

「ほんまに、ほんまに」と夫は相づちを打った。

それから佐伯さんは僕らを連れて一階をまわった。書庫、閲覧室、貴重文献収納室。

「当時の当主はこの書庫を建造するにあたって、あえて繊細で文人的な京都ふう数寄《すき》屋《や》造りを避け、民家ふう、田舎ふうの造りにしました。しかしごらんになればおわかりいただけるはずですが、家の枠組みの大胆さ率直さとは対照的に、家具調度、表具にはずいぶん趣向がこらされ、贅《ぜい》がこらされています。たとえばこの欄間《らんま》の彫りの流《りゅう》麗《れい》さは、ほかに類を見ないものです。建築にあたっては当時の四国の名工が一堂に集められたということです」

それから一同は階段で二階にあがる。階段部分は高い吹き抜けになっている。黒檀《こくたん》の手すりは触れただけで指のあとがついてしまいそうなくらい艶《つや》やかに磨きこまれている。踊り場の正面の窓にはステンドグラスがはめこまれている。鹿《しか》が首を伸ばしてブドウを食べている図柄だ。二階には客間がふたつと、大きな広間がある。きっと昔はこの広間には畳が敷き詰められ、宴会や会合なんかもできるようになっていたのだろう。今では床は板張りになり、壁にはたくさんの書や掛け軸や日本画が飾られている。中央には大きなガラスのショーケースがあり、そこには記念品や、いわれのある品物がならべられている。客間はひとつが洋室で、ひとつが和室だ。洋間には大きな書き物机と回転椅子《いす》があり、今でも誰かがそれを使って書き物をしているみたいに見える。机の背後の窓からは松の並木が見え、そのあいだに少しだけ水平線が見える。

大阪から来た夫婦は説明書きを読みあげながら、広間にある品物を順番に見てまわっている。妻が大きな声でなにか感想を言うと、夫はそれを励ますように相づちを打つ。二人のあいだには意見の食いちがいというのはぜんぜんないみたいだった。僕は展示物にはさして興味が持てなかったので、建物のつくりの細かい部分を見てまわる。洋室を検分しているときに佐伯さんがやってくる。

「興味があるのなら、その椅子に座ってもいいのよ」と佐伯さんが言う。「志賀直哉も谷崎潤一郎もそこに座った。もちろん当時とまったく同じ椅子というわけじゃないけれど」

僕は回転椅子に腰をおろしてみる。そして机の上に静かに両手を置く。

「どう、なにか書けそうな気がする？」

僕は少し赤くなって首を振る。佐伯さんは笑って、となりの部屋の夫婦のほうに戻っていく。僕は椅子に座ったまま、彼女のうしろ姿をしばらく眺めている。その身体《からだ》の動きと脚のはこびを。すべての動作が、このうえなく自然で優雅に見える。うまく表現できないのだけど、そこにはどことなくとくべつなものがある。彼女はそのうしろ姿を通して、僕になにかを語りかけているように見える。言葉にはならないなにかを。正面からは伝えることのできないなにかを。でもそれがなになのかが僕にはわからない。僕にはわからないことがたくさんある。

僕は椅子に座ったまま、部屋の中を見まわしてみる。壁にはこの地方の海岸の風景を描いたらしい油絵がかかっている。スタイルは古いけれど色づかいが新鮮な絵だ。机の上には大きな灰皿と、緑色の笠の電気スタンドが載っている。スイッチを押すとちゃんと明かりがつく。正面の壁には古風な黒い時計がかかっている。アンティックのように見えるけれど、針のさしている時刻は正確だ。板張りの床はところどころで丸くすり減っていて、歩くと小さな軋《きし》みをたてる。

ツアーが終わると、大阪から来た夫婦は佐伯さんに礼を言って帰っていった。夫婦で関西の短歌のサークルに入っているということだった。奥さんのほうはともかく、この夫はいったいどんな歌を詠《よ》むのだろうか？　相づちとうなずきだけでは歌はつくれないはずだ。そこにはもっと自発的なものが必要とされるはずだ。それとも歌を詠むときにだけは、この人はどこかからとっておきのなにかをひっぱりだしてくるのだろうか。

僕は閲覧室に戻って本のつづきを読む。午後になると閲覧室には何人かの人々がやってきた。ほとんどの人が読書用の老眼鏡をかけていた。老眼鏡をかけると、人々はみんな似たような顔つきになった。そして時間はひどくゆっくりと過ぎていった。人々はここで静かに読書に耽《ふけ》るだけだ。話をする人もいない。中には机に向かってメモをとる人もいたが、おおかたは無言で姿勢も変えず、それぞれの席でそれぞれの本に熱心に読み耽っていた。僕がやっているのと同じように。

5時に僕は本を読むのをやめ、それを書架に戻し、図書館を出る。

「朝は何時に開くんですか？」と僕はきく。

「11時。休館日は月曜」と彼は言う。「明日も来るの？」

「もし迷惑じゃなかったら」

大島さんは目を細めて僕の顔を見る。「もちろん迷惑なんかじゃないよ。図書館は本を読みたい人が来るところだもの。ぜひまた来てもらいたいな。でもそれはともかく、君はいつもそんな荷物を持ち歩いているのかい。ずいぶん重そうだけど、中にはいったいなにが詰まってるんだろう。クルーガー金貨？」

僕は赤くなる。

「いいよ、いいよ、べつに。本気で知りたいわけじゃない」と大島さんは言う。そして鉛筆の先の消しゴムで、右側のこめかみを押さえる。「じゃあ、また明日」

「さよなら」と僕は言う。彼は手をあげるかわりに、鉛筆を宙にあげて答える。

僕は行きと同じ電車に乗って高松駅まで戻る。駅の近くの安そうな食堂で、チキン・カツレツの定食と野菜サラダを注文する。ご飯をおかわりし、食後に温かいミルクを飲む。夜中におなかが減ったときのためにコンビニエンス・ストアでおにぎりを2個買い、新しいミネラル・ウォーターのボトルを買う。それから泊まることになっているホテルまで歩く。必要以上に速くも歩かないし、必要以上にゆっくりも歩かない。ごく普通の人のように、余計な人目をひかないように、僕は歩く。規模こそ大きいけれど、典型的な二流のビジネス・ホテルだ。フロントで宿泊客名簿に偽の住所と名前と年齢を書きこみ、一日ぶんの部屋代を前払いする。僕は少し緊張する。しかし彼らは僕に不審の目をむけたりはしない。あるいはまた、「おい、見えすいた嘘《うそ》をつくんじゃない。こっちにはちゃんとわかっているんだ。本当は15歳の家出少年なんだろう」と怒鳴りつけたりもしない。ものごとは淡々と事務的にはこばれる。

かたかたと不吉な音をたてるエレベーターで6階にあがる。狭くて細長い部屋、愛想のないベッド、硬い枕《まくら》、小さな机、小型のテレビ、日焼けしたカーテン。風呂場《ふろば》も押入くらいの広さしかない。シャンプーもリンスもない。窓からはとなりのビルの壁が見えるだけ。でも屋根があって、蛇口から温かいお湯が出るだけでもありがたいと思わなくちゃいけない。僕はリュックを床に置き、椅子に腰を下ろし、その部屋に身体をなじませる。

僕は自由なんだ、と思う。目を閉じて、自分が自由であることについてひとしきり考える。でも自由であるというのがどういうことなのか、僕にはまだうまく理解できない。今のところわかるのは、僕がひとりぼっちだということだけだ。ひとりぼっちで知らない土地にいる。磁石も地図もなくしてしまった孤独な探検家のように。それが自由であることの意味なんだろうか？　それさえもよくわからない。僕はそのことについて考えるのをやめる。

長い時間湯ぶねにつかり、洗面台でていねいに歯を磨く。ベッドに寝ころんでまた少し本を読む。本を読むのに疲れるとテレビのニュースをつけてみる。しかし今日いちにちのあいだに僕の身に起こったことに比べれば、どれも気の抜けた退屈なニュースだ。すぐにテレビを消し、布団《ふとん》の中に潜りこむ。時計はもう10時をまわっている。でも簡単には眠れない。新しい場所での新しい一日。それは僕の15歳の誕生日でもある。僕はその大半を不思議な、そしてまちがいなく魅力的な図書館で過ごした。何人かの新しい人々に出会った。さくら。そして大島さんと佐伯さん。ありがたいことに僕をおびやかすような人々ではなかった。それは良き前兆なのかもしれない。

それから野方の家と、今ごろはそこにいるはずの父親のことを考える。彼は僕がとつぜんいなくなってしまったことについて、どのように感じているんだろう？　僕の姿が見えなくてほっとしているのだろうか。それとも戸惑っているのだろうか。あるいはほとんどなんの感情も抱かないのだろうか。いや、僕がいなくなったことに気がつきさえしないかもしれないな。

ふと思いついて、リュックの中から父親の携帯電話をとりだす。電源を入れ、ためしに東京の家の番号を押してみる。すぐに呼び出し音が聞こえる。７００キロ以上離れたところなのに、まるでとなりの部屋に電話をかけているようなくっきりとした呼び出し音だ。その思いがけないほどの鮮かさが僕を驚かせる。二度だけベルを鳴らし、切る。心臓の鼓動が激しくなり、なかなかもとに戻らない。電話は生きている。父親はまだこの電話番号の契約をキャンセルしていない。あるいは机の引き出しから電話がなくなったことにまだ気づいていないのかもしれない。電話をリュックのポケットに戻し、枕もとの明かりを消し、目を閉じる。僕は夢も見ない。そういえばもうずいぶん長いあいだ夢というものを見ていない。

第6章

「こんにちは」とその初老の男が声をかけた。

猫は少しだけ顔をあげ、低い声でいかにも大儀そうに挨拶《あいさつ》をかえした。年老いた大きな黒い雄猫だった。

「なかなか良いお天気でありますね」

「ああ」と猫は言った。

「雲ひとつありません」

「……今のところはね」

「お天気は続きませんか？」

「夕方あたりからくずれそうだ。そういう気配がするな」と黒猫はもぞもぞと片足をのばしながら言った。それから目を細め、あらためて男の顔を眺めた。

男はにこにこと微笑《ほほえ》みながら猫を見ていた。

猫はどうしたものかと少しのあいだ迷っていた。それからあきらめたように言った、「ふん、あんたは……しゃべれるんだ」

「はい」と老人は恥ずかしそうに言った。そして敬意を示すように、よれよれになった綿の登山帽を頭からとった。「いつでも、どのような猫さんとでもしゃべれるというのではありませんが、いろんなことがうまくいけば、なんとかこのようにお話をすることができます」

「ふん」と猫は簡潔に感想を述べた。

「あの、ここにちょっと腰をおろしてかまいませんか？ ナカタはいささか歩き疲れましたので」

黒猫はゆっくりと身体《からだ》を起こし、長い髭《ひげ》を何度かぴくぴくと動かし、顎《あご》がはずれてしまいそうなくらい大きなあくびをした。「かまわないよ。というか、かまうもかまわないも、好きなところに好きなだけ座ればいい。それについちゃ誰も文句はいわないよ」

「ありがとうございます」と言って男は猫の隣に腰を下ろした。「いやいや、朝の6時過ぎからずっと歩いておりました」

「えーと、それで、あんたは……ナカタさんっていうんだね」

「そうです。ナカタと申します。猫さん、あなたは？」

「名前は忘れた」と黒猫は言った。「まったくなかったわけじゃないんだが、途中からそんなもの必要もなくなってしまったもんだから、忘れた」

「はい。必要のないものはすぐ忘れるものであります。それはナカタも同じでありま す」と男は頭をかきながら言った。「といいますと、猫さんはどこかのお宅で飼われているんじゃないんですね」

「昔はたしかに飼われていたこともあった。でも今は違う。近所のいくつかの家でときたまご飯はもらっているけど……、飼われちゃいない」

ナカタさんはうなずいて、しばらく黙っていた。それから言った、「それでは猫さんのことを、オオツカさんと呼んでよろしいでしょうか？」

「オオツカ？」と猫はちょっとびっくりして相手の顔を見つめた。「なんだい、それは？　どうしてオレが……オオツカなんだい？」

「いいえ、たいした意味はありません。ナカタが今ふと思いついただけであります。名前がないと覚えるのに困りますので、適当な名前をつけただけであります。名前があるとなにかと便利なのであります。そうすればたとえば、何月何日の午後に＊＊2丁目の空き地で黒猫のオオツカさんに出会って話をしたという具合に、ナカタのような頭の悪い人間にも、ものごとをわかりやすく整理することができます。そうすれば覚えやすくなります」

「ふん」と黒猫は言った。「よくわからないな。猫にはそんなの必要ない。匂《にお》いとかかたちとか、ただあるものを受け入れればいいだけだ。それでとくに不自由ないね」

「はい、それはナカタにもよくわかっております。しかしオオツカさん、人間はそうではありません。いろんなことを覚えておくためには、日付とか名前がどうしても必要になって参ります」

猫は鼻息を立てた。「不便なもんだね」

「そのとおりであります。覚えなくてはならないことが多いというのは、まったく不便なものであります。ナカタにしたところで、知事さんの名前だって覚えなくてはなりませんし、バスの番号だって覚えなくてはなりません。しかし、それはともかくといたしまして、猫さんのことをオオツカさんと呼んでかまいませんでしょうか？　ひょっとしてご不快でありましょうか？」

「愉快かと聞かれれば、そんなに愉快でもないけど……、かといってとくに不快でもない。だからべつだんかまわないよ、オオツカさんで。もしそう呼びたいんなら呼べばいい。なんだかその、自分のことじゃないみたいな気がするけどな」

「そう言っていただけると、ナカタもたいへん嬉《うれ》しくあります。たいへんありがとうございます、オオツカさん」

「しかし、あんたは人間にしても、いささか変わったしゃべり方をするね」とオオツカさんは言った。

「はい、みなさんにそう言われます。しかしナカタにはこういうしゃべり方しかできないのです。普通にしゃべりますと、こうなります。頭が悪いからです。昔から頭が悪かったわけではないのですが、小さいころに事故にあいまして、それから頭が悪くなったのです。字だってかけません。本も新聞も読めません」

「オレだって自慢じゃないけど字なんてかけないね」と猫は言って、右手の肉球を何度かなめた。「でも頭は普通だし、それで不便したこともない」

「はい、猫さんの世界ではまったくそのとおりであります」とナカタさんは言った。「しかし人間の世界では字がかけませんと、それは頭が悪いのです。本や新聞が読めませんと、それは頭が悪いのです。そう決まっております。とくにナカタのお父さんは、もうとっくになくなりましたが、大学のえらい先生でありまして、キンユウロンというものを専門にしておりました。それからナカタには弟が二人おりますが、二人ともとても頭がいいのです。一人はイトウチュウというところでブチョウをしておりますし、もう一人はツウサンショウというところで働いております。二人とも大きな家に住んで、ウナギを食べております。ナカタひとりだけが頭が悪いのです」

「でもあんたはこうして猫と話ができるじゃないか」

「はい」とナカタさんは言った。

「誰でも猫と話せるわけじゃないだろう」

「そのとおりであります」

「じゃあ頭が悪いとは言えないだろう」

「はい、いいえ、つまり、そのへんのことは、ナカタにはよくわかりません。しかしナカタは小さいころからみんなにずっと頭が悪い、頭が悪いと言われつづけてまいりましたので、じっさいに頭が悪いとしか思えないのです。駅の名前も読めませんので、切符を買って電車に乗ることもできません。都バスにはショウガイ者とくべつパスというものを見せれば、なんとか乗ることはできますが」

「ふん」と感情をこめずにオオツカさんは言った。

「読み書きができませんと、働きぐちをみつけることもできません」

「じゃあ、何をして暮らしているんだい？」

「ホジョがでます」

「ホジョ?」

「知事さんがお金をくださるんです。野方のショウエイソウというアパートの小さな部屋に住んでおります。一日に三度ごはんも食べております」

「そんなに悪くない生活みたいに……オレには思えるけどね」

「はい。おっしゃるとおり悪くはありません」とナカタさんは言った。「雨風はしのげますし、不自由なく生きていくことはできます。それからこのように、ときどき猫さん探しを頼まれます。それでお礼のようなものをいただきます。しかしこれは知事さんには内緒にしております。だから誰にも言わないでください。そのように余分なお金が入ると、ホジョをうち切られるかもしれないからです。お礼と申しましても、たいした額ではありませんが、おかげさまでたまにはウナギを食べることもできます。ナカタはウナギが好きなのです」

「ウナギはオレも好きだよ。ずっと昔に一回食べたきりで、どんな味だったかよく思い出せないけどな」

「はい。ウナギはとくにいいものです。ほかの食べ物とはちょっと違っております。世の中にはかわりのある食べ物もありますが、ウナギのかわりというのは、ナカタの知りますかぎりどこにもありません」

空き地の前の道路を大きなラブラドル犬をつれた若い男が通りかかった。犬の首には赤いバンダナが巻いてあった。犬はちらりと横目でオオツカさんを見たが、そのまま立ち去った。二人は空き地に座ったまましばらく黙りこんで、犬と男が通り過ぎて行ってしまうのを待った。

「猫探しをしているって?」と猫のオオツカさんが尋ねた。

「はい。行方のわからなくなった猫さんを探すのであります。このようにナカタは猫さんと少し話ができますので、あちこちまわってジョウホウをあつめまして、いなくなった猫さんの行方をうまく探しあてることができます。それでナカタは猫さん探しの腕がいいということになりまして、あちこちから迷子の猫さんを探してくれと頼まれるのであります。最近では猫さん探しをしない日の方が少ないくらいです。もっともナカタは遠くに出るのがいやなので、中野区の中でしか探さないと決めております。そうしないと今度は逆にナカタのほうが迷子になってしまいますので」

「で、今も迷子の猫を探しているんだね?」

「はい、そのとおりであります。今探しておりますのは一歳の三毛猫で、名前はゴマと申します。ここに写真があります」、ナカタさんは肩に下げていたズックの鞄《かばん》からカラーコピーの写真を出して、オオツカさんに見せた。

「この猫さんです。ノミ取りの茶色い首輪をはめております」

オオツカさんは首をのばしてその写真を見た。それから首を振った。

「ううむ、こいつは見たことないな。オレはこのあたりにいる猫のことならだいたい全部知っているけど、これは知らないよ。見たことも……聞いたこともない」

「そうですか」

「それで、あんた、ずいぶん長くこの猫を探しているのかい？」

「えーと、今日で……いち、にい、さんと3日目であります」

オオツカさんはしばらく考え込んでいた。それから言った、「あんたも知っているかとは思うけれど、猫というのはね、習慣性の強い動物なんだ。だいたいにおいて規則正しく暮らしているし、よほどのことがないかぎり、大きな変化を好まない。よほどのことというのは、性欲か、あるいは事故か、たいていそのどちらかだね」

「はい。ナカタもだいたいそのように考えております」

「もしそれが性欲であれば、しばらくして落ち着けば戻ってくる。あんた、性欲のことはわかるよな？」

「はい。経験はありませんが、だいたいのところはつかんでおります。おちんちんのことでありますね」

「そうだ。おちんちんのことだ」、オオツカさんは神妙な顔でうなずいた。「しかしもしそれが事故であれば、戻ってくるのはむずかしい」

「はい。そのとおりです」

「それから性欲に駆られてどこか遠くまでふらふら行ってしまって、そのまま帰り道がわからなくなるということもある」

「たしかにいちど中野区を出てしまったりすると、ナカタにも帰り道がわからなくなることがあります」

「オレもね、何度かそういうことがあった。もちろんもっとずっと若いときのことだけどな」とオオツカさんは思い出すように目を細めて言った。「いったん帰り道がわからなくなると、パニックになる。目の前が真っ暗になる。何がなんだかわからなくなってしまう。あれはいやなもんだ。性欲というのは、まったく困ったものなんだ。でもそのときには、とにかくそのことしか考えられない。あとさきのことなんてなんにも考えられないんだ。それが……性欲ってもんだ。だから、その、なんていったっけな、いなくなった猫の名前は？」

「ゴマでありますか？」

「そう。そのゴマのことも、オレとしては、なんとか見つけだして助けてやりたいとは思うよ。どっかの家で大事に飼われていた一歳の三毛猫なんて、世の中のことを何も知りやしない。喧嘩《けんか》ひとつできないし、飯だって自分じゃみつけられない。かわいそうなもんだ。でも残念ながらその猫は見かけたことがない。べつの場所をあたってみた方がいいと思うね」

「そうですか。それではおっしゃるとおり、べつの方面をあたってみることにいたします。オオツカさんのお昼寝のところをおじゃましまして、たいへん申し訳ありませんでした。そのうちにまたこのへんに立ち寄ることもあると思いますので、もしそれまでにゴマの姿を見かけたら、ナカタにぜひ教えてください。失礼かもしれませんが、できる限りのお礼はいたします」

「いや、あんたと話せて面白かったよ。またそのうちに……おいで。天気さえよければ、この時間にはこの空き地にいることが多い。雨が降っていると、あの階段を下りたところにある神社にいるよ」

「はい。ありがとうございます。ナカタもオオツカさんとお話ができまして、たいへんに嬉しかったです。猫さんと話ができると申しましても、誰とでもこんなふうにすらすらと話が通じ合うというものでもないのです。中には私が話しかけますと、ひどく警戒して黙ってどこかに行ってしまう猫さんもいらっしゃいます。私はただご挨拶したたけなのですが」

「それはそうだろう。人間にもいろんなのがいるように、猫にも……いろんなのがいるからね」

「そのとおりであります。ナカタも実にそのように思います。世の中にはいろんな人がいますし、いろんな猫さんがいます」

オオツカさんは背筋をのばして空を見上げた。太陽が空き地に午後の黄金色の光を注いでいた。しかしそこには雨のかすかな予感が漂っていた。オオツカさんにはそれを感じ取ることができた。

「なあ、あんたは小さいころに事故にあって、それで頭がちょっと悪くなった。たしかそう言ったっけね」

「はい。そのとおりであります。そのように申し上げました。ナカタは9歳の時に事故にあったのです」

「どんな事故だったんだい？」

「それが——どうしても思い出せないのであります。話によりますと、理由のわからない熱病のようなものにかかりまして、3週間のあいだ、ナカタは意識が戻らなかったのだそうです。そのあいだずっと病院のベッドで、テンテキというものをされて寝ておりました。そしてようやく意識が戻ったときには、それまでのことはぜんぶすっかり忘れておりました。お父さんの顔も、お母さんの顔も、字を読むことも、算数をすることも、住んでいた家の間取りも、自分の名前さえぜんぶ忘れておりました。お風呂《ふろ》の栓を抜いたみたいに、頭の中がきれいさっぱりからっぽになっておりました。その事故の起こる前には、ナカタはとても成績の良いシュウサイであったそうです。ところがあるときばったりと倒れまして、目が覚めたときには、ナカタは頭が悪くなっておりました。お母さんは、もうとっくになくなりましたが、よくそのことで泣いておりました。ナカタの頭が悪くなったせいで、お母さんが泣かなくてはならなかったわけです。お父さんは泣きはしませんが、いつも怒っておりました」

「でもそのかわりに猫と話ができるようになった」

「そのとおりであります」

「ふん」

「おまけに健康でありまして、病気ひとつしたことがありません。虫歯もありませんし、眼鏡もかけません」

「オレの見る限りでは、あんたは頭は悪くないみたいだけどね」

「そうでありましょうか」とナカタさんは首をひねって言った。「しかしオオツカさん、今となりましてはナカタはもう60をとっくに過ぎました。60を過ぎますと、頭の悪いことにも、みんなに相手にされないことにも、慣れてしまいます。電車に乗れなくても生きていけます。お父さんはなくなりましたので、もうぶたれることもありません。お母さんもなくなりましたので、もう泣くこともありません。ですので、今さら急にお前の頭は悪くないと言われましても、ナカタはかえって困るかもしれません。頭が悪くなくなったせいで、知事さんからホジョがいただけなくなるかもしれませんし、とくべつパスで都バスにも乗れなくなるかもしれません。なんだ、お前は頭が悪くないじゃないかと、知事さんにしかられたら、ナカタは返事のしようがありません。ですので、ナカタはこのまま頭が悪いままでいいような気がするのであります」

「オレが言いたいのはね、あんたの問題点は、頭の悪いことにあるんじゃないってことなんだよ」とオオツカさんはまじめな顔で言った。

「そうでありましょうか？」

「あんたの問題点はだね、オレは思うんだけど、あんた……ちょっと影が薄いんじゃないかな。最初に見たときから思ってたんだけど、地面に落ちている影が普通の人の半分くらいの濃さしかない」

「はい」

「オレはね、前にも一度そういう人間を見たことがある」

ナカタさんは口を少し開き、オオツカさんの顔を見た。「前に見たことがあると申されるのは、つまり、ナカタのような人間のことでありましょうか?」

「ああ。だからオレはあんたがしゃべったときにも……そんなには驚かなかったんだ」

「それはいつごろのことでありましょうか?」

「ずっと昔、まだオレが若かったころのことだね。でも顔も名前も場所も時間も、なにも思い出せない。さっきも言ったように、猫にはそういう意味での記憶ってのはないからな」

「はい」

「そしてその人の影も、半分はどこかにはぐれているみたいだった。同じように薄かったね」

「はい」

「だからあんたもどっかの迷子の猫を探すよりは、ほんとは自分の影の残り半分を真剣に探した方がいいんじゃないかと思うけどね」

ナカタさんは手に持っていた登山帽のつばを何度か引っ張った。「実を申しますと、そのことはナカタもうすうすとは感じておりました。影が薄いようであるなと。ほかの人は気づきませんが、自分ではわかります」

「ならいいんだけどね」と猫は言った。

「しかしさきほども申し上げましたように、ナカタはもう歳《とし》をとっておりますし、もうしばらくすれば死ぬでしょう。お母さんもすでに死にましたし、お父さんもすでに死にました。頭がよくても悪くても、字が書けても書けなくても、影がちゃんとあってもなくても、みんなそのときが参りますれば、順々に死にます。死んで焼かれます。灰になってカラスヤマというところにあるお墓に入ります。カラスヤマというのは世田谷区にあります。しかしカラスヤマのお墓に入ったらたぶんもう何も考えません。考えなければ、迷うこともありません。ですからナカタは今のままでじゅうぶんではないでしょうか？　それにナカタはできることなら、生きているうちは中野区から外に出たくはないのです。死んだのちにカラスヤマに行くのは仕方ありませんが」

「どう考えるかはもちろんあんたの自由だ」とオオツカさんは言った。それからまたひとしきり肉球をなめた。「でもね、影のこともちっとは考えてやった方がいいんじゃないかね。影としても肩身が狭いかもしれないよ。もしオレが影だったら、あんまり……半分のままでいたくないよな」

「はい」とナカタさんは言った。「そうですね。そうかもしれません。そのことはついぞ考えてもみませんでした。うちに帰ってゆっくり考えてみます」

「考えてみるといいよ」

二人はしばらくのあいだ黙っていた。それからナカタさんは静かに立ち上がり、ズボンについた草をていねいに払った。よれよれの登山帽をもう一度頭にかぶった。何度かかぶり方を調整し、いつもの角度につばを傾けた。ズックの鞄を肩にかけた。

「ほんとうにありがとうございました。オオツカさんのご意見はナカタにはまことに貴重なものでありました。どうかつつがなくお元気でお過ごしください」

「あんたもな」

ナカタさんがいなくなると、オオツカさんはまた草の中に横になり、目を閉じた。雲が出て雨が降り出すまでにはまだ時間がある。そして何も考えずにすぐに短い眠りの中に落ちていった。

第7章

7時15分にロビーの近くにある食堂で、トーストとホットミルクとハム・エッグの朝食を食べる。料金に含まれたビジネス・ホテルの朝食は、どう考えても僕には量が少ない。あっというまにおなかにおさまってしまい、ほとんど食べた気がしない。思わずあたりを見まわす。でもトーストのお代わりが来るような気配はまるでない。僕はため息をつく。

「しかたないじゃないか」とカラスと呼ばれる少年が言う。

気がつくと彼はテーブルの向かい側の席に座っている。

「君は好きなものを好きなだけ食べられるという環境にはもういないんだ。なにしろ君は家出をしてきたんだものな。その事実を頭にたたきこまなくちゃいけないぜ。これまで君はいつも早く起きて、たっぷりとした朝ご飯を食べてきた。でもこれからはそうはいかない。与えられたものだけでやっていかなくちゃならないんだ。食事の量にあわせて胃は大きさを変えていくという話をどこかで聞いたことがあるだろう。これから君はたぶん、それが本当なのかどうかをじっさいにたしかめてみることになる。そのうちに胃も小さくなっていくさ。でもそれまでに時間がかかる。そういうのに耐えることができるかな？」

「耐えられるよ」と僕は言う。

「そうこなくっちゃ」とカラスと呼ばれる少年は言う。「だって君は世界でいちばんタフな15歳の少年なんだものな」

僕はうなずく。

「じゃあいつまでも空っぽの皿を眺めているのはよすんだね。さっさと次の行動に移ろうじゃないか」

僕は言われたとおり立ちあがり、次の行動に移る。

僕はホテルのフロントに行って、宿泊条件について交渉してみる。自分は東京の私立高校生なのだが、卒業レポートを作成するためにここに来て（僕のかよっていた学校の高等部にはじっさいにそういう制度があった）、専門資料のある甲村記念図書館にかよっている。調べなくてはならないことは思ったよりたくさんあり、どうみても1週間は高松に滞在しなくてはならない。しかし予算は限られている。だから規定の

3泊だけではなく、ここにいるあいだとくべつに、YMCAを通した安い料金で宿泊させてもらえないだろうか。料金は毎日前日に前払いするし、迷惑はかけないから、と。

問題を抱えて少しだけ途方に暮れた、育ちの良さそうな少年が浮かべそうな表情を顔に浮かべ、そこにいた早番の若い女性に向かって、僕が置かれた（ことになっている）事情を手短に説明する。僕は髪も染めていないし、ピアスもつけていない。清潔なラルフ・ローレンの白のポロシャツを着て、やはりラルフ・ローレンのクリーム色のチノパンツをはいて、新しいトップサイダーのスニーカーをはいている。歯は白く、シャンプーと石鹸《せっけん》の匂いがする。敬語だってちゃんと使える。僕はその気にさえなれば、年上の人に好印象を与えることができる。

彼女は僕の話を黙って聞き、唇を少し曲げ、うなずく。彼女は小柄で、白いブラウスの上に、グリーンのブレザーコートの制服を着て、少し眠そうだがひとりでてきぱきと朝の業務をこなしている。歳《とし》は僕の姉と同じくらいかもしれない。

だいたいの事情はわかりました、私にはなんとも申しあげられませんが、宿泊料金については支配人に相談してみますので、どうなるか昼ごろまでにはわかると思います、とビジネスライクに彼女は言う（でも彼女が僕に好感をもっているらしいことは伝わってくる）。そして僕の名前と部屋番号を聞いてメモに控える。そんな交渉がうまくいくものかどうか、僕にはわからない。あるいは逆効果になるかもしれない――たとえば相手は学生証を見せてくれと言いだすかもしれない。家に連絡しようとするかもしれない（もちろん宿泊客名簿に記入したのはでたらめな電話番号だ）。でもそんなリスクをおかしてもためしてみるだけの価値はあるはずだ。僕が手にしているのは限りのあるお金なのだから。

ホテルのロビーに置いてあったタウンページで公営の体育館の電話番号を調べ、ワークアウト・ルームにどんな機械が置いてあるかたずねる。僕が必要としている機械はだいたい全部そろっている。料金は６００円。場所をきき、駅からの行きかたを教えてもらい、礼を言って電話を切る。

部屋に戻り、リュックを背負って外に出る。部屋に荷物を置いていくこともできる。お金を貸金庫に預けていくこともできる。そのほうが安全なのかもしれない。でもできることなら、いつもそれを手もとにもっていたいと思う。それは今ではもう僕の身体《からだ》の一部のようになってしまっている。

駅前のターミナルからバスに乗って体育館に行く。もちろん僕は緊張している。顔がこわばっているのがわかる。僕くらいの年齢の少年が平日の昼間にひとりで体育館に行くことを、誰かが見とがめるかもしれない。そこはなんといっても知らない街なのだ。人々がここでいったいどんなことを考えているのか、僕にはまだつかめていない。でも誰も僕には注意を払わない。僕はむしろ自分が透明人間になってしまったような錯覚にさえ襲われる。入り口で黙って料金を払い、ロッカーの鍵《かぎ》を黙って受けとる。ロッカールームでジム・ショーツと軽いTシャツに着替え、ストレッチをして筋肉をほぐしているうちに、少しずつ落ち着きを取り戻してくる。僕は僕という入れ物の中にいる。僕という存在の輪郭が、かちんという小さな音をたててうまくひとつにかさなり、ロックされる。これでいい。僕はいつもの場所にいる。

サーキット・トレーニングにとりかかる。MDウォークマンでプリンスの音楽を聴きながら、たっぷり1時間かけて、7台のマシンをいつもの手順でこなしていく。地方の公営の体育館ということで旧式のマシンを予想していたのだが、実際にはびっくりするくらいの新鋭機がそろっていた。新しいスチールの匂《にお》いがまだ空中に漂っている。まず少ない負荷で最初のラウンドをこなし、次に負荷を大きくして二度目のラウンドをこなす。いちいち表に書きこむまでもない。僕の身体に適した重量と回数は頭にたたきこまれている。すぐに全身から汗が噴きだし、途中で何度も水分を補給しなくてはならない。ウォータークーラーの水を飲み、来る途中で買ってきたレモンを齧《かじ》る。

きめたラウンドをこなすと熱いシャワーを浴び、持参した石鹸で身体を洗い、シャンプーで髪を洗う。包皮がむけあがったばかりのペニスをできるだけ清潔に保っておく。脇《わき》の下と睾丸《こうがん》と肛門《こうもん》を注意深くきれいに洗う。体重をはかり、裸で鏡の前にたって筋肉の硬さをたしかめる。汗で湿ったジム・ショーツとTシャツを洗面台で水洗いし、よくしぼってビニールの袋に入れる。

体育館を出ると、バスに乗ってまた駅に戻り、駅の前にある昨日と同じうどん屋に入り、温かいうどんを食べる。時間をかけて食べながら、窓の外を眺める。駅の構内をとてもたくさんの人々が行き来している。みんな思い思いの服を着て、荷物を抱え、せわしなく歩き回り、おそらくはそれぞれの目的を持って、どこかに向かっている。僕はそんな人々の姿をじっと見ている。そして今から百年後のことをふと考える。

今から百年後には、ここにいる人々はおそらくみんな（僕をもふくめて）地上から消えて、塵《ちり》か灰になってしまっているはずだ。そう考えると不思議な気持ちになる。そこにあるすべてのものごとがはかない幻みたいに見えてくる。風に吹かれて今にも飛び散ってしまいそうに見える。僕は自分の両手を広げてじっと見つめる。僕はいったいなんのためにあくせくとこんなことをしているのだろう？　どうしてこんなに必死に生きていかなくてはならないんだろう？

でも僕は首を振り、外を眺めるのをやめる。百年後のことを考えるのをやめる。現在のことだけを考えるようにする。図書館には読むべき本があり、ジムにはこなしていくべきマシンがある。そんな先のことを考えたってしょうがないじゃないか。

「そうこなくっちゃ」とカラスと呼ばれる少年は言う。「だって君は世界でいちばんタフな15歳の少年なんだものな」

昨日と同じように駅の売店で弁当を買い、それを持って電車に乗る。甲村図書館についたのは11時半だった。カウンターにはやはり大島さんが座っていた。彼はブルーのレーヨンのシャツのボタンを首まではめ、白いジーンズに白いテニスシューズという格好で、机に向かって分厚い本を読んでいる。昨日と（たぶん）同じ長い黄色い鉛筆がそのとなりに置いてある。前髪が顔の前に落ちている。僕が入っていくと、顔をあげて微笑《ほほえ》み、荷物を預かってくれる。

「まだ学校には戻ってないんだね」

「学校にはもう戻らないんです」と僕は正直に言う。

「図書館は悪くない選択肢だ」と大島さんは言う。振りかえって背後の時計で時刻をたしかめる。それからまた本のページに戻る。

閲覧室に行ってバートン版『千夜一夜物語』の続きを読む。いつものように一度腰を据えて本のページを繰りはじめると、途中でやめることができない。バートン版『千夜一夜物語』には僕が昔図書館で読んだ子ども向けの版と同じ話も入っているけれど、話そのものが長いし、エピソードも多く細部が入り組んでいて、とても同じものとは思えない。ずっと魅惑的だ。猥雑《わいざつ》で乱暴でセクシュアルな話、わけのわからない話もいっぱいある。しかしそこには（ちょうど魔法のランプに入った魔人のように）常識のわくには収まりきれない自由な生命力が満ちているし、それが僕の心をつかんで離さない。駅の構内を歩きまわっている無数の顔のない人々より、千年以上前に書かれた荒唐無稽《むけい》な作り話のほうがずっと生き生きと迫ってくる。どうしてそんなことが起こりうるのだろう？　僕にはそれはとても不思議なことに思える。

1時になるとまた庭に出て、縁側に座って持参した弁当を食べる。それを半分ほど食べたところで大島さんがやってきて、僕に電話がかかっていると言う。

「電話？」僕は思わず言葉をうしなってしまう。「僕に？」

「田村カフカというのが君の名前であれば、ということだけど」

僕は赤くなって立ちあがり、彼が差しだすコードレス・フォンを受けとる。

ホテルのフロントの女性からの電話だ。彼女は僕が日中ほんとうに甲村図書館で調べものをしているのかどうかたしかめたかったのだろう。声の印象では、僕が嘘《うそ》をついていないことがわかって、ほっとしているようだった。さっき支配人にあなたのことを相談してみました。そういう例はこれまでにはないけれど、若い人だし事情が事情だし、そういうことならとくべつに、これから先もしばらくYMCAを通したサービス料金で泊めてあげてもいい、と支配人は言ってました。今はそんなに忙しい時期でもないから、それくらいの融通ははかってあげられるということでした。

そこはとても評判のいい図書館だから、時間をかけてしっかり調べものをするといいと支配人も言っていました、と彼女は言う。

僕はほっとして礼を言う。ありがとうと僕は言う。嘘をついたことについては心が痛まないではないけど、しょうがない。生き残るためにはいろんなことをしなくちゃならないのだ。電話を切り、電話機を大島さんに返す。

「ここに来る高校生といえば君くらいだし、たぶん君のことだと思ったんだ」と彼は言う。「毎日朝から夕方まで熱心に本を読んでいると言っておいたよ。それは本当のことなんだけどね」

「ありがとう」と僕は言う。

「田村カフカ?」

「そういう名前なんです」

「不思議な名前だ」

「でもそれが名前なんです」と僕は主張する。

「もちろん君はフランツ・カフカの作品をいくつか読んだことはあるんだろうね？」

僕はうなずく。「『城』と『審判』と『変身』と、それから不思議な処刑機械の出てくる話」

「『流刑地《るけいち》にて』」と大島さんは言う。「僕の好きな話だ。世界にはたくさんの作家がいるけれど、カフカ以外の誰にもあんな話は書けない」

「僕も短編の中ではあの話がいちばん好きです」

「本当に？」

僕はうなずく。

「どんなところが？」

それについて考えてみる。考えるのに時間がかかる。

「カフカは僕らの置かれている状況について説明しようとするよりは、むしろその複雑な機械のことを純粋に機械的に説明しようとする。つまり……」、僕はまたひとしきり考える。「つまり、そうすることによって彼は、僕らの置かれている状況を誰よりもありありと説明することができる。状況について語るんじゃなく、むしろ機械の細部について語ることで」

「なるほど」と大島さんは言う。それから僕の肩に手を置く。その動作には自然な好感のようなものが感じられる。

「うん、フランツ・カフカもおそらく君の意見に賛成するんじゃないかな」

彼はコードレスの電話機を持って建物の中に戻っていく。僕はまた縁側に座ってひとりで昼食の残りを食べ、ミネラル・ウォーターを飲み、庭にやってくる小鳥を眺める。それは昨日見かけたのと同じ小鳥たちかもしれない。空には薄い雲がまんべんなくかかっている。青空はどこにも見えない。

カフカの小説についての僕の答えは、おそらく彼を納得させたのだろう。多かれ少なかれ。でも僕がほんとうに言いたかったことは伝わらなかったはずだ。僕はそれをカフカの小説についての一般論として言ったわけではない。僕はとても具体的なものごとについて、具体的に述べただけなのだ。その複雑で目的のしれない処刑機械は、現実の僕のまわりに実際に存在したのだ。それは比喩《ひゆ》とか寓話《ぐうわ》とかじゃない。でもたぶんそれは大島さんだけではなく、誰にどんなふうに説明しても理解してもらえないだろう。

閲覧室に戻り、ソファに腰をおろし、またバートン版『千夜一夜』の世界に戻る。そしてまわりの現実の世界は、映画の画面がフェイドアウトするみたいに少しずつ消えていく。僕は僕ひとりになり、ページのあいだの世界に入りこんでいく。僕はその感覚がなによりも好きなのだ。

5時になって図書館を出るとき、大島さんはカウンターの前で同じ本を読んでいる。シャツには相変わらずしわひとつない。いつもと同じように顔の前に前髪が幾筋かかかっている。彼の背後の壁では、電気時計が音もなくなめらかに針を前に進めている。大島さんのまわりではすべてがもの静かに清潔に運営されている。彼が汗をかいたりしゃっくりをしたりするようなことはあり得ないように思える。彼は顔をあげて、僕にリュックを渡す。それを持ちあげるとき、いかにも重そうに顔をしかめる。

「君はここまで市内から電車で来ているの?」

僕はうなずく。

「もし毎日ここに来るつもりなら、これを持っているといい」。そしてA4の半分のサイズの紙を僕に手渡す。それは高松駅と甲村図書館のある駅とのあいだを結ぶ鉄道の時刻表のコピーだ。「だいたい時刻表どおりに来る」

「ありがとう」と僕は言ってそれを受けとる。

「ねえ田村カフカくん、君がどこから来てなにをしているのかは知らないけど、いつまでもホテルに泊まっているわけにはいかないんじゃないかな」と彼は言葉を慎重に選びながら言う。それから左手の指で、鉛筆の芯《しん》の尖《とが》り具合をチェックする。芯はいちいちたしかめるまでもなく完璧《かんぺき》に尖っている。

僕は黙っている。

「べつに余計な口だしをするつもりはない。ただその——話の行きがかりとしてきいてるだけだ。君くらいの年齢の子どもが知らない土地でひとりでやっていくのは簡単じゃないからね」

僕はうなずく。

「これからまたどこかべつのところに行くのだろうか？　それともずっとここにいるつもり？」

「まだよくわからないけど、しばらくはここにいると思います。ほかに行くところもないし」と僕は正直に言う。

大島さんにならば、ある程度正直に事情をうち明けてもいいような気がする。彼はまず僕の立場を尊重してくれるだろう。説教じみたことを言ったり、常識的な意見を押しつけたりもしないだろう。でも今はまだ誰に対しても必要以上のことをしゃべりたくはなかった。他人になにかをうち明けたり、気持ちを説明したりすることに、もともと僕はなれていないのだ。

「とりあえずはひとりでやっていけるんだね？」と大島さんは言う。

僕は短くうなずく。

「幸運を祈るよ」と彼は言う。

・

こまかい部分をべつにすればほとんど変化のない生活が、それから7日のあいだつづけられる。6時半にラジオ・クロックで目覚め、ホテルの食堂でなにかのしるしみたいな朝食をとる。フロントに栗色《くりいろ》の髪をした早番の女性がいれば、手をあげてあいさつをする。彼女も少し首を傾けて微笑み、あいさつを返してくれる。彼女は僕に親しみをもつようになっているみたいだ。僕も彼女に親しみをもつようになっている。彼女はひょっとしたら僕のお姉さんなのかもしれないと思う。

部屋で簡単なストレッチをし、時間がくると体育館に行ってサーキット・トレーニングをこなす。同じ負荷を、同じ回数こなす。それ以上少なくもしないし、多くもしない。シャワーを浴び、身体をこまかいところまで清潔にするようにこころがける。体重をはかり、変化のないことをたしかめる。昼前に電車で甲村図書館に行く。リュックをあずけるときと受けとるときに、大島さんと短く話をする。縁側で昼食を食べ、本を読み（バートン版『千夜一夜物語』を読み終え、夏目漱石の全集にとりかかる。読み残していた作品がいくつかあったからだ）、5時に図書館を出る。昼間のほとんどの時間を体育館と図書館で過ごしているわけだが、そこにいるかぎり、誰も僕のことを気にかけたりはしない。学校をさぼる子どもはまずそんなところにはいかないからだ。駅前の食堂で夕食をとる。できるだけ野菜をたくさん食べるようにする。ときどき八百屋《やおや》で果物を買い、父親の書斎からもってきたナイフで皮をむいて食べる。キュウリやセロリを買ってホテルの洗面所で洗い、マヨネーズをつけてそのままかじる。近所のコンビニエンス・ストアで牛乳のパックを買い、シリアルと一緒に食べる。

ホテルに戻ると、机にむかって日誌をつけ、ウォークマンでレイディオヘッドを聴き、本をまた少し読み、11時前に眠る。寝る前にときどきマスターベーションをする。僕はフロントの女性のことを想像し、そのときには彼女が本当に僕の姉かもしれないという可能性をとりあえずどこかに追いやる。ほとんどテレビも見ないし新聞も読まない。

そのような僕の規則正しい、求心的で簡素な生活がこわされたのは（もちろんそれは遅かれ早かれこわされるはずのものなのだけれど）8日めの夜だった。

第8章

アメリカ陸軍情報部（MIS）報告書
作成年月日・1946年5月12日
タイトル「RICE BOWL HILL INCIDENT, 1944: REPORT」
文書整理番号　PTYX-722-8936745-42216-WWN

東京帝国大学医学部精神医学教室教授、塚山重則（52歳）に対するインタビューは東京の連合国最高司令官総司令部内で約3時間にわたって行われた。録音テープ使用。このインタビューに関する付帯資料請求番号はPTYX-722-SQ-267から291である。（注・ただし271及び278の資料は欠損）

質問者ロバート・オコンネル少尉《しょうい》による所感

〈塚山教授はいかにも専門家らしい落ちついた態度を保っている。彼は精神医学の分野では日本を代表する学者であり、これまでにも何冊かのすぐれた書物を発表している。多くの日本人とは違って、曖昧《あいまい》な表現をしない。事実と仮説とを明確に峻別《しゅんべつ》する。戦前に交換教授としてスタンフォード大学に滞在したことがあり、かなり流暢《りゅうちょう》に英語を話すことができる。多くの人は彼に信頼感と好感を抱くだろう〉

私たちは軍の命を受けるかたちで、急遽《きゅうきょ》その子どもたちの調査・面談に従事しました。1944年11月半ばのことです。私たちが軍の要請あるいは命を受けるというのはきわめて異例のことです。ご存じのように彼らは自分たちの組織の中にかなり大きな医療部門を持っていますし、もともとが機密保持を主眼に置く自己完結的な組織ですから、ほとんどの状況において身内で間に合わせてしまいます。専門的な分野の研究者や医師の、特殊な知識や技術を必要とする場合をべつにすれば、民間の医師や研究者に何かを要請したりはしません。

ですからその話が来たとき、私たちはそれが「特殊な場合」であるのだろうと、当然のことながら推測しました。軍の指示のもとで仕事をするのは、正直言って好むところではありません。ほとんどの場合において彼らが求めているのは学問的な真実ではなく、彼らの思考体系に合致した結論か、あるいはただ単純な実効性です。論理が通じる相手ではないのです。しかし戦争中ですから、軍に逆らうことはできません。言われたことを黙ってやるしかありません。

私たちは米軍の空襲下、大学の研究室で細々と自分たちの研究を続けていました。学生も研究生もほとんど兵隊にとられてしまっていますし、大学はもうがらがらになっていました。精神医学教室の学生には徴兵猶予《ゆうよ》なんてものはありません。私たちは軍の命を受け、やりかけの研究をひとまず中断し、とるものもとりあえず汽車に乗って山梨県**町に出向きました。私と、もう一人の精神医学教室の同僚と、それから私たちとずっと組んで研究をしてきた脳外科の研究医の3名です。

私たちはまずそこで、これから話すことは軍の機密事項であるから、一切を口外しないようにという厳重な注意を受けました。それからこの月のはじめに起こった事件について説明を受けました。16名の子どもたちが山の中で意識不明になり、うち15名がその後自然に意識を取り戻したこと。そのあいだの記憶がまったく失われてしまっていること。しかし一人の男の子だけがどうしても意識を取り戻さないまま、東京の陸軍病院のベッドで眠り続けていることなどです。

事件発生直後から子どもたちの診療を担当していた軍医が、私たちに内科的な見地から経過をくわしく解説してくれました。遠山という軍医少佐でした。軍医の中には純粋な医師というよりは、自己保身に汲々《きゅうきゅう》とする官僚に近いような体質の人が少なからずいるのですが、幸運なことに彼は現実的かつ優秀な医師でした。外部者である私たちに対しても、偉そうなところも排斥《はいせき》的なところもまったくありませんでした。客観的に具体的に、必要な基礎事実をあまさず私たちに伝えてくれました。カルテも全部見せてくれました。彼が何よりも求めているのは、事実の解明であるようでした。私たちは彼に好感を持ちました。

軍医の渡してくれた資料からわかるもっとも重要な特徴は、医学的に見れば、子どもたちには何の影響も残っていないということでした。どれだけ検査をしても、事件直後から今にいたるまで一貫して、どのような身体的異常も――外科的なものも内科的なものも――見受けられないのです。子どもたちは事件が起こる前の状態とまったく同じ状態で、きわめて健康に生活を送っていました。精密な検査の結果、数人の子どもの体内に寄生虫が発見されましたが、特筆するほどのものではありませんでした。頭痛や吐き気や痛み、食欲不振、不眠、倦怠感《けんたいかん》、下痢、悪夢、そのような症状もまったく見られませんでした。

ただ子どもたちの頭からは、山の中で意識を失っていた2時間分の記憶が失われていました。これは全員に共通したことです。自分たちが倒れたときの記憶さえありません。その部分がきれいに抜け落ちてしまっています。これは記憶の「喪失」というよりは、むしろ「欠落」というに近いものです。これは専門的な用語ではなく、今便宜的に使っているだけですが、「喪失」と「欠落」とのあいだには大きな違いがあります。簡単に説明しますと、そうですね、連結して線路の上を走っている貨物列車を想像してみてください。その中の一両から積み荷がなくなっている。中身だけのない空っぽの貨車が「喪失」です。中身だけではなく、貨車自体がすっぽりなくなってしまうのが「欠落」です。

私たちは、その子どもたちが何らかの毒ガスを吸い込んだ可能性について話し合ってみました。

〈そのことは当然考慮の対象になったし、そのために軍がこの事件に関与することになったわけだが、今の段階では現実的に見て、その可能性はきわめて薄いと考えざるをえない。これは軍機に属する話だから、外部に漏らしてもらっては困るのだが……〉と遠山軍医は言いました。

彼の話のあらましはだいたいこういうことでした。〈陸軍はたしかに毒ガスや生物兵器といった化学兵器の研究開発を秘密裏におこなっている。しかしそれらは主に中国大陸に本拠を置く特殊部隊の内部で行われており、日本国内では行われていない。

人口の密集したこの狭い国でそれをおこなうのは、あまりにも危険が大きいからだ。そのような兵器が国内に貯蔵されているかどうかについては、あなたがたに対してここでつまびらかにすることはできないが、少なくとも今の段階において、山梨県内にはないということだけは確約できる〉

——山梨県内には毒ガスを始めとする特殊兵器は貯蔵されていなかったと軍医は断言したわけですね。

はい。彼ははっきりとそう言いました。私たちとしてはそのまま信じるしかありませんし、また信じてもいいだろうという印象を持ちました。それからB29から米軍が毒ガスを落としたという説については、可能性としてあまりにも低いものだという結論に私たちは達しました。もし彼らがそんな兵器を開発し、使用することを決めたとしたら、まず反応の大きい都市部で使うでしょう。高空からこんなへんぴな山の中にひとつやふたつ落としたところで、それがどのような効果を及ぼしたのか、成果の確認をすることさえできません。それにたとえ拡散し薄められたと仮定しても、子どもの意識をたかが2時間失わせるだけで、あとに何の痕跡《こんせき》ものこさないような毒ガスには軍事的意味がありません。

それに私たちの理解するかぎりにおいては、人工の毒ガスであれ、自然の中で生まれる毒性のある大気であれ、身体《からだ》に何の痕跡も残さないような毒ガスはまず考えられません。とくに成人に比べてより感じやすく、防御性の弱い子どもの身体ですから、目や粘膜には必ず何かしらの作用のあとは残るはずです。食中毒の可能性についても、同じ理由で除外することができます。

となりますと、あとは心理的な問題、あるいは脳組織に関連した問題としか考えることができません。そしてこの事件がそのような内的な要因によって引き起こされたものであれば、当然のことながら、内科あるいは外科的な見地から痕跡を探すのはきわめて困難なものになります。その痕跡は目には見えないもの、数値には表れないものになってきます。そこに至ってようやく私たちにも、自分たちがわざわざ軍に呼び出された理由を理解することができました。

私たちは、事故に遭遇し意識を失った子どもたちの全員を面談しました。引率の先生と、嘱託医の話も聞きました。遠山軍医もそこに加わりました。しかしそれらの面談から私たちが得ることができた新たな事実はほとんどありませんでした。軍医が説明してくれたことがあらためて再確認されただけです。子どもたちはその事件について何ひとつとして記憶してはいませんでした。彼らは高空で光る飛行機らしきものを見ました。それから「お椀《わん》山」に登って、森の中でキノコを集め始めました。そこで時間が途切れ、そのあと思い出せるのは、おろおろする先生や警官たちに囲まれて、自分たちが地面に横になっていた、ということだけです。身体の具合はべつに悪くなかったし、痛くも苦しくもなかった。気持ち悪くもなかった。ただ頭はいくらかぼんやりしていた。朝に目が覚めたときと同じように。それだけです。どの子どもの言うことも、まるで判で押したみたいに同じでした。

　私たちが面談を終えた段階で、可能性として大きく浮かび上がったのは、当然のことながら集団催眠です。先生や校医によって現場で観察された、意識を失っているあいだに子どもたちが見せた症状も、それが集団催眠であると仮定すれば、決して不自然なものではありません。眼球の規則正しい動き、呼吸と心拍と体温のいささかの低下、記憶の欠落。話はいちおうあっています。引率の先生だけが意識を失わなかったのは、その集団催眠を導いた何かが、何らかの理由で大人には作用しなかったからだと考えることができます。

　その何かがいったい何であったのか、それは私たちにはまだ特定することはできません。ただひとつ一般論として言えますのは、集団催眠にはふたつの要因が必要とされるということです。ひとつはその集団の緊密な同質性であり、彼らが置かれた状況の限定性です。もうひとつはトリガーです。その直接の「引き金」は集団の全員によって、ほぼ同時に体験されることでなくてはなりません。それはこの場合で言えば、たとえば、彼らが山に入る前に見たという飛行機らしき物体のきらめきかもしれません。それは全員が同時に目にしています。その数十分あとに昏倒《こんとう》が始まっています。もちろんこれも仮説に過ぎませんし、ほかに何か明確に認知はされないが、トリガーになりうる出来事があったのかもしれません。私は「あくまで仮説に過ぎないが」という断りつきで、遠山軍医にその「集団催眠」の可能性を示唆《しさ》しました。私の二人の同僚もそれにおおむね賛意を示しました。それはたまたま私たちが従事していた研究テーマに、直接ではありませんが関連したことでもあったのです。

「筋がとおっているように聞こえますね」と遠山軍医はしばらく考えたあとで言いました。「私の専門外のことではありますが、可能性としてはそれがもっとも高いように思えます。しかしひとつわからないことがあります。問題は、じゃあいったい何がその集団催眠を解除したのかということです。そこには〈逆トリガー〉がなくてはならないということになりますが」

わかりません、と私は正直に答えました。それは今のところ、更なる仮説をもってしか答えられない問題です。〈しかるべき時間が経過すると自動的に解除するようなシステムになっていたのかもしれない〉というのが私の仮説です。つまり我々の身体維持システムは本来とても強力なものですし、一時的に別の外部システムの統制下に置かれたとしても、ある程度の時間が経過すれば、それはいわば非常ベルを鳴らして、本来の機能維持をブロックしている異物を――つまりこの場合においては催眠作用をということですが――排除するための、それをデプログラムさせるためのプログラムを緊急作動させるのではないでしょうか。

今ここに資料がないので、残念ながら正確な数字までは引用できませんが、似たような事件はこれまでに外国で何件か報告されています、と私は遠山軍医に説明しました。どれも理論的に説明のつかない「謎《なぞ》の事件」として記録されています。多くの子どもたちが同時に意識を失い、数時間後に目覚めます。そしてそのあいだのことを何ひとつ記憶してません。

つまり今回の事件はもちろん希有《けう》な出来事ではありますが、前例のないことではないのです。１９３０年前後に英国のデボンシャー州の小さな村のはずれで、ある奇妙な事件が起こりました。田舎道を列をつくって歩いていた30人ばかりの中学生が、これという理由もなくとつぜん次々に道に倒れ、意識を失いました。しかし全員が数時間後に意識を回復し、まるで何事もなかったように、そのまま自分の足で歩いて学校まで戻りました。医師がすぐに全員を診察しましたが、医学的にはまったく異常は認められませんでした。何が起こったのか、誰も覚えていませんでした。

前世紀の終わり頃にも、オーストラリアでやはり同種の事件が記録されております。アデレーン郊外で、15人ほどの10代前半の少女たちが、私立女子学校の遠足中に意識を失い、しばらくあとになって全員が意識を回復しています。外傷、後遺症はまったく見受けられませんでした。日差しのせいではないかということになりましたが、全員がほぼ同時に意識を失い、ほぼ同時に覚醒《かくせい》し、また日射病の徴候《ちょうこう》をまったく見せなかったことが謎として残りました。その日はとくに暑い日でもなかったという報告もあります。おそらくほかに説明のつけようがなかったので、とりあえず日射病ということにしたのでしょう。

これらの事件の共通点は、学校からいくらか離れたところに集団として年若い少年か少女がいて、全員が同時に意識を失い、それからほぼ同時に意識を取り戻し、あとには何の後遺症も残らなかったことです。それらはすべての事例に共通した特徴です。そこに居合わせた大人については、子どもたちと同じように意識を失った例と、失わなかった例とが報告されています。それはケース・バイ・ケースであるようです。

ほかにも似たような事例がなくはないのですが、学問的資料とするに足りる明確な記録、あるいは資料が残されているものとしては、そのふたつが代表的です。しかし山梨県で起こった今回の事件には、ひとつきわだった例外事項があります。その催眠、あるいは意識喪失が解除されないままになった少年が一人残されたことです。当然ながらその子どもの存在が事件の真相解明の鍵《かぎ》になるのではないかと私たちは考えました。私たちは現地での調査を終えて東京に戻り、少年が収容されている陸軍病院に出向きました。

——陸軍がこの事件に関心を持ったのは、あくまでそれが毒ガス兵器によるものであるかもしれないという可能性に関してだったわけですね？

そのように理解しています。正確なところは私よりもむしろ遠山軍医に、直接お聞きになった方がよろしかろうと思いますが。

——遠山軍医少佐は1945年3月、東京都内において職務遂行中に爆撃によって死亡しました。

そうですか。お気の毒です。この戦争ではたくさんの有為な人々が亡《な》くなりました。

――しかし軍は、その事件がいわゆる「化学兵器」によって起こされたものではないという結論に達した。原因はまだ不明だが、戦争の進行には無関係なものであるらしいと。そういうことですね？

はい、そのように理解しております。その時点で軍は事件についての調査を終了していました。陸軍病院がナカタという意識不明の少年をそのままそこに留めておいたのは、ただ単に遠山軍医少佐がこの事件に対して、個人的な興味を持っており、彼が当時病院内である程度の裁量権を持っていたからでした。そのようなわけで私たちは毎日のように陸軍病院に通い、あるいは交代で泊まり込み、意識不明のままベッドに横になっている少年の状態をいろんな角度から調べ上げました。

彼の身体機能は意識のないままに、きわめて順調に働いていました。点滴で栄養をとり、規則正しく排尿をおこなっていました。夜になって部屋の明かりを消すと目を閉じて眠り、朝になると目を開けました。彼はたしかに意識を失ってはいましたが、それをべつにすれば、問題もなく健常な生活を送っているように見えました。昏睡しているといっても、夢を見ることもないようです。人が夢を見ているときには、眼球の動きや顔の表情に、夢を見ているという反応が必ず出てきます。意識が夢の中での経験に呼応し、それにあわせて心拍数も高まります。しかしそのような徴候は、ナカタ少年にはいっさい見受けられませんでした。心拍数も呼吸も体温も、通常よりはすこし低めの数字ではありますが、驚くばかりに安定していました。

妙な表現かもしれませんが、入れ物としての肉体だけがとりあえずそこに残されて、留守を預かり、様々な生体レベルを少しずつ下げて、生存に最低限必要な機能を維持し、そのあいだ本人はどこかべつのところに出かけて、何かべつのことをしているみたいに見えました。〈幽体離脱〉という言葉が私の頭に浮かびました。その言葉はご存じですか？　よく日本の昔話に出てきますが、魂が肉体を一時的に離れて、千里の道のりを越えてどこか遠くに行き、そこで大事な用事をすませて、それからまた元の肉体に戻ってくるというやつです。『源氏物語』にも「生き霊《りょう》」がよく出てきますが、それに近いものかもしれません。死んだ人の魂が肉体を出るというだけではなく、生きている人にも――思いさえ強ければということですが――それと同じことができるのです。あるいは日本には魂についてのそういう考え方が、古代から土着的に自然なものとして根付いていたのかもしれませんね。しかしそんなものを、科学的に立証することはまったく不可能です。仮説として持ち出すことだってはばかられます。

現実的に私たちに求められているのは、言うまでもなく、まずその少年を昏睡から覚ますことです。意識を取り戻させることです。私たちはその催眠作用を解除するための〈逆トリガー〉を懸命に模索しました。考えつくあらゆることを試してみました。両親を連れてきて、大きな声で名前を呼ばせました。何日もそれを続けました。しかし反応はありません。催眠術に使われるトリックをすべて試してみました。様々な暗示をかけ、顔の前で様々な手の叩《たた》き方をしてみました。聴きなれた音楽を聴かせ、教科書を耳元で読み上げました。好きな料理の匂《にお》いを嗅《か》がせました。家で飼っていた猫も連れてきました。その少年が可愛《かわい》がっていた猫でした。彼をこちらの現実の世界に呼び戻そうと、とにかく手を尽くしました。しかしその効果は文字通りゼロでした。

しかし私たちがそのような試みを始めてから2週間後に、私たちがもう万策つきて、自信を失って、へとへとになっているころに、その少年はとつぜん覚醒したのです。私たちが何かをして、それが功を奏して覚醒したというのではありません。ただ、決められた時間が来たからというみたいに、彼は何の予兆もなくさっと目覚めました。

――その日、何かいつもとは違うことがあったのですか？

特筆するに足るような出来事は何もありませんでした。いつもと同じようなことが行われていただけです。午前10時頃に看護婦が少年の採血をしました。ところがその直後にむせこんでしまい、採血した血液がシーツの上に散るということがありました。あそれほど多くの量ではありませんでしたし、シーツはすぐに取り替えられました。あえていつもと違うことといえば、それくらいです。少年が目を覚ましたのは、そのおよそ30分後のことです。彼は出し抜けにベッドの上に起きあがり、身体を伸ばし、あたりを見まわしました。意識も戻っていましたし、医学的にみれば文句のつけようのない健康状態にありました。しかしほどなく、彼の頭からすべての記憶が失われていることが判明しました。自分の名前さえ思い出すことができないのです。自分の住んでいた場所も、通っていた学校も、両親の顔も、なにひとつ思い出せません。字も読めません。ここが日本であり、地球であるということもわかりません。日本が何であり、地球が何であるということすら理解できません。彼は文字通り頭をすっからかんにして、白紙の状態でこの世界に戻ってきたのです。

第9章

　意識が戻ったとき、僕は深い茂みの中にいる。湿った地面の上に丸太のように横になっている。あたりは深い闇《やみ》に包まれていて、なにも見えない。ちくちくする灌木《かんぼく》の枝に頭をもたせかけたまま、息を吸いこんでみる。夜の植物の匂《にお》いがする。土の匂いがする。犬の糞《ふん》のような匂いもかすかにそこに混じっている。樹木の枝のあいだから夜の空が見える。月も星もないけれど、それでも空は妙に明るい。空を覆《おお》った雲がスクリーンのようになって、地上の明かりを反映しているのだ。救急車のサイレンの音が聞こえる。それは少しずつ近づき、そして遠ざかっていく。耳を澄ませると、通りを行き来する自動車のタイヤの音もかすかに聞こえる。どうやら都会の一角に僕はいるようだ。

　僕はなんとか自分をもとどおりひとつにまとめようとする。そのためにはあちこちに行って、自分自身の破片を集めてこなくてはならない。ばらばらになったジグソーパズルのピースをひとつひとつ丹念に拾うみたいに。これは初めて体験することじゃないな、と僕は思う。前にもこれと同じような感覚をどこかで味わったことがあった。あれはいつのことだったっけ？　僕は記憶をたどろうとする。でもそのもろい糸はすぐに切れてしまう。僕は目を閉じ、時間をやりすごす。

　時間が経過する。リュックのことをはっと思い出す。そして軽いパニックに襲われる。リュック……リュックはどこにあるんだ？　あそこには今の僕のすべてが詰まっている。あれをなくすわけにはいかない。でもこんな暗闇ではなにも見えない。立ちあがろうとしても、指先に力が入らない。

　僕は苦労して左手を上に持ちあげ（どうしてこんなに左腕が重いんだろう？）、腕時計を顔の前にもってくる。目をこらす。ディジタル・ウォッチの文字盤は 11:26 という数字を示している。午後11時26分。5月28日。頭の中で日誌のページを繰ってみる。5月28日……。大丈夫、僕はまだその日の中にいる。何日もここで意識を失っていたわけではない。僕が僕の意識と離れればなれになっていたのはせいぜい数時間のことだ。たぶん4時間くらいのものだろう。

　5月28日――いつもと同じことがいつもと同じように繰りかえされた日だった。とくべつなことはなにも起こらなかった。僕はその日やはり体育館に行き、それから甲村図書館に行った。機械をつかっていつもの運動をし、いつものソファで漱石全集を読んだ。そして夕方に駅前で食事をした。たしか魚を食べたはずだ。魚の定食。鮭《さけ》だ。ご飯をおかわりした。味噌汁《みそしる》を飲み、サラダも食べた。それから……そのあとが思いだせない。

左肩に鈍い痛みがある。肉体的な感覚が戻ると、それにあわせて痛みの感覚も戻ってくる。なにかに激しくぶつかったときの痛みだ。シャツの上からその部分を右手で撫《な》でてみる。傷口はないようだし、腫《は》れてもいない。どこかで交通事故にでもあったのだろうか？　でも服も破れてはいないし、痛いのは左肩の内側の一点だけだ。たぶんんただの打ち身だろう。

茂みの中で少しずつ身体を動かし、手の届く範囲をひととおり探ってみる。しかし僕の手は、いじめられた動物の心みたいに硬くねじくれた灌木の枝にしか触れない。リュックはない。ズボンのポケットの中を探ってみる。財布がある。中にはいくらかの現金と、ホテルのカードキーと、テレフォン・カードが入っている。そのほかには小銭入れと、ハンカチ、ボールペン。手探りで確認した限りなくなっているものはない。僕が着ているのはクリーム色のチノパンツと、Vネックの白いTシャツ、その上に長袖《ながそで》のダンガリーシャツをはおっている。そして紺色のトップサイダー。帽子がなくなっている。ニューヨーク・ヤンキーズのロゴの入ったベースボール・キャップ。ホテルを出るときにはかぶっていた。今はかぶっていない。どこかに落としたか、あるいは置いてきたかしたのだ。まあいい。そんなものはどこでだって買える。

やがて僕はリュックをみつける。それは松の木の幹に立てかけてある。どうして僕はそんなところに荷物を置き、そのあとでわざわざ茂みの中に入りこんで倒れてしまったのだろう？　だいたいここはどこなんだ？　記憶は凍りついている。でも大事なのは、とにかくそれがみつかったということだ。リュックのポケットから小型の懐中電灯を取りだし、ざっとリュックの中身を確かめてみる。なくなっているものはないようだ。現金を入れた袋もちゃんとある。僕はほっと息をつく。

リュックを肩に背負い、灌木を乗り越えたりかきわけたりしながら、少し開けた場所に出る。そこには狭い通り道がある。懐中電灯の光をあてながらその道をたどっていくとやがて明かりが見え、神社の境内らしきところに出る。神社の本殿の裏側にある小さな林の中で、僕は意識を失っていたのだ。

けっこう広い神社だ。境内には高い水銀灯が一本だけたっていて、本殿や賽銭《さいせん》箱や絵馬《えま》にどことなく冷淡な光を投げかけている。僕の影が奇妙に長く砂利《じゃり》の上にのびている。掲示板の中に神社の名前をみつけて、それを記憶する。あたりに人影はない。

少し歩くと洗面所があったので、そこに入る。まずまず清潔な洗面所だ。リュックを肩からおろし、水道の水で顔を洗う。それから洗面台の前にある不鮮明な鏡に顔を映してみる。ある程度覚悟はしていたけれど、やはりひどい顔をしていた。青白く頰がこけて、首筋には泥がついている。髪はあちこちに飛び跳ねている。

白いTシャツの胸のあたりに、なにか黒いものがついていることに僕は気づく。そのなにかは羽を広げた大きな蝶《ちょう》のようなかたちをしている。最初それを手で払おうとする。しかしとれない。手で触れると、それは妙にべとついている。気持ちを落ち着けるために、僕は意識的に時間をかけてダンガリーシャツを脱ぎ、Tシャツを頭から脱ぐ。そしてちらつく蛍光灯の光の下で、そこに染《し》みついているのが赤黒い血であることを知る。血は新しいもので、まだ乾いてもいない。量もずいぶんある。僕は顔を近づけて匂いをかいでみるが、匂いはない。Tシャツの上にはおっていたダンガリーシャツにも血は飛び散っているが、それはたいした量ではないし、生地のもともとの色が深いブルーだから、血のあとはそんなに目立たない。しかし白いTシャツについた血はひどく鮮やかで生々しい。

僕はそれを洗面台で洗う。血が水に混じり、白い陶器の洗面台が真っ赤に染まる。しかしどれだけごしごしと強く洗っても、一度ついてしまった血のあとは消えない。

僕はそのTシャツを近くにあったゴミ箱に放りこみかけるが、思いなおしてやめる。同じ捨てるにしても、どこかべつの場所で捨てたほうがいい。シャツを固く絞って洗いものを入れるためのビニール袋に入れ、リュックの奥に押しこむ。水で濡《ぬ》らして髪を整える。洗面バッグから石鹸《せっけん》を出し、それをつかって手を洗う。手はまだ細かく震えている。でも時間をかけて指のあいだまで丁寧に洗う。爪《つめ》の中にまで血はしみこんでいる。シャツをとおして裸の胸についた血のあとも、濡らしたタオルで拭《ふ》きとる。それからダンガリーシャツを着こみ、ボタンを首のところまでとめ、裾《すそ》をズボンの中に入れる。人目をひかないように、少しでもまともなかっこうに戻らなくてはならない。

しかし僕は怯《おび》えきっている。歯が絶え間なく音をたてている。止めようとしても止めることはできない。僕は両手を広げて眺めてみる。両手も少し震えている。それらは自分の手には見えない。一対の独立したよその生き物みたいに見える。そして手のひらはひどくひりひりしている。まるで熱い鉄の棒を強く握ったあとのように。

僕は洗面台の縁に両手を置いて身体《からだ》を支え、鏡に頭を強く押しつける。泣きだしたいような気持ちになる。でも泣いたところで、誰かが助けにきてくれるわけじゃない。誰かが――

やれやれ、君はいったいどこでこんなたくさんの血をつけてきたんだ？　君はいったいなにをしたんだ？　でも君はなにひとつ覚えちゃいない。君自身の身体には傷らしきものは見あたらない。左肩のうずきをべつにすれば、痛みらしい痛みもない。だからそこについている血は君自身の血じゃない。それは誰かべつの人間の流した血だ。

いずれにせよ、君はいつまでもここにいるわけにはいかないぜ。こんなところで血まみれになったまま警察のパトロールとでくわしたら一巻の終わりだ。しかし今からまっすぐホテルに戻るのも考えものだ。ひょっとしたら誰かが君の帰りをそこで待っているかもしれないものな。用心するに越したことはない。君はあるいは知らないうちになにかの犯罪に巻きこまれてしまったのかもしれない。というか、君自身が犯罪者であるという可能性だってなくはないんだ。

幸いなことに荷物は全部手もとにある。用心のために君はどこに行くにも全財産を詰めこんだ重いリュックを持ち歩いていた。それが結果的に役に立ったわけだ。君は正しいことをしていたんだ。だからそんなに心配しなくてもいい。怖がらなくてもいい。この先もなんとかうまくやっていけるはずだ。なにしろ君は世界でいちばんタフな15歳の少年なんだからな。自信を持つんだ。息を整えて、要領よく頭を働かせるんだ。そうすればきっとうまくやれる。ただし君はじゅうぶん用心しなくてはならない。誰かの血がどこかで流された。それは本物の血だ。そしてたくさんの血だ。誰かが今ごろ君の行方を真剣に捜しているかもしれない。

さあ行動にかかるんだ。やるべきことはひとつしかない。行くべき場所はひとつしかない。それがどこだか、君にはわかるはずだ。

僕は深呼吸をして息を整える。リュックを担《かつ》ぎ洗面所を出る。音をたてて砂利を踏みながら、水銀灯の光の中を歩く。歩きながら精いっぱい頭を働かせる。スイッチを押し、クランクをまわし、思考を回転させる。しかしうまくいかない。エンジンを起動させるために必要なバッテリーの電力がひどく低下している。温かい安全な場所が必要だった。僕はそこに一時的に逃げこんで、体勢を整えなくてはならない。でもいったいどこに？　僕に思いつける場所といえば図書館くらいだ。甲村図書館。でも明日の朝の11時にならなければ図書館は開かないし、それまでの長い時間をどこかでやりすごさなくてはならない。

甲村図書館以外に僕が思いつける場所はひとつしかない。人目につかないところに腰を下ろし、リュックのポケットから携帯電話を取りだす。そしてそれがまだ生きていることをたしかめる。財布の中からさくらの携帯電話の番号のメモを取りだし、その番号を押す。指がまだ安定していない。何度も何度も失敗してから、ようやくその長い番号を最後まで押すことができる。ありがたいことに携帯電話は留守録音になってはいない。12度目のコールで彼女が電話に出る。僕は名前を言う。

「田村カフカくん」と彼女は不機嫌な声で言う。「今何時だと思っているの？　明日の朝は早いんだよ、私は」

「悪いことはよくわかってるよ」と僕は言う。自分の声がひどくこわばっているのがわかる。「でもどうしようもなかったんだ。すごく困っていて、さくらさんのほかに相談できる相手がいなかったから」

電話の向こうでしばらく沈黙がつづく。彼女は僕の声の響きを聞きとり、その重さを量っているようだった。

「それは……深刻なことなの？」

「それは僕にもよくわからないんだけど、たぶんそうだと思う。今回だけなんとか助けてほしいんだ。できるだけ迷惑はかけないようにするから」

彼女は少し考える。迷っているというのではない。ただ考えているのだ。「それで、今どこにいるの？」

僕は神社の名前を言う。彼女はその神社を知らない。

「それは高松市内なんだね？」

「確信はないけど、たぶんそうだと思う」

「やれやれ、自分が今どこにいるのかもわからないの？」、彼女はあきれた声でそう言う。

「長い話なんだ」

彼女はため息をつく。「その近くでタクシーをつかまえて、＊＊町2丁目の角にローソンがあるから、そこまでおいで。コンビニのローソン。大きな看板が出ているからすぐにわかると思う。タクシーに乗るくらいのお金はある？」

「あるよ」と僕は言う。

「よかった」と彼女は言う。そして電話を切る。

僕は神社の鳥居をくぐり、大きな通りに出てタクシーを探す。タクシーはすぐにやってきて停まる。＊＊町2丁目のローソンのある角ってわかりますか、と僕は運転手に尋ねてみる。運転手はその場所をよく知っている。遠くですか？ いや、そんなに遠くじゃないよ。たぶん1000円もかからないよ。

ローソンの前でタクシーは停まり、僕はまだ落ちつかない手で料金を支払う。そしてリュックを担いで店の中に入る。思ったより早く着いたせいで彼女はまだ来ていない。牛乳の小さな紙パックを買って電子レンジで温め、時間をかけて飲む。温かい牛乳が喉《のど》をとおり、胃の中に入っていく。その感触が少しだけ僕の心を静めてくれる。店に入るとき、万引きを警戒する店員がリュックにちらりと目をやるが、あとはとくに誰も僕に注意を払わない。ラックに並んだ雑誌を選ぶふりをして、ガラスに自分の姿を映してみる。髪はまだ乱れたままだが、ダンガリーシャツの血のあとはほとんど目につかない。目についたとしてもただの汚れにしか見えないだろう。あとはなんとかこの身体の震えをとめるだけだ。

10分ほどでさくらがやってくる。時刻はもう1時に近い。彼女はグレーの無地のスエットシャツに、色のあせたブルージーンズをはいている。髪を後ろで束ね、ニューバランスの紺色のキャップをかぶっている。彼女の顔を見て、僕の歯はようやく小刻みな音をたてるのをやめる。彼女はとなりに来て、犬の歯並びを点検するときのような目つきで僕の顔を見る。ため息に似た、言葉にならない声を出す。そして僕の腰を軽く二度叩《たた》き、「おいで」と言う。

彼女のアパートはローソンから2ブロックほど歩いたところにある。2階建ての小さな安普請《やすぶしん》のアパートだ。彼女は階段をあがり、ポケットから鍵《かぎ》を出して緑色のパネル張りのドアを開ける。部屋は二つ、小さな台所とバスルーム。壁は薄く、床ははでに軋《きし》み、一日のあいだに入ってくる自然の光といえばたぶん厳しい西日だけだ。どこかの部屋で水洗便所の水が流されると、どこかの部屋の棚が小刻みな音をたてる。でもそこには少なくとも生身の人の生活がある。流し台の中に積みあげられた皿、空のペットボトル、読みかけの雑誌、既に盛りを過ぎた鉢植えのチューリップ、冷蔵庫にテープでとめられた買い物のメモ、椅子《いす》の背中にかけられたストッキング、テーブルの上に広げられた新聞のテレビの番組欄、灰皿とヴァージニア・スリムの細長い箱、何本かの吸い殻。そんな光景が僕の気持ちを不思議にほっとさせる。

「ここは私の友だちの部屋なんだ」と彼女は説明する。「昔、東京の美容室で一緒に働いていた女の子なんだけど、去年、事情があって実家のある高松に帰ったの。でも1カ月ほどインドのほうを旅行したいから、そのあいだ留守番がわりにここに住んでくれないかって頼まれたわけ。そしてついでにというか、そのあいだ彼女の仕事も代理でやっているんだ。美容師の仕事をね。まあ、たまには東京を離れるのも気分転換にいいんじゃないかと思ってね。ニューエージっぽい子だし、なにしろ行き先がインドだから、本当に1カ月で帰ってくるのかどうかあやしいものだけど」

彼女は僕を食卓の椅子に座らせる。そして冷蔵庫から缶入りペプシ・コーラを出してくれる。グラスはなし。僕は普段はコーラは飲まない。甘すぎるし、歯にもよくない。でも喉が渇いていたので、一本すっかり飲んでしまう。

「おなかはすいてる？　といってもカップヌードルくらいしかないけど、もしそれでよければ」

おなかはすいていない、と僕は言う。

「君、それにしてもひどい顔をしているよ。そのことは知ってる？」

僕はうなずく。

「それで、いったいなにがあったの？」

「僕にもわからないんだ」

「なにがあったのかは君自身にもわからない。自分が今どこにいるのかもよくわからない。説明すると長い話になる」と彼女はただ事実を確認するように言う、「でもとにかくとても困っているのね？」

「とても困っている」と僕は言う。ほんとうにとても困っていることが相手にうまく伝わればいいのだけれどと思う。

しばらく沈黙がつづく。彼女はそのあいだずっと眉《まゆ》をしかめて僕を見ている。

「ねえ、高松に親戚《しんせき》なんていないんでしょう？　ほんとは家出してきたんだよね？」

僕はうなずく。

「私も君くらいの歳《とし》のときに、一度家出をしたことがあるんだ。だからなんとなくわかるんだ、その感じが。それで別れぎわに君に携帯の番号を教えたんだよ。なにかの役にたつかもしれないと思ってね」

「ありがとう」と僕は言う。

「私の家は千葉県の市川にあったんだけどね、親とどうしてもうまくいかないし、学校もいやだったし、親のお金を盗んでずっと遠くまで行ったの。16のときだったね。網走《あばしり》の近くまで行ったんだよ。それで目についた牧場に行って、そこで働かせてほしいって頼みこんだ。なんでもやりますし、まじめに働きます。屋根のあるところで寝かせてもらえて、ご飯を食べさせてもらえれば、お給料はいりませんって。親切にされて、お茶をすすめられて、ちょっと待っていてちょうだいねと奥さんに言われて、そのまま素直に待っていたら、パトカーに乗った警官がやって来て、すぐに家に送りかえされた。向こうもその手のことには馴《な》れていたんだね。で、そのときにつくづく思ったんだ。とにかくなんでもいいから、どこに行っても仕事にあぶれないように、手に職をつけなくちゃってね。それで私は高校をやめて専門学校に入り、美容師になった」

彼女は唇を左右均等に横に伸ばして微笑《ほほえ》む。

「そういうのって、けっこう健全な思想だと思わない？」

僕は同意する。

「ねえ、最初からゆっくり説明してくれる？」と彼女は言う。そしてヴァージニア・スリムの箱から一本煙草《たばこ》を取りだし、マッチで火をつける。「どうせ今夜はうまく眠れそうにないから、君の話につきあうことにするよ」

僕は最初から説明する。家を出たときのことから。でももちろん予言のことは黙っている。それは誰にでもできる話じゃない。

第10章

「それで、このナカタが、あなたのことを、カワムラさんと呼んでも、よろしいのでありますね？」、ナカタさんはその茶色の縞猫《しまねこ》に、もう一度同じ質問をした。ゆっくりと言葉を切って、なるべく聞き取りやすい声で。

その猫は自分はこの近くでゴマ（1歳・三毛猫・雌）の姿を見かけたことがあると思うと言った。しかしながら猫は――ナカタさんの立場からすればということだが――かなり奇妙なしゃべり方をした。猫の方にも、ナカタさんのしゃべっていることはもうひとつうまく理解できないようだった。そのおかげで彼らの会話は往々にしてすれ違い、意味をなさなかった。

「困らないけど、高いあたま」

「すみません。おっしゃっていることが、ナカタにはよくわかりません。申し訳ありませんが、ナカタはあまり頭がよくないのです」

「あくまで、さばのこと」

「ひょっとして、鯖《さば》を召し上がりたいのですか？」
「ちがう。さきの手が、縛る」

ナカタさんはそもそも、猫たちとのコミュニケーションに完璧《かんぺき》さを期待しているわけではなかった。なにしろ猫と人間のあいだの会話なのだから、そんなに簡単に意思がすんなり通じあうものではない。だいいちナカタさん自身の会話能力にだって――相手が人間であるにせよ猫であるにせよ――いささかの問題はある。先週のオオツカさんとは苦労なくすらすらと話をすることができたけれど、それはむしろ例外的なケースであって、概して言えばちょっとした簡単なメッセージのやりとりにも手間のかかることの方が多かった。ひどいときには、風の強い日に運河の両岸に立って声を掛けあっているみたいな様相を呈することもあった。今回がまさにそれだった。

猫の種類で分けると、どうしてかはわからないのだが、とくに茶色の縞猫とは会話の波長があわないことが多かった。黒猫とはだいたいにおいてうまくいった。シャム猫といちばんうまく話ができるのだが、残念ながら町を歩いていて野良《のら》のシャム猫に巡り合う機会はそれほど多くない。シャム猫たちはだいたい家の中で大事に飼われている。そして野良猫にはどういうわけか茶色の縞猫が多いのだ。

しかしそれにしても、このカワムラさんのしゃべることは、ナカタさんには皆目《かいもく》理解できなかった。発音が不明瞭《ふめいりょう》で、ひとつひとつの言葉の意味がつかめない。言葉と言葉とのあいだに関係性が見いだせない。それはセンテンスというよりは、謎《なぞ》かけみたいに聞こえる。しかしナカタさんはとても我慢強い性格だったし、時間ならそれこそいくらでもあった。彼は何度も何度も同じことを繰り返し話しかけ、相手にも何度も何度も同じことを繰り返して言ってもらった。二人は住宅地の中に作られた小さな児童公園の縁石《ふちいし》の上に腰掛けて、もう1時間近く話し合っていたが、話はほとんど同じところに留まっていた。

「〈カワムラさん〉といいますのは、ただの呼び名であります。とくに意味はありません。ナカタが猫さんの一人ひとりを覚えるために、適当につけている名前なのです。そのことでカワムラさんには決してご迷惑をかけません。ただカワムラさんと呼ばせていただきたいだけなのです」

カワムラさんはそれに対してなにかわけのわからないことをぶつぶつ繰り返していたが、きりがなさそうだったので、ナカタさんは思い切って次の段階に進んだ。ナカタさんはゴマの写真をもう一度、カワムラさんに見せた。

「これがゴマです、カワムラさん。ナカタが探しております猫さんです。1歳の三毛猫であります。野方3丁目のコイズミさんのおうちに飼われていたのですが、しばらく前から行方がわからなくなっております。奥さんが窓を開けたすきに、さっと飛び出して逃げてしまったのです。それで、もう一度うかがいますが、カワムラさんは、この猫をお見かけになったことがあるんですね?」

カワムラさんはその写真をもう一度眺め、それからうなずく。

「クァムラ、さばなら、縛る。縛るなら、探す」

「すみません。先ほども申しましたように、ナカタはずいぶん頭が悪いので、カワムラさんのおっしゃっておられることがよくわかりません。もう一度繰り返していただけますか?」

「クァムラ、さばなら、かさる。探《さぐ》るなら、縛る」

「そのさばというのは、魚の鯖なのですか?」

「かさるのはさばだけど、縛れば、クァムラ」

ナカタさんは短く刈った白髪混じりの頭を手のひらでさすりながら、しばし考えこんだ。どうすればこの謎の鯖についての迷路のごとき会話から抜け出せるのだろう。しかしどれほど頭をはたらかせても、手がかりは見いだせなかった。だいたいにおいてナカタさんは筋道を立ててものを考えることが不得手なのだ。そのあいだカワムラさんは我関せずと、後ろ脚をあげて顎《あご》の下の部分をぽりぽりと掻《か》いていた。

そのとき背後で小さな笑い声のようなものが聞こえた。ナカタさんが後ろを振り向くと、隣家の低いブロック塀の上に美しい細身のシャム猫が腰掛け、目を細めてこちらを見ていた。

「失礼ですが、ナカタさんとおっしゃいましたかしら」とそのシャム猫はなめらかな声で言った。

「はい。そうであります。私はナカタと申します。こんにちは」

「こんにちは」とシャム猫は言った。

「はい。今日は朝からあいにく曇っておりますが、どうやらこのまま雨は降らないように見えます」とナカタさんは言った。

「降らないとよろしいんですがね」

そのシャム猫はそろそろ中年の域に近づこうかという雌で、まっすぐなしっぽを誇らしげに後ろに立て、首には名札をかねた首輪をつけていた。顔立ちはよく、身体には贅肉《ぜいにく》ひとつついていない。

「私のことはミミと呼んでください。『ラ・ボエーム』のミミです。歌にも歌われています。〈我が名はミミ〉です」

「はあ」とナカタさんは言った。

「そういうプッチーニのオペラがあるんです。なにしろ飼い主がオペラ好きなものですから」、そう言ってミミは愛想良く微笑《ほほえ》んだ。「歌って差し上げられるといいんですが、あいにく不調法《ぶちょうほう》なもので」

「お会いできてなによりです、ミミさん」

「わたくしこそ、ナカタさん」

「ご近所にお住まいですか？」

「ええ、あそこに見える二階建てのおうちに飼われております。タナベといううちです。ほら、門の中にクリーム色のＢＭＷ５３０が停まっているでしょう」

「はあ」とナカタさんは言った。ナカタさんにはＢＭＷが何を意味するのかよくわからなかったが、クリーム色の車らしきものは見えた。たぶんそれがＢＭＷというものなのだろう。

「ねえナカタさん」とミミは言った。「わたくしは、独立独歩と申しますか、かなり個人的な性格の猫ですので、あまりむやみに余計な口出しはしたくありません。しかしこの子――あの、カワムラさんて呼んでおられましたっけ――は、実を申しまして、もともと頭があまりよくないんです。かわいそうに、まだ小さい頃に近所の子どもの乗った自転車にぶつけられましてね、はねとばされてコンクリートの角で思い切り頭を打ったんです。それ以来筋道立てて口をきくことができません。ですからそのように辛抱強くお話しになっても、あまりナカタさんのお役に立つとは思えませんの。さっきからあちらで拝見しておりまして、ちょっと見かねたものですから、差し出がましいとは思いつつ、ついつい口を出してしまったような次第ですのよ」

「いえいえ、そんなことを気になさらないでください。ミミさんのご忠告はありがたくいただきます。カワムラさんに負けず劣らず、ナカタもずいぶん頭が悪いものですから、みなさんに助けていただかないと、うまく生きていくことができないのでありま す。そんなわけで知事さんにも毎月ホジョをいただいております。ミミさんのご意見も、もちろんありがたくいただきます」

「ええと、猫を探しておられるんですわね」とミミは言った。「立ち聞きをしていたんじゃなくて、ここで先ほどからうとうととお昼寝をしておりましたら、たまたま耳にそちらのお話が入ってしまっただけなんですが、たしかゴマちゃんっておっしゃいましたっけね」

「はい。そのとおりであります」

「それで、このカワムラさんが、そのゴマを見かけたということなのね?」

「はい。先ほどはそうおっしゃっておられました。ただ、そのあとのことが、いったい何をおっしゃっておられるのか、このナカタの頭ではどうにも理解できなくて、いささか困っておりました」

「いかがでしょう、ナカタさん、もしよろしければ、わたくしがあいだに立ってこの子と話してみましょうか？　やはり猫同士の方が、話は通じやすいと思いますし、この子のへんてこな話し方にはわたくしはいささか馴《な》れております。ですから、わたくしが話を聞きだして、それをかいつまんでナカタさんにお話しして差し上げるということでいかがでしょう？」

「はい。もしそうしていただけたなら、ほんとうにナカタは助かります」

シャム猫は軽くうなずいて、バレエでも踊るように、ブロック塀からひらりと地面に降りた。そして黒い尻尾《しっぽ》を旗竿《はたざお》のようにまっすぐに上に立てたままゆっくりと歩いてきて、カワムラさんの隣に座った。カワムラさんはすぐに鼻先をのばしてミミのお尻《しり》の匂《にお》いを嗅《か》ごうとしたが、すかさずシャム猫に頬を張られて、身をすくませた。ミミは間を置かず、手のひらでもう一度相手の鼻先をぶった。

「ちゃんとおとなしく話をお聞き。アホたれ。この腐れキンタマ」とミミは凄《すご》みのある声でカワムラさんを怒鳴りつけた。

「この子はね、最初にばしっとどやしつけておかないとだめなんですのよ」とミミはナカタさんの方を振り向き、弁解するように言った。「そうしないと、緊張がなくなって、ますます変な話し方をするようになってしまうんです。こんな風になってしまったのも、この子自身のせいじゃありませんし、かわいそうだとは思うんですけど、まあ仕かたありませんわね」

「はい」、ナカタさんはわけのわからないまま同意した。

それから2匹の猫のあいだにやりとりが始まったが、会話のスピードが速く、声も小さく、ナカタさんにはその内容をうまく聞き取ることができなかった。ミミが鋭い声で詰問《きつもん》し、カワムラさんはおどおどとした声で答えた。少しでも返事が遅れると、容赦《ようしゃ》なく平手打ちが飛んだ。何をするにせよ、ずいぶん要領のよさそうなシャム猫だった。教養もある。これまでいろんな猫に会って話をしたけれど、車の種類を知っていたり、オペラを聴いたりする猫なんて初めてだ。ナカタさんは感心してその要を得た迅速《じんそく》な仕事ぶりを眺めていた。

ミミはだいたいの話を聞きだしてしまうと、〈もういいから、あっちにお行き〉という感じで、カワムラさんを追い払った。カワムラさんはすごすごとどこかに消えていった。ミミはそれから人なつっこくナカタさんの膝《ひざ》に載った。

「おおよそのところはわかりましたよ」とミミは言った。

「はい。どうもありがとうございました」とナカタさんは言った。

「あの子は……カワムラさんは、三毛のゴマちゃんをこの少し先にあります草むらでなんどか見かけたそうです。建築予定地になっている空き地なんです。不動産会社が、ある自動車会社のもっていた部品倉庫を買収しまして、そこに高級高層マンションを建てることを計画して更地《さらち》にしたのですが、住民の反対運動が強くて、ややこしい訴訟なんぞもあり、なかなか工事着工ができないままになっています。昨今よくある話ですわね。それでそこに草がぼうぼう茂りまして、普段は人も入ってきませんし、このへんの野良猫たちのかっこうの活動場所になっています。わたくしは交際が広いほうではありませんし、ノミのようなものがうつるのも心配ですし、あまりそっちの方には参りませんが。おわかりのようにノミというのはやっかいなもので、一度うつるとなかなかとれません。悪い習慣と同じですわね」

「はい」とナカタさんは返事をした。

「そのお持ちの写真のとおりの、ノミとりの首輪をつけたまだ若いきれいな三毛猫で、ずいぶんおどおどしていたそうです。口もうまくきけなかったそうです。帰り道のわからなくなったどこかの世間知らずの飼い猫であることは、誰の目にも明らかでした」

「それはいつごろのことだったのでしょうか?」

「最後に見かけたのが三日か四日くらい前みたいです。なにしろ頭が悪いので、正確な日にちまではなかなかわかりません。でも雨が降った明くる日って言っていましたから、たぶん月曜日のことだと思いますよ。たしか日曜日にけっこうな雨が降ったとわたくしは記憶しているのですが」

「はい。曜日まではわかりませんが、たしかそのころに雨が降ったとナカタも思います。で、そのあとは見かけていないのですね」

「それが最後だったということです。まわりの猫もそれ以来、その三毛猫を見かけていないそうです。ろくでもない頓珍漢《とんちんかん》な猫ですが、かなりきつく確かめてみましたので、大筋に間違いはないと思います」

「ほんとにありがとうございます」

「いいえ。お安いご用ですのよ。わたくしも普段、近所のできそこないの猫ばかりと話していますと、話題がかみあわなくていらいらしてきますの。ですからたまにこうして道理のわかる人間の方とゆっくりお話しすることができると、世界が広がりま
す」

「はあ」とナカタさんは言った。「ところで、ナカタにはまだよくわからないのですが、あのカワムラさんがさかんにおっしゃっておられた鯖というのは、やはり魚の鯖なのでしょうか？」

ミミは左の前足をすらりと上にあげて、そのピンク色の肉球を点検しながらくすくすと笑った。

「なにしろあの子は語彙《ごい》が少ないものですから――」

「ゴイ？」

「あの子は言葉を多く知らないものですから」とミミは礼儀正しく言いなおした。「おいしい食べ物はなんでもかんでも鯖になってしまうんです。あの子は世の中で鯖がいちばん上等な食べ物だと思っているんですのよ。鯛《たい》とかヒラメとかハマチとか、そんなものがあること自体知らないのです」

ナカタさんは咳《せき》払いをした。「実を言いますと、鯖はナカタもずいぶん好きです。もちろんウナギも好きですが」

「わたくしもウナギは好物です。いつもいつも食べられるというものではありませんけれど」

「まったくそのとおりです。いつもいつも食べられるというものではありません」

それから二人はめいめいにウナギについて沈思黙考した。二人のあいだに、ウナギについて深く考えるだけの時間が流れた。

「それで、あの子が言いたかったのは」とミミはふと思いなおしたように話を続けた。「その空き地に近所の猫が集まるようになってしばらくしてから、猫をつかまえる悪い人間がそこに出没するようになったということでした。そいつがゴマちゃんを連れていったんじゃないかと、ほかの猫たちは推測しているようです。その男はおいしいものを餌《えさ》にして猫をつかまえ、大きな袋に入れてしまうそうです。その捕まえ方はとても巧妙なので、おなかを減らした世間知らずの猫は、簡単に罠《わな》にかかってしまいます。警戒心の強いこのあたりの野良猫でさえ、これまでに何匹かその男に持って行かれたそうです。むごいことです。猫にとって袋に入れられるくらいつらいことはありません」

「はあ」とナカタさんは言って、また手のひらで白髪混じりの頭を撫《な》でた。「猫さんをつかまえて、それで何をするのでしょう？」

「それはわたくしにもわかりません。昔は猫をつかまえて三味線にしたそうですが、今では三味線自体そんなにポピュラーな楽器ではありませんし、最近では主にプラスチックを使っているそうです。それから、世界の一部ではまだ猫を食べる人がいるそうですが、ありがたいことに日本では、猫を食用にする習慣はありません。ですから そのふたつの可能性は除外してもいいと思います。あと考えられるのは、そうですね え、科学の実験用にたくさんの猫を使う人々もいます。世の中には猫をつかったいろ んな科学実験があるんです。私のお友だちにも東京大学で心理学の実験に使われたこ とのある猫がいます。これがまあ大変な話なんですが、この話を始めるとずいぶん長 くなりますのでやめましょうね。それから、それほどたくさんではありませんが、た だただ猫をいじめたいというヘンタイ的な人もいます。猫をつかまえて、たとえばは さみで尻尾を切ったりするんです」

「はあ」とナカタさんは言った、「尻尾を切ってどうするんでしょうか?」

「どうもしやしません。ただ猫を痛めつけて、いじめたいんです。そうすることで、 楽しい気持ちになれるんです。そういう心のねじまがった人々がこの世界にはちゃん といるのです」

ナカタさんはそれについてしばらく考えてみたが、猫の尻尾をはさみで切ることが なぜ楽しいのか、どうしても理解できなかった。

「それでひょっとしたら、そういう心のねじまがった人がゴマを連れて行ったかもし れないということでありましょうか」とナカタさんは尋ねてみた。

ミミは白い長い髭《ひげ》を大きく曲げて顔をしかめた。

「ええ。そう考えたくはありませんし、そんなことを想像したくもありませんが、可能性がないとは言い切れません。ナカタさん、わたくしもたいして長く生きているわけではありませんが、想像を超えたむごい光景を何度となく目にしてまいりました。多くのみなさんは猫というのは一日ひなたでごろごろして、ろくに仕事もしないで、まったく気楽なもんだというふうに考えておられますが、猫の人生はそれほど牧歌的なものではありません。猫は無力で傷つきやすいささやかな生き物です。亀《かめ》のような甲羅《こうら》もありませんし、鳥のような翼もありません。もぐらのように土の中にもぐれませんし、カメレオンのように色を変えられるわけでもありません。どれほど多くの猫が日々痛めつけられて、むなしくこの世を去っていくか、世間のみなさんはご存じないんです。わたくしはたまたまタナベさんという温かい家庭に入れていただきまして、お子たちにかわいがられて、おかげさまでこれという不足もなく日々を過ごしておりますが、ええ、それでもいささかの苦労はございます。ですから野良のみなさんともなれば、生きていくための労苦はもう大変なものだと思いますよ」

「ミミさんはとても頭が良いのですね」とナカタさんは、シャム猫の能弁ぶりに感心して言った。

「いえいえ」とミミは目を細め恥ずかしそうに言った。「うちでごろごろ寝ころんでテレビばかり見ておりますうちに、こうなってしまったんですのよ。つまらない知識ばかり増えてしまって困ります。ナカタさんはテレビはごらんになりますか？」

「いいえ、ナカタはテレビを見ません。テレビの中でみなさんの話される言葉が速くて、ナカタはそれにとてもついていけないのです。ナカタは頭が悪いので字も読めませんし、字が読めないとテレビもやはりよくわかりません。たまにラジオは聴きますが、それでもやはり言葉が速くて疲れます。こうして外に出て、空の下で猫さんたちとお話をしております方が、ナカタとしてはずっと楽しいです」

「それはそれは」とミミは言った。

「はい」とナカタさんは言った。

「ゴマちゃんが無事だとよろしいんですけどね」とミミは言った。

「ミミさん。ナカタはしばらくその空き地を見張ってみようと思います」

「あの子の話によれば、その男は背が高く、奇妙な縦長の帽子をかぶって、革の長靴をはいているそうです。そして早足で歩きます。すごく変なかっこうだから、見ればすぐにわかるということでした。そこの空き地に集まる猫たちはその男の姿を見かけると、まるで蜘蛛《くも》の子を散らすように逃げます。しかし事情を知らない新参《しんざん》の猫は

「……」

ナカタさんはその情報を頭にきちんと入れた。忘れてはならない大事な引き出しの中に、しっかりとしまいこんだ。その男は背が高く、奇妙な縦長の帽子をかぶって、革の長靴をはいている。

「お役にたてればよろしいんですけどね」とミミは言った。

「まことにありがとうございました。もしミミさんがご親切に声をかけてくださらなかったら、ナカタはまだ鯖のところから先に進めないまま、停まっていたと思います。感謝いたします」

「わたくしは思うんですが」とミミはナカタさんの顔を見上げ、少し眉《まゆ》をくもらせて言った。「その男は危険です。とても危険です。おそらくはナカタさんの想像をこえて危険な人物です。わたくしならその空き地には決して近づきません。まあナカタさんは人間ですし、お仕事なんでしょうから仕方ありませんが、じゅうじゅう気をつけてくださいね」

「ありがとうございます。できるだけ気をつけるようにいたします」

「ナカタさん、ここはとてもとても暴力的な世界です。誰も暴力から逃れることはできません。そのことはどうかお忘れにならないでください。どんなに気をつけても気をつけすぎるということはありません。猫にとっても人間にとっても」

「はい。そのことはよく覚えておきます」とナカタさんは言った。

でもナカタさんにはこの世界のいったいどこがどのように暴力的なのか、うまく理解できなかった。この世界にはナカタさんには理解できないことが数多くあり、暴力に関係したものごとはだいたい全部その領域に含まれていたからだ。

ナカタさんはミミと別れて、教えられた空き地に行ってみた。小さな運動場くらいの広さの空き地だった。高いベニヤ板の塀で囲まれて、〈建築予定地につき、無断で立ち入らないでください〉という看板が出て（もちろんナカタさんにはそれは読めないわけだが）、入り口には重い鎖がかかっていたが、裏にまわると塀の隙間《すきま》から簡単に中に入ることができた。誰かが板塀を1枚無理にこじあけたようだった。

もともとそこに並んでいた倉庫の建物はすべて取り払われ、整地されないままあとには緑の草が茂っていた。セイタカアワダチソウが子どもの背丈ほどの高さに育っている。何匹かの蝶《ちょう》がその上をひらひらと舞っていた。盛り土が雨で固められ、ところどころで丘のように小高くなっている。いかにも猫たちが好みそうな場所だった。人はまず入ってこないし、さまざまな小さな生き物が生息しているし、隠れ場所には不自由しない。

空き地にはカワムラさんの姿は見えなかった。2匹ばかりあまり毛並みのよくないやせた猫の姿を見かけたが、ナカタさんが愛想良く「こんにちは」と声をかけても、冷たい視線をちらりと向けるだけで、返事もせず草むらの中に消えてしまった。それはそうだ。誰も頭のおかしな人間につかまって、尻尾をはさみで切られたくはない。ナカタさんだって――もちろん尻尾はないが――そんな目にはあいたくなかった。警戒的になるのも無理はない。

ナカタさんは少し小高くなったところに立って、あたりをぐるりと見まわした。誰もいない。白い蝶が捜しものでもしているように、草の上をあちこち飛びまわっているだけだ。ナカタさんは適当な場所に腰を下ろし、肩に掛けたズックの鞄《かばん》からあんパンを2個取り出して、いつものようにお昼ご飯がわりに食べた。そして小さな携帯魔法瓶に入れてきた温かいほうじ茶を、目を細めて静かに飲んだ。静かな昼下がりの光景だった。すべてが調和と平穏の中に休んでいた。そんなところに、猫にむごい仕打ちをすることをたくらむ誰かが潜んでいたなんて、ナカタさんにはうまく飲み込めなかった。

彼は口の中であんパンをゆっくり咀嚼《そしやく》しながら、白髪混じりの坊主頭《ぼうずあたま》を手のひらで撫でた。目の前に誰かがいれば、「ナカタは頭が悪いものですから」と説明したいところだったが、あいにく誰もいなかった。だから自分に向かって軽く何度かうなずいただけだった。そして黙ってあんパンを食べつづけた。あんパンを食べ終えると、セロファンの包み紙を小さく畳んで鞄の中にしまった。魔法瓶の蓋《ふた》をしっかりと閉め、それも鞄の中に入れた。空は一面の雲に隠されていたが、色のにじみ具合で、太陽がだいたい真上にあることはわかった。

その男は背が高く、奇妙な縦長の帽子をかぶって、革の長靴をはいている。

ナカタさんはその男の姿を頭の中に描いてみようとした。しかし奇妙な縦長の帽子がどういうもので、革の長靴がどういうものなのか、ナカタさんには想像もつかなかった。そんなものは生まれてから見たこともない。実際に見ればわかる、とカワムラさんが言った、とミミは言った。なら実際に見るまで待つしかないのだろうとナカタさんは考えた。なんといってもそれがいちばんたしかだ。ナカタさんは地面から立ち上がって、草むらの中で立ち小便をした。とても長い律儀《りちぎ》な排尿だった。それから空き地の端っこのあたりの、なるべく目につかない茂みの陰に腰を下ろし、その奇妙な男が姿を見せるのを待ちながら午後をつぶすことにした。

待つのは退屈な仕事だった。その男がこの次いつやってくるか見当もつかない。明日かもしれないし、1週間後かもしれない。あるいはもう二度とここには現れないかもしれない——そういう可能性だって考えられる。しかしナカタさんは何かをあてもなく待つことには馴れていたし、一人で何もせずに時間をつぶすことにも馴れていた。そうすることにまったく苦痛を感じなかった。

時間は彼にとって主要な問題ではない。ナカタさんは時計すら持っていない。ナカタさんにはナカタさんに適した時間の流れ方があった。朝が来れば明るくなるし、日が暮れれば暗くなる。暗くなれば近所のお風呂《ふろ》やさんに行くし、お風呂やさんから戻ってくると眠くなる。お風呂やさんは曜日によって閉まっていることがあるが、そのときはあきらめて家に戻ればいい。ご飯どきになれば自然におなかが減るし、ホジョを取りに行く日がくれば（その日が近づくと、いつも誰かが親切に教えてくれた）1カ月過ぎたことがわかる。ホジョをもらった明くる日には、髪を刈ってもらいに近所の床屋さんに行く。夏が来れば区の人がウナギを食べさせてくれるし、正月になれば区の人がお餅《もち》をくれる。

ナカタさんは身体《からだ》の力を抜き、頭のスイッチを切り、存在を一種の「通電状態」にした。彼にとってそれはきわめて自然な行為であり、子どもの頃からとくに考えもせず日常的にやっていることだった。ほどなく彼は意識の周辺の縁を、蝶と同じようにふらふらとさまよい始めた。縁の向こう側には暗い深淵《しんえん》が広がっていた。ときおり縁からはみ出して、その目もくらむ深淵の上を飛んだ。しかしナカタさんは、そこにある暗さや深さを恐れなかった。どうして恐れなくてはならないのだろう。その底の見えない無明の世界は、その重い沈黙と混沌《こんとん》は、昔からの懐《なつ》かしい友だちであり、今では彼自身の一部でもあった。ナカタさんにはそれがよくわかっていた。その世界には字もないし、曜日もないし、おっかない知事さんもいないし、オペラもないし、BMWもない。はさみもないし、丈の高い帽子もない。でもそれと同時に、ウナギもないし、あんパンもない。そこにはすべてがある。しかしそこには部分はない。部分がないから、何かと何かを入れ替える必要もない。取り外したりつけ加えたりする必要もない。むずかしいことは考えず、すべての中に身を浸せばそれでいいのだ。それはナカタさんにとって何にも増してありがたいことだった。

ときどき彼はまどろみの中に落ちた。しかしたとえ眠っていても、彼の実直な五感はその空き地に鋭敏な注意をはらっていた。そこで何かが起これば、そこに誰かがやってくれば、彼はすぐに目を覚まし行動にとりかかるはずだった。空は敷物のようなのっぺりとした灰色の雲に覆《おお》われていた。でもとりあえず雨は降り出しそうになかった。猫たちはみんなそのことを知っていたし、ナカタさんも知っていた。

第11章

僕が話し終えたときには、もうずいぶん遅い時刻になっている。さくらは台所のテーブルに頬杖《ほおづえ》をつき、僕の話に注意深く耳を傾ける。僕はまだ15歳で、中学生で、父親のお金を盗んで中野区の家を出てきた。高松市内のホテルに泊まり、昼間は図書館に通って本を読んでいた。気がついたら神社の境内で血まみれになって倒れていた。そんなことを。もちろん話さないこともたくさんある。本当に大事なことは簡単には口には出せない。

「つまりお母さんは君のお姉さんだけを連れて家を出ていったんだね。お父さんと、4歳になったばかりの君をあとに残して」

僕は財布の中から海辺の写真を取り出して彼女に見せる。「これがお姉さんだよ」。さくらはその写真をしばらく眺める。そしてなにも言わず僕に返す。

「そのあとお姉さんとはまったく会っていない」と僕は言う。「母親とも会っていない。まったく連絡もないし、どこにいるかもわからない。どんな顔をしていたかも思いだせない。写真も1枚も残っていないんだ。そこにあった匂いは思いだせる。感触のようなものも思いだせる。でもどうしても顔が浮かんでこない」

「ふうん」と彼女は言う。そして頬杖をついたまま、目を細めて僕の顔を見る。「それはかなりきついことだよね」

「たぶん」

彼女は黙って僕の顔を見つづけている。

「それで、お父さんとはうまくいかなかったんだね？」と彼女は少しあとで僕に尋ねる。

うまくいかない？　いったいなんて答えればいいんだろう？　僕はなにも言わず、ただ首を振る。

「まあそうだよね、うまくいっていれば家出なんてすることもないわけだしさ」とさくらは言う。「そしてとにかく君は家を出てきて、今日とつぜん意識だか記憶だかを失ってしまった」

「そう」

「そういうことはこれまでにあったの？」

「ときどきね」と僕は正直に言う。「頭がかっとすると、まるでヒューズが飛んじゃったみたいになる。誰かが僕の頭の中のスイッチを押して、考えるより先に身体《からだ》が動いていってしまう。そこにいるのは僕だけど、僕じゃない」

「自分の抑えがきかなくなって、暴力を振るったりするということ？」

「そういうことも何度かあったよ」と僕は認める。

「誰かを傷つけたりしたわけ？」

僕はうなずく。「二度ばかりね。そんなにたいした怪我《けが》じゃなかったんだけど」

彼女はそれについて少し考えている。

「それで、今回君に起こったのも、やはり同じようなことなんだと思う？」

僕は首を振る。「こんなにひどいのは初めてなんだ。今回のは……僕が意識をなくしたいきさつもぜんぜんわからないし、意識をなくしているあいだになにをやったのかもまるで思いだせない。すっぽりと記憶が抜け落ちているんだ。これまではそんなひどいことはなかった」

彼女は僕がリュックから出したTシャツを見る。洗い落とせないままそこに残っている血のあとを、細かく点検する。

「それで――君にとっての最後の記憶は食事をしたことなのね。夕方に駅の近くの食堂で？」

僕はうなずく。

「それからあとのことがわからない。気がついたらその神社の境内の裏の、茂みの奥に横になっていた。時間は4時間くらい経過していた。シャツは血だらけになって、左肩に鈍い痛みがあった」

僕はもう一度うなずく。彼女はどこかから市内地図を持ってきてテーブルの上に広げ、駅と神社のあいだの距離を確かめる。

「遠くはないけれど、歩いてすぐという距離でもないな。どうしてそんなところまで行ったんだろう？　駅を起点にすれば、君の泊まっているホテルとはむしろ逆方向だもんね。そのあたりに前に行ったことはあるの？」

「一度もない」

「ちょっとシャツを脱いでみて」と彼女は言う。

シャツを脱いで上半身裸になると、彼女は後ろにまわって、僕の左肩を手でぎゅっとつかむ。指先が肩に食いこみ、僕は思わずうめき声をあげる。ずいぶん強い力だ。

「痛い？」

「かなり」と僕は言う。

「なにかに思いきりぶっつけているね。あるいはなにかで強く叩《たた》かれたか」

「ぜんぜん思いだせない」

「どっちにしても、骨には異常がないみたいだな」と彼女は言う。そして僕が痛いというあたりを、何度かいろんなちがったやりかたで探る。彼女の指先は、痛みを伴うにせよ伴わないにせよ、不思議に心地よい。僕がそう言うと、彼女は微笑《ほほえ》む。

「私はマッサージについては、けっこう才能があるんだよ。だから美容師として食べていけるわけ。マッサージがうまいと、どこに行っても重宝《ちょうほう》されるの」

彼女はそれからもしばらく僕の肩のマッサージを続ける。そして言う、「これくらいならまあとくに問題はないと思うな。一晩寝ればたぶん痛みは引くよ」

彼女は僕が脱いだTシャツを取りあげ、ビニール袋に入れてゴミ箱に捨てる。ダンガリーシャツは少し調べてから洗面所の洗濯機に放りこむ。そしてタンスの引き出しを開けて、しばらく中を物色してから1枚の白いTシャツを取りだし、僕に手渡す。まだ新しい。マウイ島のホエール・ウォッチング・クルーズのシャツだ。海上につきだした鯨《くじら》の尻尾《しっぽ》の絵が描かれている。

「ここにある中では、これがいちばん大きなサイズのシャツみたい。私のじゃないけど、べつに気にしなくてもいいわよ。どうせ誰かからおみやげでもらったようなものでしょう。気に入らないかもしれないけど、とりあえず着てみて」

それを頭からかぶってみる。サイズはちょうどいい。

「よかったらそのまま持っていっていいよ」と彼女は言う。

僕は礼を言う。

「そんなに長い時間の記憶を失っていたことって、これまでなかったんだね？」と彼女は質問する。

僕はうなずく。僕は目を閉じて、新しいTシャツの肌触りを感じ、その匂《か》いを嗅ぐ。

「ねえ、さくらさん、僕はとても怖いんだ」と僕は正直に心を打ち明ける。「どうしていいかわからないくらい怖い。記憶を奪いとられているその4時間のうちに、僕はどこかで誰かを傷つけたかもしれない。自分がなにをしたかまったく覚えていない。でもとにかく血だらけになっている。もし僕が実際に犯罪にかかわっていたとしたら、たとえ記憶が失われていても、僕は法律からいえば責任をとらなくてはならないはずだ。そうだよね？」

「でもそれはただの鼻血かもしれないよ。誰かがぼんやり道を歩いていて、電柱にぶつかって鼻血を流して、それを君が介抱したというだけかもしれない。そうでしょ？君が心配する気持ちはよくわかるけど、朝になるまではなるべく悪いことは考えないようにしようよ。朝になれば新聞も配達されるし、テレビのニュースもやるし、このへんで大きな事件が起こっていればいやでもわかるもの。それからゆっくり考えたっていいじゃないか。血なんていろんな原因で流れるものだし、じっさいの話、見た目ほど深刻なものじゃないことも多いんだよ。私は女のヒトだから、それくらいの量の血を見るのは毎月のことで、けっこう馴《な》れてるんだ。言いたいことわかるでしょ？」

僕はうなずく。少し顔が赤くなるのが感じられる。彼女は大きなカップの中にネスカフェを入れ、手鍋《なべ》でお湯をわかす。お湯が沸くまで、煙草《たばこ》を吸う。何口か吸っただけで、それを水につけて消す。はっかの混じった煙の匂いがする。

「ねえ、ひとつだけ立ち入ったことを訊《き》きたいんだけど、かまわないかな？」

かまわないと僕は言う。

「君のお姉さんは養女なんだよね。つまり君が生まれる前に、どこかからもらわれてきた子どもなんだよね」

そうだ、と僕は言う。両親はどうしてかはわからないが養子をとった。そのあとで僕が生まれた。おそらくは思いがけず。

「それで君は、間違いなくお父さんとお母さんとのあいだに生まれた子どもなんだね」

「僕の知るかぎりでは」と僕は言う。

「それなのに君のお母さんは家を出ていくときに、君ではなく、血のつながりのないお姉さんのほうを連れていった」とさくらは言う。「でも普通、女の人というのは、そういうことはしないものなんだよ」

僕は黙っている。

「それはどうしてなんだろう？」

僕は首を振る。わからない、と僕は言う。それは僕が何万回となく自分自身に問いかけた質問だった。

「でも君はそのことでもちろん傷ついている」

僕は傷ついているのか？「よくわからない。でももし結婚するようなことがあっても、僕は子どもはつくらないだろうと思う。自分の子どもとどんなふうにつきあえばいいのか、きっとわからないだろうから」

彼女は言う。「君のところほど本格的に複雑じゃないけど、私だって親とはずっとうまくいかなかったし、おかげでろくでもないことをいっぱいやってきた。だから君の気持ちもわかるんだ。でもさ、早いうちからあまりいろんなことをきっちりきめつけないほうがいいよ。世の中には絶対ってことはないんだから」

彼女はガス台の前に立ったまま、大きなカップから湯気の立つネスカフェを飲んでいる。カップにはムーミン一家の絵が描かれている。彼女はそのままなにも言わない。僕もなにも言わない。

「誰か頼れる親戚《しんせき》みたいなのはいないの？」と少しあとで彼女は言う。

いない、と僕は言う。父親の両親はずいぶん前に亡《な》くなったということだったし、彼には兄弟も姉妹も叔父も叔母もひとりもいない。それがほんとうなのかどうか、僕には確かめようもない。でも少なくとも、親戚との親交がまったくないのはたしかだった。母親の側の親戚については話にも出なかった。僕は母親の名前さえ知らないのだ。母親にどんな親戚がいるかなんてわかるわけがない。

「君の話を聞いていると、君のお父さんはまるで宇宙人みたいだね」とさくらは言う。「どっかの星からひとりで地球にやってきて、人間にばけて地球人の女をかどわかして、君を産ませた。自分の子孫を増やすためにね。お母さんはその事実を知って怖くなって、どこかに逃げてしまった。なんだかダークなSF映画みたいだけどさ」

なんと言えばいいのか僕にはわからない。僕はただ黙っている。

「冗談はともかくとして」と彼女は言う。そしてそれが冗談であることを強調するために口の両脇《わき》を広げてにっこりと笑う。「要するに君には、この広い世界の中で、自分以外に頼る相手はいないわけだ」

「そういうことになると思う」

彼女はしばらく流し台にもたれてコーヒーを飲む。

「私は少し眠らなくちゃいけないんだ」とさくらは思いだしたように言う。時計の針は3時をまわっている。「7時半には起きるから長くは眠れないけど、それにしても少しでも眠らなくちゃ。徹夜明けで仕事はきついからね。君はどうする？」

寝袋を持っているから、もしよかったらそのへんの隅で邪魔にならないように寝かせてもらうと僕は言った。そしてリュックから小さく折り畳んだ寝袋を取りだし、広げて膨らませる。彼女はそれを感心したように眺めている。「ボーイスカウトみたいだ」と彼女は言う。


明かりが消され、彼女は布団《ふとん》の中に入り、僕は寝袋の中で目を閉じて眠ろうとする。でも眠ることはできない。目の奥には白いTシャツについた血のあとがこびりついている。手のひらには焼けついたような感触が残っている。僕は目を開けて天井をにらむ。どこかでみしりと床が軋《きし》む。どこかで水が流される。どこかでまた救急車のサイレンが聞こえる。ずっと遠くのほうだったが、それは夜の闇《やみ》の中で妙に生々しく響く。

「ねえ、ひょっとして眠れないんじゃないの？」と暗がりの向こうから彼女が小さな声で僕に言う。

眠れないと僕は言う。

「私もうまく眠れないんだ。どうしてコーヒーなんか飲んじゃったんだろう。うっかりしていたんだね」

彼女は枕《まくら》もとの明かりをつけ、時刻を確認し、また明かりを消す。

「誤解されると困るんだけどさ」と彼女は言う。「よかったらこっちにおいで。一緒に寝よう。私もうまく寝つけないんだ」

僕は寝袋から出て、彼女の布団の中に入る。僕はボクサーショーツにTシャツという格好だ。彼女は淡いピンクのパジャマの上下を着ている。

「あのね、私には東京に決まったボーイフレンドがいるんだよ。たいしたやつじゃないけど、いちおう恋人なの。だからほかの人とはセックスしないの。こう見えても私はそういうことに関してはわりにまじめなんだ。古風というかね。昔はそうでもなくて、けっこう無茶もしたけど、今はちがうんだ。まともになったの。だからさ、変なふうに考えないでね。お姉さんと弟みたいなもんだよ。わかった？」

わかった、と僕は言う。

彼女は僕の肩に手をまわして、僕をそっと抱き寄せる。そして僕の額に頬をつける。

「かわいそうに」と彼女は言う。

言うまでもないことだけれど、僕は勃起《ぼっき》している。とても硬く。そしてそれは位置的に、彼女の腿《もも》のあたりに触れないわけにはいかない。

「やれやれ」と彼女は言う。

「悪気はないんです」と僕は謝る。「でもどうしようもないんだ」

「わかってるよ」と彼女は言う。「不便なものなんだ。それはよく知ってるよ。とめようがないんだね」

僕は暗がりの中でうなずく。

彼女は少し迷っていたが、やがて僕のボクサーショーツを下におろし、石のように硬くなったペニスを出し、そっと握る。まるでなにかをたしかめているみたいに。まるで医者が脈を取るときのように。僕は彼女の柔らかい手のひらの感触を、なにかの思想みたいにペニスのまわりに感じる。

「君のお姉さんは今いくつなの？」

「21歳」と僕は言う。「僕より6歳上だから」

彼女はそれについて少し考えている。「会いたい？」

「たぶん」と僕は言う。

「たぶん?」、ペニスを握った彼女の手が少しだけ強くなる。「たぶんってどういうこと? そんなに会いたくはないの?」

「会ってなにを話せばいいのかわからないし、彼女は僕になんか会いたくないかもしれない。それはお母さんについても同じだよ。誰も僕になんか会いたがらないかもしれない。誰も僕のことを求めていないかもしれない。だいいち出ていってしまったわけだし」。僕抜きで、と僕は思う。

彼女は黙っている。ペニスを握る手が少し弱くなったり、強くなったりするだけだ。それにあわせて僕のペニスは少し落ち着いたり、ますます熱く硬くなったりする。

「これ、出したいんでしょう?」と彼女はたずねる。

「たぶん」と僕は言う。

「たぶん?」

「とても」と僕は訂正する。

彼女は軽いため息をつき、それからゆっくりと手を動かし始める。それは素敵な感触だった。ただの単純な上下運動じゃない。もっと全体的な感じのするものだ。彼女の指はやさしく感情をこめて、僕のペニスや睾丸《こうがん》のあらゆる場所を触り、なで回す。

僕は目を閉じ、大きな息をつく。

「私の身体《からだ》には触っちゃだめだよ。それから出そうになったらすぐに言ってね。シーツを汚されるとあとが面倒だから」

「はい」と僕は言う。

「どう、私って上手でしょう？」

「すごく」

「さっきも言ったように、生まれつき手先が器用なんだよ。でもこれはセックスとは関係ないんだよ。なんていうのかな、身軽になるのを手伝ってあげているだけ。今日は長い一日だったし、君の気もたかぶっていて、このままだとうまく寝られそうにもないから。わかった？」

「はい」と僕は言う。「ひとつお願いがあるんだけど」

「うん？」

「さくらさんの裸を想像していいですか？」

彼女は手の動きを止めて僕の顔を見る。「君が、今こうしているときに、私の裸の身体を想像するの？」

「そう。さっきから想像するのをやめようと思ってるんだけど、どうしてもやめられないんだ」

「やめられない？」

彼女はおかしそうに笑う。「でも、よくわからないな。そんなの黙って勝手に想像していればいいじゃない。いちいち私の許可をもらわなくたって、君がなにを想像しているかなんて、私にはどうせわかりっこないんだから」

「でも気になるんだ。想像するって大事なことだという気がするし、いちおう断っておいたほうがいいように思ったから。わかるわからないのことじゃなくて」

「君はずいぶん礼儀正しいんだね」と彼女は感心したように言う。「でもそう言われればたしかに、いちおうちょっと断ってもらったほうがいいような気がしなくもないな。いいよ。私の裸を自由に想像していいよ。許可するよ」

「ありがとう」と僕は言う。

「どう、君の想像する私の身体って素敵？」

「すごく」と僕は答える。

やがて腰のあたりに気だるい感覚がやってくる。比重のある液体にぽっかりと浮かんでいるときのような気持ちだ。僕がそう言うと、彼女は枕もとに置いてあったティッシュペーパーを手にとり、僕を射精に導く。僕はずいぶん何度も強く射精をする。少しあとで彼女は台所に行ってティッシュペーパーを捨て、水で手を洗う。

「すみません」と僕は謝る。

「いいんだよ」と彼女は布団の中に戻ってきて言う。「あらためて謝られると、ちょっと困るような気がするね。こんなのはただカラダの部分のことなんだから、そんなに気にしなくてもいいんだよ。でも、少しは楽になった？」

「すごく」

「それはよかった」と彼女は言う。それから少しのあいだなにかを考えている。「ちょっと思ったんだけど、私が君のほんとうのお姉さんだとよかったのにね」

「僕もそう思う」と僕は言う。

彼女は僕の髪に軽く手を触れる。「私はもう眠るから、君は自分の寝袋に戻りなさい。私はひとりじゃないとうまく眠れないんだ。それに夜明け前にまた、そんな硬いものをごりごり押しつけられたりしたらたまらないし」

僕は自分の寝袋に戻って、また目を閉じる。今度はそのままうまく眠りにつくことができる。とても深い眠りだ。たぶん家を出てからいちばん深い眠りだ。静かな大きなエレベーターで、ゆっくりと地の底に降りていくときのような感じだ。やがてすべての明かりが消え、すべての音が消えていく。

目が覚めたとき、彼女はもういない。仕事に出ていったのだ。時計は9時をまわっている。肩の痛みはもうほとんどなくなっている。さくらの言ったとおりだ。台所のテーブルの上には、畳まれた朝刊とメモが置いてある。それと部屋の鍵《かぎ》。

「テレビの7時のニュースも全部見たし、新聞も隅まで読んだ。でもこのあたりでは、血が流されたような事件はひとつも起こっていない。あの血はきっとなんでもなかったんだよ。よかったね。冷蔵庫にはたいしたものは入ってないけど、好きに食べていい。あるものはなんでも使っていい。行くところがなければ、うちにしばらくいていいよ。出るときには鍵はマットの下に入れておいて」

僕は冷蔵庫から牛乳を出し、賞味期限が切れていないことをたしかめてから、コーンフレークスにかけて食べる。お湯を沸かして、ティーバッグのダージリンを飲む。トーストを2枚焼き、低脂肪マーガリンを塗って食べる。そして朝刊を広げて社会面を読む。たしかにこのあたりで暴力事件はひとつも起こってない。僕はため息をつき、新聞を畳んでもとに戻す。とりあえず警察から逃げまわる心配はしなくてもよさそうだった。しかしやはりホテルの部屋には戻らないことにする。用心しなくちゃいけない。失われた4時間のあいだになにがあったのか、僕にはまだわかってはいないのだ。

僕はホテルに電話をかける。電話に出たのは聞き覚えのない声の男だ。急に事情ができて部屋を引き払うことになったと彼に言う。なるべく大人っぽいしゃべりかたをする。部屋代は前払いしてあるので問題はないはずだ。部屋にいくつかの私物が残っているが、不必要なものなので、そちらで適当に処分してほしい。彼はコンピュータをチェックして、精算に問題がないことを確認する。「けっこうです、田村様。これでチェックアウトさせていただきます」と相手は言う。キーはカード式だから返す必要はない。僕は礼を言って電話を切る。

それからシャワーを使わせてもらう。洗面所には彼女の下着や靴下が干してある。なるべくそちらには目をやらないようにしながら、いつものように丁寧に時間をかけて身体を洗う。僕は昨夜のこともできるだけ思いださないようにする。歯を磨き、新しい下着に着替える。寝袋を小さく畳み、リュックに入れる。たまった汚れ物を洗濯機で洗わせてもらう。乾燥機はなかったので、洗い終わって脱水したものを畳んでビニールの袋に入れ、リュックにしまう。どこかのコイン・ランドリーで乾かせばいい。

僕は台所の流し台に重なりあうようにたまっていた食器を全部洗い、少し乾かしてから拭《ふ》き、棚にしまう。冷蔵庫の中身を整理し、悪くなっている食品を処分する。中にはひどい匂いを放っているものもある。ブロッコリにはかびがはえている。キュウリはゴムみたいになっている。豆腐は期限切れだ。容器を新しいものに入れ替え、こぼれたソースをふきとる。灰皿の中の吸い殻を捨て、散らばっている古い新聞を集める。床に掃除機をかける。彼女にはマッサージの能力はあるかもしれない。でも家事能力はゼロに等しいらしい。タンスの上にだらしなく積みあげてある彼女のシャツに片端からアイロンをかけ、買い物をして今夜の夕食をつくりたいという気持ちになる。僕はひとりで生きていけるように家にいるときからできるだけ自分で家事をこなすようにしてきたし、そういう作業は苦にならないのだ。しかしそこまでやるのはたぶんやりすぎだろう。

ひと仕事を終え、台所のテーブルの前に座り、あたりを見まわす。そして、ずっとここにいるわけにはいかないと思う。それはかなりはっきりしている。ここにいるかぎり僕はまちがいなく、絶えまなく勃起しつづけるだろうし、絶えまなく想像しつづけるだろう。洗面所に干してある彼女の小さな黒い下着から目を背けつづけるわけにはいかない。彼女に想像力の許可を求めつづけるわけにはいかない。そしてなによりも、彼女が昨夜僕に対してしてくれたことを忘れるわけにはいかない。

僕はさくらに手紙を残す。電話機の横にあったメモパッドに丸くなった鉛筆で書く。

「ありがとう。とても助かりました。真夜中に電話をして起こしてしまって、もうしわけありませんでした。でもここには、さくらさんしか頼れる人がいなかったんです」

そこまで書いてから、ひと休みしてつづきを考える。部屋の中を一度ぐるりと見まわす。

「泊めてもらえたのはありがたかったし、しばらくここにいてもいいと言ってもらえたことには感謝しています。そうできればいいのにとも思います。でもやはり、これ以上さくらさんに迷惑をかけることはできません。うまく説明できないけど、そこにはいろんな理由があります。なんとか自分でやっていきます。この次ほんとうに困ったときのために、好意を少しでも残しておいてもらえるととてもうれしいのですが」

そこでまたひと休みする。近所の誰かが大きな音でテレビをかけている。朝の主婦向けのワイドショーだ。出演者の全員が大きな声で怒鳴りあい、コマーシャルもそれに負けまいとしている。僕はテーブルに向かって、丸くなった鉛筆を手の中でくるくるとまわしながら、考えをまとめる。

「でも正直なところ僕は自分に、さくらさんの好意を受ける資格があるとは思えないのです。もっと立派な人間になろうとしているのですが、どうしてもうまくいかない。今度会うときには、できることならもう少しきちんとしていたいと思います。でもどうなるかはわからない。昨夜のことはほんとうに素敵でした。ありがとう」

手紙をカップの下に置く。そしてリュックを持ってアパートを出る。鍵は指示されたとおりマットの下に入れる。階段の真ん中あたりで、白と黒のぶちの猫が昼寝をしている。人なれしているのか、僕が下りていっても立ちあがる気配も見せない。となりに座って、しばらくその大きな雄猫の身体を撫《な》でる。なつかしい感触だ。猫は目を細め、喉《のど》をごろごろと鳴らし始める。僕らは長いあいだ階段に並んで座り、それぞれの親密な感触を楽しんでいる。やがて僕は彼に別れを告げ、通りに出る。外では細かい雨が降り始めている。

料金の安いホテルを引き払い、さくらのアパートをあとにしてきた今となっては、今夜僕が泊まれる場所はもうどこにもない。日が暮れる前に、安心して眠れる屋根のついた場所をみつけなくてはならない。どこにいけばそんなものがみつかるのか、あてもない。でもとにかく電車に乗って甲村図書館に行こう。そこまで行けば、あとはたぶんなんとかなるだろう。根拠はないけれどただそんな予感がする。

そのようにして僕の運命はますます奇妙な展開を見せることになる。

第12章

昭和四十七年十月十九日

「拝啓

このように突然お手紙を差し上げ、あるいは驚かれるかもしれません。失礼の段はひらにお許しください。私の名前はおそらくは先生のご記憶から消えてしまっているものと拝察いたしますが、私はかつて山梨県**町の小さな小学校で教師をいたしておりました。そう申し上げればあるいは思い出されるかもしれません。終戦の前の年に当地で起こりました小学生集団昏睡《こんすい》事件の折に、子どもたちの野外実習の引率にあたっておりましたものです。事件後まもなく、先生をはじめとする東京の大学の先生方が調査のために、軍の方々とともに当地を訪問され、何度かお目にかかりお話をする機会を得ました。

その後、折に触れて新聞や雑誌で先生のご高名を目にいたしますたびに、ご活躍ぶりに深く敬服し、当時の先生のお姿や、てきぱきとしたお話ぶりを思い出すことになります。また先生の御著作も何冊か拝読させていただき、ご洞察の深さとご見識の広さに常に感服いたしております。この世界における一人ひとりの人間存在は厳しく孤独であるけれど、その記憶の元型においては、私たちはひとつにつながっているのだという先生の一貫した世界観には、深く納得させられるものがあります。人生の過程におきまして、私自身そのように感じることが多々あったからです。これからもいっそうのご活躍を陰ながらお祈りいたしております。

私はあれからもずっと同じ＊＊町の小学校で教鞭《きょうべん》をとっておりましたが、数年前に思いもよらず身体《からだ》をこわし、甲府の総合病院に長期入院することになり、その際に思うところあって依願退職いたしました。一年ばかりのあいだ入院治療と通院治療を繰り返しましたが、その後は無事に回復、退院して、同町で小学生相手の小さな学習塾を主宰いたしております。私のかつての教え子たちの子どもが、今では私の塾の生徒になっております。月並みな感想ではありますが、光陰矢のごとし、月日の巡るのはまことに早いものです。

あの戦争で愛する夫と父をなくし、終戦後の混乱の中で母までもをなくし、あわただしい結婚生活の中で子どもをもうけるいとまもなく、以来天涯孤独の身をかかえて生きて参りました。幸福な人生であったとはとても申せませんが、長い教員生活をとおして、教室の中で多くの子どもたちを育てることができましたし、おかげで私なりに充実した日々を送ることができました。そのことにつきましては、いつも天に感謝しております。もし教師という職業に就いていなかったとしたら、私はあるいはこの人生に耐えることができなかったかもしれません。

今回このように失礼を顧みず先生にお便り申し上げましたのは、昭和十九年の秋に起こったあの山の中での昏睡事件が、どのようにしても私の脳裏を去らないからなのです。事件発生以来、早いもので既に二十八年の歳月が過ぎ去りました。しかしそれは私の中ではつい昨日起こったことのように、ありありと身近に感じられます。その記憶は未《いま》だもっていっときも私から離れることはありません。それは何かの影のようにいつも私のそばにあります。そのために私は数多くの眠れない夜を過ごしましたし、その思いは眠りの中には夢となって現れました。

私の人生は、常にその事件の余韻に支配され続けてきたようにさえ感じられます。

ひとつには私はその事件に遭遇した子どもたちとどこかで顔をあわせるたびに（彼らの半数はまだこの町に住んでおり、今ではもう三十代半ばになっています）、あの出来事は彼らに、あるいは私自身に何をもたらしたのだろうと、あらためて自問しないわけにはいかないのです。あれだけの事件ですから、それは必ず何かしらの影響を私たちの身体や心に及ぼしたはずなのです。及ぼさないはずはないと私は感じています。しかしながら、その影響が具体的にどのようなかたちをとったのか、それはどれほどの大きさのものだったのか、ということになりますと、私には見当もつきません。

あの事件は当時、先生もよくご存じのように、軍の意向によってほとんど世間に公表されませんでした。また戦後はアメリカ駐留軍の意向により、同じように秘密裏に調査がおこなわれました。正直に申し上げまして、アメリカ軍であれ日本軍であれ、軍のやることには基本的にほとんど違いはないように私には思えます。アメリカ軍による占領と言論統制が終了したあとになっても、とくに新聞や雑誌にその事件についての記事が出ることはありませんでした。なにぶん何年も前に起こった出来事であり、誰が死んだというわけでもありません。

というわけで、そんな事件があったということすら、世間のおおかたの人は知りません。なにしろ戦争中には耳を覆《おお》いたくなるようなむごいことが多々起こりましたし、数百万の人が貴重な生命を失いました。山の中で小学生が集団的に意識を失ったくらいでは、人はそんなに驚かないのでしょう。当地におきましても、あの事件のことを記憶している人の数は決して多くはありません。また記憶している人もあまり語りたがっていないように見受けられます。小さな町でありますし、当事者にとってもあまり気持ちの良い事件でもありませんし、できるだけ触れたくないというのが、当地の人々の正直な気持ちかもしれません。

ほとんどすべてのものごとは忘れ去られていきます。あの大きな戦争のことも、取り返しのつかない人の生き死にのことも、すべては遠い過去の出来事になっていきます。日々の生活が私たちの心を支配し、多くの大事なことが、冷えた古い星のように意識の外に去っていきます。私たちには日常的に考えなくてはならないことが多すぎますし、新たに修得し覚えなくてはならないことが多すぎます。新しい様式、新しい知識、新しい技術、新しい言葉……。しかしそれと同時に、どれだけの時間を経ようと、途中で何が起ころうと、決して忘却することのかなわないものがあります。すり減らない記憶があります。かなめ石のように自分の中に残るものがあります。私にとっては、あの森の中で起こった事件がまさにそうなのです。

今となってはもう遅すぎるかもしれません。今更何をとおっしゃるかもしれません。しかし私にはあの事件について、生きておりますうちにどうしても先生にお伝えしておきたいことがあるのです。

当時は戦争中でもあり、思想的な締めつけも強く、そうそう簡単には口にはできないこともありました。とくに先生とお目にかかったときは、軍関係者も同席されておりましたし、忌憚《きたん》ないところを申し上げることのかなわない空気がそこにはありました。また当時は先生のことも、先生のなさっておられるお仕事のこともよく存じ上げず、一人の若い女性として、知らない男の方の前でそこまで赤裸々な個人的なことを口にしたくないという気持ちになったこともたしかです。そのようにして、私の胸のうちにしまい込んでしまった事実がいくつかございます。言い換えれば、私は自分の都合のために、公式な場で事件の経緯を一部意図的に作り替えて証言してしまったわけです。終戦後、米軍関係者による調査の際にも、私は同じ内容の証言を繰り返しました。怯《おび》えや体裁のために、同じ嘘《うそ》を繰り返しました。それはあの異様な事件の究明をますます困難なものにし、結論を多かれ少なかれねじ曲げてしまったかもしれません。いいえ、間違いなくそうしてしまったことでしょう。そのことにつきましてはまことに申し訳なく感じておりますし、それが長いあいだ私の胸のつかえになって参りました。

そのようなわけで、先生にこのような長いお手紙を差し上げることになりました次第です。お忙しい身であられますでしょうし、あるいはご迷惑かもしれません。もしご迷惑であれば、ただの初老の女の繰り言として読み飛ばし、そのまま捨て去っていただいてけっこうです。ただ私はそこにあった真実を、まだそれができますうちに、正直な告白としてそのままに書き記し、しかるべきどなたかに手渡したかっただけなのです。私は病を得て、いちおうの回復はいたしましたが、いつ再発するともしれない身であります。その点をご斟酌《しんしゃく》いただければ幸いと存じます。

子どもたちを引率して山に参ります前夜のことですが、私は夫の夢を見ました。夜明け前のことです。出征して戦地に行っております主人が夢の中に出て参りました。それはひどく具体的な性的な夢でした。ときどき夢と現実の境目が見定められなくなるような生々しい夢がありますが、まさにそのような夢でした。

私たちはまな板のように平らな岩の上で何度も交わりました。それは山の頂上近くにある岩で、淡い灰色の岩でした。広さは畳二枚ぶんくらいあります。表面はつるつるとして、湿っています。空は曇っていて、今にも激しい雨が降り出しそうです。風はありません。夕暮れが近いようで、鳥たちもねぐらに急いでいます。そのような空の下で、私たちは口もきかずに交わっておりました。まだ結婚して間もないうちに、私たちは戦争のせいで離ればなれにされておりまして、私の身体は激しく夫を求めていました。

言葉にはあらわせないほどの肉体の快感を私は感じました。いろんな姿勢でいろんな角度で私たちは交わり、そのあいだに何度となく絶頂感を覚えました。それは考えてみれば不思議なことでした。と申しますのは、私たちはどちらも内気な性格で、そのようにどん欲にいくつも体位を試したこともなく、そのような激しい絶頂を感じた経験も一度としてなかったからです。しかしとにかく夢の中では私たちは普段の抑制を取り払い、まるで獣のように交わりました。

目がさめたとき、あたりはほの暗く、私はひどく妙な気持ちになっておりました。身体がどんよりと重く、腰の奥の方にまだ夫の性器の存在を感じておりました。胸がどきどきして、息が詰まりました。私の性器も性行為のあとのように濡《ぬ》れていました。それは夢ではなく本物の交わりであったように、ありありと切実に感じられました。お恥ずかしい話ですが、私はそのまま自慰をしました。そのときに私の感じていた性欲はあまりにも強いものであり、それをなんとか鎮《しず》めるためのものでした。

それから私は自転車に乗って学校に出勤し、子どもたちを引率して「お椀《わん》山」に向かいました。山道を歩いている途中でも、まだ私は性交の余韻を味わっておりました。目を閉じると子宮の奥に夫の射精を感じることができました。子宮の壁に、夫の放つ精液が当たるのがわかるのです。私はそれを感じながら、夫の背中に夢中になってしがみついていました。これ以上大きく開けないくらい脚を大きく開いて、足首を夫の太股《ふともも》にからめていました。子どもたちを連れて山を登りながら、私は一種の放心状態の中にいたようです。生々しい夢の続きの中にいたと言ってもいいかもしれません。

山を登り、目的地の森の中について、みんながさあこれからキノコ取りにとりかかろうかというところで、出し抜けに私の月経が始まりました。そんな時期ではありません。つい十日ばかり前にそれは終わったばかりでしたし、もともと私のその周期はとても規則正しい方なのです。あるいは性的な夢を見たおかげで私の中の何かの機能が刺激され、ときならず月経が始まってしまったのかもしれません。いずれにせよ突然のことですので、そのための準備など持ち合わせておりません。おまけに山の中です。

私は子どもたちにしばらくそのまま休憩するように指示し、林の奥の方に一人で入っていって、持参した何枚かの手拭《てぬぐ》いをつかって応急処置をいたしました。出血は量が多く、私はひどく取り乱していましたが、学校に戻るまではこのままなんとかもつだろうと思いました。頭がぼんやりとして、うまく筋道立ててものを考えることもなりません。私はまた罪悪感のようなものを心に感じていたと思います。赤裸々な夢を見たことについて、自慰をしたことについて、子どもたちの前で性的な幻想にふけっていたことについてです。私はどちらかというと、そういうことに対して自制する傾向が強かったのです。

適当に子どもたちにキノコを集めさせ、野外実習はなるべく早く切り上げて、山を下りようと思いました。学校に戻れば、あとはなんとかなります。私はそこに腰を下ろし、子どもたちがめいめいにキノコを集めているのを見守っていました。子どもたちの頭数を数え、誰も私の視野の外に出ていかないように気をつけていました。

でもしばらくしてふと気がつくと、一人の男の子が何かを手に持って、私の方に歩いてくるのが見えました。中田という男の子でした。そうです。その事件後意識を回復しないまま、長いあいだ病院に入っていた子どもです。その子が手に持っているのは、血に染まった私の手拭いでした。私は息を呑《の》みました。自分の目が信じられませんでした。といいますのは、私はそれをずいぶん遠くの方の、子どもたちがまず行かないところに、もし行ったとしてもまず目につかないはずのところに隠して捨ててきたからです。それは当然のことです。女性としてもっとも恥ずかしく、もっとも人目にさらされたくないものなのですから。どうして彼にそれを見つけることができたのか、私には見当もつきません。

気がついたとき私はその子を、中田君を、叩《たた》いていました。肩のあたりをつかんで、何度も何度も平手で頰を張ってました。何か叫んでいたかもしれません。私は混乱していました。明らかに自分を失っていました。私はきっと深く恥を感じ、ショックの中にいたのだと思います。それまで子どもを叩いたことなんて一度もありません。でもそこにいるのは私ではありませんでした。

気がつくと子どもたち全員がじっと私を見つめていました。あるものは立ち上がり、あるものは腰を下ろしたまま、こちらに顔を向けていました。真っ青な顔をして立っている私と、叩かれて地面に倒れている中田君と、私の血に染まった手拭いが、子どもたちの目の前にありました。私たちはしばらくその場に凍りついたみたいになっていました。誰も動かず、口をききません。子どもたちの顔には表情がなく、それは青銅でできた仮面のように見えました。森の中には深い沈黙が降りていました。鳥のさえずりが聞こえるだけです。私はその情景を今でも鮮明に記憶しています。

どれほどの時間が経《た》ったのでしょう。それほどの時間ではないと思います。でも私には永遠とも思える時間でした。私が世界のぎりぎりの縁まで追いつめられた時間でした。やがて私は我に返りました。まわりの風景が色彩を回復してきました。私はその血のついた手拭いを後ろに隠し、地面に倒れていた中田君を両手で抱き上げました。私はそして強く抱きしめ、心から謝りました。先生が悪かった、許してちょうだいと言いました。彼もまたショック状態にあるようでした。目はうつろで、私の言っていることが耳に届いているとも思えません。私は彼を抱いたままほかの生徒たちに向かって、キノコ取りに戻りなさいと言いました。それで子どもたちはまた、何事もなかったようにキノコ取りの作業に戻りました。今そこで何が起こったのか、子どもたちにはたぶん理解できなかっただろうと思います。すべてはあまりにも異様であり、あまりにも唐突でした。

私は中田君をしっかりと抱いたまま、しばらくそこに立ちすくんでました。私はこのままここで死んでしまいたいと思いました。このままどこかに消えてしまいたいと思いました。すぐそこの世界では巨大な凶暴な戦争が進行し、あまりに多くの人々が死に続けていました。何が正しいのか正しくないのか、私にはもうわからなくなっていました。私の見ている風景がほんとうに正しいものなのか、私の目にしている色彩がほんとうに正しいものなのか、私の耳にしている鳥たちの声がほんとうに正しいものなのかどうか……。そして私は森の奥で、ひとりぼっちで、混乱し、子宮から多くの血を流し続けていました。私は怒り、怯え、恥の中に沈んでいました。私は泣きました。声を上げずに静かに静かに泣いていました。

それから子どもたちの集団昏睡《こんすい》が始まったのです。

ご理解いただけると思いますが、私はこのような露《あら》わな話を軍の方々の前でするわけにはいきませんでした。それは戦争の時代でしたし、私たちが「たてまえ」で生きている時代でした。ですからその月経が始まった部分と、中田君が私の血のついた手拭いを持ってきて、彼を私が叩いた部分だけを省いて、みなさまにお話をいたしましたようなわけです。先ほども申し上げましたように、そのせいで先生方の調査、ご研究に大きな支障が生じたのではないかと、懸念《けねん》いたしておりました。今こうして包み隠さずにお話ができまして、私自身ほっとしております。

不思議といえば不思議なことなのですが、子どもたちは誰一人としてその出来事を記憶しておりませんでした。つまり血に染まった手拭いのことや、私が中田君を叩いたことを、誰もまったく覚えていないのです。その記憶は全員の脳裏から抜け落ちてしまっているのです。事件後まもなく、それは私が個人的にそれとなく一人一人に確かめてみました。たぶんそのときから既に、集団的な昏睡は始まっていたということなのかもしれません。

中田君について、担任の教師としての感想のようなものをいくつか書かせていただきたく思います。中田君があの事件後どうなったのか、私にもわかりません。東京の軍の病院に運ばれ、そこでもかなり長く昏睡が続いたものの、そのうちにようやく意識を取り戻したという話を、戦後面接を受けたアメリカ軍の将校から聞かされました。しかしそれ以上詳しい話は教えていただけませんでした。もっともそのような経緯につきましては、私よりはおそらく先生の方が詳しくご存じでいらっしゃるのではないかと推察いたします。

中田君はご存じのように、うちのクラスに入れられた五名の疎開《そかい》児童のうちの一人でしたが、その中ではいちばん成績がよく、また頭もいい子どもでした。顔立ちも良く、身なりも洒落《しゃれ》ていました。しかし性格は穏やかで、でしゃばるところはまったくありません。授業中も自分から手をあげるようなことはまずありません。しかし指名されたときには正しく答えますし、意見を求められれば筋のとおった意見を言います。

どのような教科でも、教えられたことはその場で理解します。どんなクラスにもそういう子どもが一人はいます。そういう子どもは放っておいても自分でどんどん勉強して、上の優れた学校に進み、社会に出ても正しいポジションをみつけていきます。生まれつき優秀にできているのです。

ただ教師として、彼にはいくつか気になったところがありました。それは時として彼の中に、諦観《ていかん》のようなものが見受けられたことです。彼の場合、どのようなむずかしい課題に挑み、それを達成したところで、そこには達成の喜びというものはほとんどありません。努力を積み上げるときの荒い息づかいも、試行錯誤の痛みもありません。ため息も笑いもありません。とりあえずやらなくてはならないことだからやっているんだ、という風なのです。前から来るものを手際《てぎわ》よく処理するだけのことです。工場で働く人がねじ回しを持って、ベルト・コンベヤで運ばれてくる部品の決められたねじを一巻きするのと同じです。

それはたぶん家庭環境に起因する問題ではなかったかと私は推測しております。もちろん私は東京のご両親にお目にかかったことはありませんので、正確なところを申し上げることはできません。しかし私は教師生活の中で、何度かそのような事例を目にしてまいりました。能力のある子どもは、能力があるが故《ゆえ》に、まわりの大人の手によって、達成するべき目標をどんどん絶え間なく積み上げられていくことがあります。そうすると、目の前の現実的な課題の処理に追われるあまり、当然そこにあるべき子どもとしての新鮮な感動や達成感が徐々に失われていくことが多いのです。そのような環境にある子どもたちは、やがては心を固く閉ざし、気持ちの自然な発露を覆い隠すようになります。そのように閉ざされた心をもう一度押し開くには、長い歳月と努力が必要になります。子どもたちの心は柔らかく、どのようにも曲げられてしまいます。そして一度曲がって固まったものは、なかなかもとに戻りません。多くの場合、二度ともとには戻りません。しかしもちろんこのようなことは先生のご専門でありますし、私ごときものが今更述べるまでもないことでしょう。

もうひとつ、私はそこに暴力の影を認めないわけにはいきませんでした。彼のちょっとした表情や動作に、瞬間的な怯えのしるしを感じとることが再三ありました。それは長期間にわたって加えられてきた暴力に対する、反射的な反応のようなものです。その暴力がどの程度のものであったのかは、私には知りようもありません。彼は自制心の強い子どもであり、私たちの目から巧妙にその「怯え」を押し隠しておりました。しかし何かがあったときの、かすかな筋肉のひきつりまでを隠しきることはできません。多かれ少なかれ家庭内での暴力があったに違いないというのが、私の推測でございます。子どもたちと日々つきあっておりますと、それはだいたいわかります。

田舎の家庭は暴力で満ちています。親のほとんどが農民です。みんなぎりぎりの生活をしています。朝から晩まで働いて疲れ切っていますし、どうしてもお酒が入りますし、怒るときには口よりは先に手が出ます。そんなことは秘密でもなんでもありません。子どもたちからして、多少殴られたってあっけらかんとしておりますし、そういう場合、心の傷はまず残りません。しかし中田君のお父さんは大学の先生でした。お母さんも、いただいた手紙を拝見する限り、高い教養を備えた方のようでした。つまり都会のエリートの家庭です。もしそこに暴力があったとしたら、それはおそらく田舎の子どもたちが家の中で日常的に受ける暴力とは異なった、もっと複雑な要素を持つ、そしてもっと内向した暴力であったはずです。子どもが自分一人の心に抱え込まなくてはならない種類の暴力です。

ですから私がそのとき山の中で、無意識的ではあるにせよ、彼に対して暴力を振るわなくてはならなかったのは、まことに残念なことでしたし、それについて私は深く悔やんでおります。それは私がもっともやってはならないことだったのです。彼は集団疎開によって半ば強制的に親元から離され、新しい環境に入れられ、それをひとつの機会として私に対して少しずつ心を開こうと準備していたところだったのですから。

暴力を振るうことによって、そのとき彼の中にあった余地のようなものを、私は致命的に損なってしまったのかもしれません。できることなら、時間をかけてなんとかその過《あやま》ちを修復したいと思いました。しかしその後の事情によって、それを実現することはかないませんでした。中田君はそのまま意識を回復することなく東京の病院に送られ、以来彼とは一度も顔を合わせることもありませんでした。それは私の無念として胸に残っております。叩かれるときの彼の顔を、私はまだはっきりと覚えております。そこにある深い怯えとあきらめをありありと目の前に思い浮かべることができます。

長々と書き連ねてしまいましたが、最後にもうひとつだけ書かせてください。私の主人が終戦の少し前にフィリピンで戦死いたしましたとき、実は私はそれほどのショックを感じませんでした。そのときに私が感じましたのはただただ深い無力感に過ぎませんでした。それは絶望でもなく怒りでもありません。私は一粒の涙さえ流しませんでした。何故《なぜ》ならばそうなることは、主人がどこかの戦場で若い命を落とすであろうことは、前もってわかっていたからです。私がその前の年に主人との激しい性交の夢を見て、予期せぬ月経が始まり、山に登り、混乱の中で中田君を叩き、子どもたちが不可解な昏睡に陥ったときから、それはあらかじめ決定されていたことであり、私が前もって事実として受け入れていたことだったのです。夫の死を知らされたとき、私は事実を確認したに過ぎませんでした。そして私の魂の一部はまだあの森の中にとどまっております。何故ならばそれは私の人生のあらゆる営為を超えたものであるからです。

末筆ではございますが、先生のご研究のますますのご発展をお祈りいたしております。どうかご自愛くださいませ。

敬具」

第13章

お昼過ぎに庭を眺めながら食事をしていると、大島さんがやってきてとなりに座る。その日の閲覧者は僕のほかには誰もいない。僕が食べているのはいつもと同じ、駅の売店で買ってくるいちばん安い弁当だ。僕らは少し話をする。大島さんは自分の昼食のサンドイッチを半分勧める。今日は君のために余分につくってきたんだよ、と彼は言う。

「こんなことを言うと君は気を悪くするかもしれないけど、そばで見ているといつも食べたりないような顔をしているから」

「胃を小さくしているんです」と僕は説明する。

「意図的に？」と彼は興味深そうに言う。

僕はうなずく。

「それは経済的な理由によるものなのかな？」

僕はまたうなずく。

「その意図は理解できるけれどね、なんといっても食べ盛りなんだから、食べられるときには不足なく食べておいたほうがいいよ。いろんな意味でじゅうぶんな栄養が必要とされる時期なんだ」

彼の勧めるサンドイッチは見るからにおいしそうだった。僕は礼を言って、それを受けとり食べる。柔らかい白いパンにスモーク・サーモンとクレソンとレタスがはさんである。パンの皮はぱりっとしている。ホースラディッシュとバター。

「大島さんが自分でつくるんですか?」

「ほかに誰もつくってくれないもの」と彼は言う。

彼はポットに入れたブラック・コーヒーをマグカップに注いで飲み、僕は持参したミルクの紙パックを開けて飲む。

「君はここで今、一生懸命なにを読んでいるの?」

「今は漱石全集を読んでいます」と僕は言う。「いくつか読んだことのないものが残っていたから、この機会に全部読んでしまおうと思って」

「全作品を読破しようと思うくらい漱石を気に入っているわけだ」と大島さんは言う。

僕はうなずく。

大島さんが手にしたカップからは白い湯気があがっている。空はまだ暗く曇っているが、雨は今のところ降りやんでいる。

「ここに来てからどんなものを読んだの？」

「今は『虞美人草《ぐびじんそう》』、その前は『坑夫』です」

「『坑夫』か」と大島さんはおぼろげな記憶をたどるように言う。「たしか東京の学生がなにかの拍子に鉱山で働くようになり、坑夫たちにまじって過酷な体験をして、また外の世界に戻ってくる話だったね。中編小説だ。ずっと昔に読んだことがあるよ。あれはあまり漱石らしくない内容だし、文体もかなり粗いし、一般的に言えば漱石の作品の中ではもっとも評判がよくないもののひとつみたいだけれど……、君にはどこが面白かったんだろう？」

僕はその小説に対してそれまで漠然と感じていたことを、なんとかかたちのある言葉にしようとする。でもそういう作業にはカラスと呼ばれる少年の助けが必要だ。彼はどこからともなくあらわれ、大きく翼をひろげ、いくつかのことばを僕のために探してきてくれる。僕は言う。

「主人公はお金持ちの家の子どもなんだけど、恋愛事件を起こしてそれがうまくいかず、なにもかもいやになって家出をします。あてもなく歩いているときにあやしげな男から坑夫にならないかと誘われて、そのままふらふらとついていきます。そして足尾銅山で働くことになる。深い地底にもぐって、そこで想像もつかないような体験をする。世間知らずの坊ちゃんが社会のいちばん底みたいなところを這《は》いずりまわるわけです」

僕はミルクを飲みながらそれにつづくことばを探す。カラスと呼ばれる少年が戻ってくるまでにまた少し時間がかかる。でも大島さんは我慢強く待っている。

「それは生きるか死ぬかの体験です。そしてそこからなんとか出てきて、またもとの地上の生活に戻っていく。でも主人公がそういった体験からなにか教訓を得たとか、そこで生きかたが変わったとか、人生について深く考えたとか、社会のありかたに疑問をもったとか、そういうことはとくには書かれていない。彼が人間として成長したという手ごたえみたいなのもあまりありません。本を読み終わってなんだか不思議な気持ちがしました。この小説はいったいなにを言いたいんだろうって。でもなんていうのかな、そういう『なにを言いたいのかわからない』という部分が不思議に心に残るんだ。うまく説明できないけど」

「君が言いたいのは、『坑夫』という小説は『三四郎』みたいな、いわゆる近代教養小説とは成り立ちがずいぶんちがっているということかな？」

僕はうなずく。「うん、むずかしいことはよくわからないけど、そういうことかもしれない。三四郎は物語の中で成長していく。壁にぶつかり、それについてまじめに考え、なんとか乗り越えようとする。そうですね？　でも『坑夫』の主人公はぜんぜんちがう。彼は目の前にでてくるものをただだらだらと眺め、そのまま受け入れているだけです。もちろんそのときどきの感想みたいなのはあるけど、とくに真剣なものじゃない。それよりはむしろ自分の起こした恋愛事件のことばかりくよくよと振りかえっている。そして少なくともみかけは、穴に入ったときとほとんど変わらない状態で外に出てきます。つまり彼にとって、自分で判断したとか選択したとか、そういうことってほとんどなにもないんです。なんていうのかな、すごく受け身です。でも僕は思うんだけど、人間というのはじっさいには、そんなに簡単に自分の力でものごとを選択したりできないものなんじゃないかな」

「それで君は自分をある程度その『坑夫』の主人公にかさねているわけかな？」

僕は首を振る。「そういうわけじゃありません。そんなことは考えもしなかった」

「でも人間はなにかに自分を付着させて生きていくものだよ」と大島さんは言う。「そうしないわけにはいかないんだ。君だって知らず知らずそうしているはずだ。ゲーテが言っているように、世界の万物はメタファーだ」

僕はそれについて考えてみる。

大島さんはカップからコーヒーをひとくちすすり、そして言う。「いずれにせよ漱石の『坑夫』についての君の意見は興味深いものだったよ。とりわけ現実の家出少年の意見として聞けば一段と説得力がある。もう一度読んでみたくなった」

僕は大島さんのつくってくれたサンドイッチを食べてしまう。飲み終えたミルクの紙パックをつぶして屑籠《くずかご》に捨てる。

「大島さん、僕にはひとつ困っていることがあって、あなたのほかには相談する相手がいないんです」、僕は思いきってそう切りだしてみる。

どうぞ、というふうに彼は両手を広げる。

「話せば長い話になるけれど、僕には今夜泊まる場所がないんです。寝袋はある。だから布団《ふとん》やベッドまではいらない。屋根さえあればいいんです。どこでもいい、このあたりに屋根のある場所を知りませんか？」

「察するところ、ホテルとか旅館は君の選択肢の中にはないんだね？」

僕は首を振る。「経済的な理由もあります。それから、できることならあまり人目につきたくないということもある」

「とくに少年課の警官とかにはね」

「たぶん」

大島さんはしばらく考えている。「なら、ここに泊まればいい」と彼は言う。

「この図書館に？」

「そう。屋根はあるし、空いている部屋もある。夜の間は誰も使わない」

「でもそんなことをしてもいいんですか？」

「もちろんある種の調整は必要とされる。でもそれは可能だよ。というか不可能ではない。僕がなんとかしてあげられると思う」

「どんなふうに？」

「君は良い本を読むし、自分の頭でものを考えることもできる。見たところ身体《からだ》も丈夫で、自立心もある。生活は規則正しいし、意図的に胃を小さくすることだってできる。君が僕の助手になって、この図書館の空いた部屋に寝泊まりできるように佐伯さんに交渉してみよう」

「僕が大島さんの助手になる？」

「助手といっても、とくにたいしたことはしなくてもいいんだ。図書館の開け閉めを手伝うくらいのことだよ。本格的な掃除は専門の業者が定期的に入るし、コンピュータの打ちこみは専門家にまかせてある。ほかにやることはあまりない。あとは好きに本を読んでいればいい。悪くないだろう？」と大島さんは言う。

「もちろん悪くないけれど――」と僕は言う。いったいなんと言えばいいのか、よくわからない。「でも、佐伯さんがそんなことを許可してくれるとはとても思えないな。僕はなにしろ15歳の、身もとも分からない家出少年だよ」

「佐伯さんはね、なんというか……」と大島さんは言いかけて、珍しく言いよどみ、言葉を探す。「普通じゃないんだ」

「普通じゃない？」

「つまり、簡単に言えば、ありきたりの基準ではものを考えないということだよ」

僕はうなずく。でもありきたりの基準ではものを考えないというのが具体的にどういうことを意味するのか、見当もつかない。

「特殊な人だということですか？」

大島さんは首を振る。「いや、そうじゃない。特殊ということでいえば、僕の方が特殊な人間だ。彼女はただ、常識的な枷《かせ》にとらわれたりはしないということだよ」

僕には普通じゃないことと特殊なことのちがいがまだわからない。でもそれ以上の質問はしないほうがいいという気がする。少くとも今のところは。

大島さんは少し間を置いて言う、「しかし、そうだな、今夜から急にここに寝泊まりするというのはいくらなんでも無理かもしれない。だから君をとりあえず別の場所に連れて行くことにする。君は話のつくまで、たぶん2、3日、そこに滞在していればいい。それでかまわないかな？　少しここから離れたところなんだけれど」

かまわない、と僕は言う。

「5時には図書館を閉める」と大島さんは言う。「片づけをして、5時半にはここを出ていけるだろう。君を僕の車に乗せて、その場所まで連れて行く。そこには今のところ誰もいないし、屋根もいちおうついている」

「ありがとう」

「お礼を言うのはそこについてからでいいよ。君の予想しているものとはずいぶんちがうかもしれないから」

閲覧室に戻って『虞美人草』の続きを読む。僕はもともと速く読む読書家ではない。時間をかけて一行一行を追うタイプだ。文章を楽しむ。文章が楽しめなければ、途中で読むのをやめてしまう。5時少し前にその小説を最後まで読み終え、書架に戻し、それからソファに座って目を閉じ、昨夜のことをぼんやりと考える。さくらのことを思う。彼女の部屋のことを考える。彼女が僕にしてくれたことを思う。いろんなものごとが変化し、前に進んでいく。

5時半に僕は甲村図書館の玄関で、大島さんが出てくるのを待っている。彼は僕を連れて裏手にある駐車場にまわり、緑色のスポーツカーの助手席に僕を乗せる。マツダのロードスターだ。幌《ほろ》はあげてある。そのスマートなオープン・ツーシーターのトランクは小さすぎて、そこには僕のリュックは入らないので、うしろのラックにロープでしっかりと結びつけられる。

「長いドライブになると思うから、途中どこかに寄ってご飯を食べよう」と大島さんは言う。そしてイグニション・キーをまわし、エンジンをかける。

「どこまで行くんですか?」

「高知」と彼は言う。「行ったことはある?」

僕は首を振る。「どれくらい遠いんですか?」

「そうだな、目的地まではたぶん2時間半くらいかかる。山を越えて、南に下る」

「そんな遠くまで行ってかまわないんですか?」

「かまわないよ。道路はまっすぐ通じているし、日はまだ暮れていないし、タンクにはガソリンがたっぷり入っている」

僕らは夕暮れに近い市内を抜け、とりあえず西に向かう高速道路に入る。彼は巧みにレーンチェンジをし、車の間を抜けていく。左手の手のひらを使ってこまめにギアを変える。滑らかにシフトアップし、シフトダウンする。そのたびにエンジンの回転音が細かく変化する。ギアを落としガス・ペダルを床まで踏みこむと、スピードはあっという間に１４０キロを超える。

「特別にチューンアップしてあるんだ。加速がいい。そのへんの普通のロードスターとはちがう。君は車に詳しい？」

僕は首を振る。僕は車のことなんてなにも知らない。

「大島さんは運転が好きなんですか？」

「僕は危険な運動をすることを医者にとめられている。だからそのかわりに車を運転する。代償行為だ」

「どこか体に悪いところがあるんですか？」

「病名を言うと長くなるけど、簡単にいえば一種の血友病なんだ」と大島さんはことなげに言う。「血友病のことは知っている？」

「だいたい」と僕は言う。生物の授業で教わった。「一度出血が始まるととまらなくなる。遺伝子のせいで、血液が凝固しない」

「そのとおり。血友病にもいろんな種類があって、僕のはわりに珍しいタイプのやつなんだ。そんなに重度のものではないんだけど、それでもなるべく怪我《けが》をしないように気をつけなくちゃならない。一度出血が始まると、とりあえず病院にいかなくちゃならないからね。おまけに君もよく知っているように、世間の病院にストックしてある血液にはいろいろと問題がある場合が多い。エイズにかかってゆっくりと死んでいくことは、僕の人生のオプションの中にはない。だから僕はこの町に、血液に関してはとくべつなコネクションを用意してある。そんなわけで旅行もしない。定期的に広島の大学病院まで行くことを別にすれば、この町を出ることはほとんどない。まあもともと旅行や運動がそんなに好きなわけでもないから、つらいとは思わないけど、料理はいささか困るね。包丁を持って本格的に料理ができないのは悲しいことだ」

「運転だってじゅうぶん危険な運動だと思うけど」と僕は質問する。

「危険の種類がちがうんだ。僕は車を運転するときには、できるだけスピードを出すようにしている。スピードを出していて交通事故を起こせば、指先をちょっと切るくらいのことではすまない。大量に出血すれば、血友病患者も健常者も生存条件にはそれほどの差はない。公平だ。凝固がどうこうなんてややこしいことは考えずに、のんびりと心おきなく死ねる」

「なるほど」

大島さんは笑う。「でも心配することはないよ。そんなに簡単に事故は起こさない。こう見えて僕はとても注意深いし、無理はしない性格だ。車のコンディションも最上に保ってある。それに死ぬときは自分だけで静かに死にたい」

「誰かを巻き添えにして死ぬことは、大島さんの人生のオプションの中にはない」

「そのとおり」

僕らはサービスエリアのレストランに入って夕食をとる。僕はチキンとサラダを食べ、彼はシーフード・カレーとサラダを食べる。空腹を満たすための食事だ。彼が勘定を払う。それからまた車に乗りこむ。あたりはすっかり暗くなっている。アクセルを踏むと、エンジンの回転計の針が勢いよく跳ねあがる。

「音楽を聴いてもかまわないかな?」と大島さんは言う。

かまわない、と僕は言う。

彼はCDプレイヤーのプレイ・ボタンを押す。クラシックのピアノ音楽が始まる。僕はしばらくその音楽に耳を澄ませ、だいたいの見当をつける。ベートーヴェンでもないし、シューマンでもない。時代的に言ってその中間あたりだ。

「シューベルト?」と僕は尋ねる。

「そう」と彼は言う。そして両手をハンドルの、時計で言えば10時10分の位置に置いたまま、僕の顔をちらりと見る。「シューベルトの音楽は好き?」

とくに好きなわけじゃない、と僕は言う。

大島さんはうなずく。「僕は運転しているときには、よくシューベルトのピアノ・ソナタを大きな音で聴くんだ。どうしてだと思う?」

「わからない」と僕は言う。

「フランツ・シューベルトのピアノ・ソナタを完璧《かんぺき》に演奏することは、世界でいちばんむずかしい作業のひとつだからさ。とくにこのニ長調のソナタはそうだ。とびっきりの難物なんだ。この作品のひとつかふたつの楽章だけを独立して取りあげれば、それをある程度完璧に弾けるピアニストはいる。しかし四つの楽章をならべ、統一性ということを念頭に置いて聴いてみると、僕の知るかぎり、満足のいく演奏はひとつとしてない。これまでに様々な名ピアニストがこの曲に挑んだけれど、そのどれもが目に見える欠陥を持っている。これならという演奏はいまだない。どうしてだと思う?」

「わからない」と僕は言う。

「曲そのものが不完全だからだ。ロベルト・シューマンはシューベルトのピアノ音楽ですの良き理解者だったけど、それでもこの曲を『天国的に冗長』と評した」

「曲そのものが不完全なのに、どうして様々な名ピアニストがこの曲に挑むんですか?」

「良い質問だ」と大島さんは言う。そして間を置く。音楽がその沈黙を満たす。「僕にも詳しい説明はできない。でもひとつだけ言えることがある。それはある種の不完全さを持った作品は、不完全であるが故《ゆえ》に人間の心を強く引きつける——少なくとも、ある種の人間の心を強く引きつける、ということだ。たとえば君は漱石の『坑夫』に引きつけられる。『こころ』や『三四郎』のような完成された作品にない吸引力がそこにはあるからだ。君はその作品を見つける。べつの言いかたをすれば、その作品は君を見つける。シューベルトのニ長調のソナタもそれと同じなんだ。そこにはその作品にしかできない心の糸の引っ張りかたがある」

「それで」と僕は言う。「最初の質問に戻るけれど、どうして大島さんはシューベルトのソナタを聴くんですか。とくに車を運転しているときに?」

「シューベルトのソナタは、とくにニ長調のソナタは、そのまますんなりと演奏したのでは芸術にならない。シューマンが指摘したように、あまりに牧歌的に長すぎるし、技術的にも単純すぎる。そんなものを素直に弾いたら、味も素っ気もないただの骨董《こっとう》品《ひん》になってしまう。だからピアニストたちはそれぞれに工夫を凝らす。仕掛けをする。たとえば、ほら、こんなふうにアーティキュレーションを強調する。ルバートをかける。速弾きをする。メリハリをつける。そうしないことには間が持たないんだ。でもよほど注意深くやらなければ、そのような仕掛けは往々にして作品の品格を崩してしまう。シューベルトの音楽ではなくしてしまう。このニ長調ソナタを弾くすべてのピアニストは、例外なくそのような二律背反の中でもがいている」

彼は音楽に耳を澄ませる。メロディーを口ずさむ。そして話を続ける。

「僕が運転をしながらよくシューベルトを聴くのはそのためだ。さっきも言ったように、それがほとんどの場合、なんらかの意味で不完全な演奏だからだ。質の良い稠密《ちゆうみつ》な不完全さは人の意識を刺激し、注意力を喚起してくれる。これしかないというような完璧な音楽と完璧な演奏を聴きながら運転をしたら、目を閉じてそのまま死んでしまいたくなるかもしれない。でも僕はニ長調のソナタに耳を傾け、そこに人の営みの限界を聞きとることになる。ある種の完全さは、不完全さの限りない集積によってしか具現できないのだと知ることになる。それは僕を励ましてくれる。言っていることはわかる？」

「なんとか」

「悪いね」と大島さんは言う、「こういう話になると、僕はつい夢中になってしまうんだ」

「でも不完全さにも、いろんな種類があり、程度があるんでしょう」と僕は言う。

「もちろん」

「比較的というのでもいいんだけど、これまでに聴いた二長調のソナタの中で、大島さんがいちばん優れていると思うのは誰の演奏ですか？」

「むずかしい質問だ」と彼は言う。

彼はしばらくそれについて考える。ギアを落として追い越し車線に移り、運送会社の大型冷凍トラックを素早く追い越し、ギアをあげ、走行車線に戻る。

「君を脅かすつもりはないけれど、緑色のロードスターは、夜の高速道路ではもっとも見えにくい車のひとつなんだ。背が低いし色が闇《やみ》にまぎれてしまう。とくにトレイラーの運転席からは見えにくい。気をつけないとすごく危険だ。とくにトンネルの中がね。ほんとうはスポーツカーは車体の色を赤にするべきなんだよ。そのほうが目だつ。フェラーリに赤が多いのはそのためだ」と彼は言う。「でも僕は緑色が好きなんだ。たとえ危険でも緑がいい。緑は森の色だ。そして赤は血の色だ」

彼は腕時計に目をやる。それからまた音楽にあわせてメロディーを口ずさむ。

「一般的にいえば、演奏としてもっともよくまとまっているのは、たぶんブレンデルとアシュケナージだろう。でも僕は正直なところ彼らの演奏を、個人的にはあまり愛好しない。というか、それほど心を引かれないんだ。シューベルトというのは、僕に言わせれば、ものごとのありかたに挑んで敗れるための音楽なんだ。それがロマンティシズムの本質であり、シューベルトの音楽はそういう意味においてロマンティシズムの精華なんだ」

僕はシューベルトのソナタに耳を澄ませる。

「どう、退屈な音楽だろう？」と彼は言う。

「たしかに」と僕は正直に言う。

「シューベルトは訓練によって理解できる音楽なんだ。僕だって最初に聴いたときは退屈だった。君の歳《とし》ならそれは当然のことだ。でも今にきっとわかるようになる。この世界において、退屈でないものには人はすぐに飽きるし、飽きないものはだいたいにおいて退屈なものだ。そういうものなんだ。僕の人生には退屈する余裕はあっても、飽きているような余裕はない。たいていの人はそのふたつを区別することができない」

「大島さんがさっき、自分のことを『特殊な人間』と言ったとき、それは血友病のことを言ったんですか？」

「それもある」と彼は言う。そして僕のほうを見て微笑《ほほえ》む。それはどことなく悪魔的なものを含んだ微笑みだ。「でもそれだけじゃない。ほかにもある」

シューベルトの天国的に長いソナタが終わると、僕らはそれ以上音楽を聴かない。自然に無口になり、沈黙の紡《つむ》ぎだすとりとめのない思いの中に、それぞれに身をまかせる。次々に現れる道路標識を、僕はぼんやりと眺める。ジャンクションを南に折れると道路は山の中に入り、次から次へと長いトンネルが現れる。大島さんは車の追越しに神経を集中する。道路には低速で走る大型車が多く、ずいぶんたくさんの車を僕らは追い抜く。大きな車を追い抜くと、ひゅっという空気のうなりが聞こえる。まるでなにかの魂を抜きとるときのような音だ。僕はときどき後ろを向いて、リュックがまだラックに結びつけられていることをたしかめる。

「僕らがこれから行こうとしているところは、深い山の中にあって、快適な住まいとはとても言えない。君はそこにいるあいだ、たぶん誰にも会わないだろう。ラジオもテレビも電話もない」と大島さんは言う。「そんなところでもかまわないかな？」

かまわない、と僕は言う。

「君は孤独にはなれている」と大島さんは言う。

僕はうなずく。

「しかし孤独にもいろんな種類の孤独がある。そこにあるのは、君が予想もしていないような種類のものかもしれない」

「どんなふうに？」

大島さんは眼鏡のブリッジを指先で押す。「なんとも言えないな。それは君次第でかわってくることだから」

高速道路を降りて一般国道に入る。高速の出口から少し行ったところに小さな街道沿いの町があり、コンビニエンス・ストアがある。大島さんは車を停め、ひとりでは袋が持ちきれないくらい食料品を買いこむ。野菜と果物、クラッカー、牛乳とミネラル・ウォーター、缶詰、パン、レトルト食品、ほとんど調理の必要のない、簡単に食べられるものばかりだ。彼がまた勘定を払う。僕がお金を出そうとすると、黙って首を振る。

僕らはまた車に乗りこみ、道路を先に進む。僕は助手席で、トランクに入りきらなかった食料品の袋を抱きかかえている。町を通り過ぎると、道はすっかり暗くなってしまう。人家がなくなり、すれちがう車も少なくなり、道路の幅も対向車とすれちががうのがむずかしいくらい狭くなる。でも大島さんはライトをハイビームにし、スピードをほとんど落とさずに先を急ぐ。ブレーキとアクセルのやりとりが多くなり、ギアがセカンドとサードのあいだを行き来する。大島さんの顔から表情の動きが消えている。彼は運転に意識を集中している。唇が結ばれ、目は前方の闇の中の一点を見つめている。右手はハンドルの上に、左手は短いシフトノブの上にある。

やがて道路の左手は切り立った崖《がけ》になる。下のほうには渓流が流れているようだった。カーブはますます厳しくなり、路面は不安定になっていく。車のテールが派手な音をたててスライドする。でも僕は危険について考えるのをやめることにする。ここで交通事故を起こすことは、おそらく彼の人生のオプションの中にはないはずだ。

腕時計の数字は9時近くを示している。窓を小さく開けると、ひやりとした空気が入りこんでくる。まわりの音の響きかたもちがっている。僕らは山の中にいて、より深い場所に向かっている。道路はやっと崖から離れ（それは少しだけ僕をほっとさせる）、森の中に入る。高い木々が僕らのまわりに魔術的にそびえ立っている。車のライトが樹木の太い幹を、ひとつひとつなめるように照らしだしていく。舗装はとっくになくなっていて、タイヤが小石をはね、それが車体に跳ねかえって乾いた音をたてる。サスペンションが荒れた路面にあわせて忙しくダンスを踊る。星も月も出ていない。ときどき細かい雨がフロントグラスを打つ。

「ここにはよく来るんですか?」と僕はたずねる。

「昔はね。今は仕事もあるし、もうそんなには来られない。僕の兄はサーファーで、高知の海岸に住んでいるんだ。そこにサーフショップを持って、ボードをつくっている。たまに彼がここに泊まりに来ることもある。君はサーフィンはする?」

したことはない、と僕は言う。

「もし機会があったら、兄に教えてもらうといい。腕のいいサーファーなんだ」と大島さんは言う。「会えばわかると思うけど、僕とはずいぶんちがっている。大きくて、無口で、不愛想で、日焼けしていて、ビールが好きで、シューベルトとワグナーも聴き分けられない。でも僕らはとても仲がいいんだよ」

更に山道を進み、いくつかの深い森を抜け、ようやく目的地に到着する。大島さんは車を停め、エンジンをかけたまま外に出て、金網を張った金属のゲートのようなものの鍵《かぎ》をはずし、押して開ける。それから車を中に入れ、またひとしきり曲がりくねった悪路を進む。やがて目の前に少し開けた場所が現れ、道路はそこで終わっている。大島さんは車をとめ、シートの中でひとつ大きくため息をつき、両手で前髪をうしろに押しやり、それからキーをまわしてエンジンを切る。パーキング・ブレーキを引く。

エンジンが停まると、重みのある静寂がやってくる。冷却ファンがまわり、酷使され熱を持ったエンジンが外気にさらされて、しゅんしゅんと音をたてている。ボンネットからかすかに湯気があがっているのが見える。すぐ近くを小川が流れているらしく、水音が小さく耳に届く。風がときおり頭上の高いところで象徴的な音をたてる。僕はドアを開けて外に降りる。空気のところどころにはまだらに冷気が混じっている。Tシャツの上に着ているヨットパーカのジッパーを、首まであげる。

目の前に小さな建物がある。山小屋のようだが、あまりにも暗くて細かいところまでは見えない。黒々とした輪郭が、森を背景に浮かびあがっているだけだ。大島さんは車のライトをつけたまま、小型の懐中電灯を手にゆっくりと歩いて行き、ポーチのステップを何段かあがり、ポケットから鍵を出してドアを開ける。中に入り、マッチを擦ってランプに火をつける。ドアの前のポーチに立ち、そのランプをかざして僕に声をかける。「我が家にようこそ」。彼の姿は古い物語のさし絵の一部みたいに見える。

僕はポーチの階段をあがり、建物の中に入る。大島さんは天井から下がった大きなランプに火をつける。

建物の中には大きな部屋が箱のようにひとつあるだけだ。隅のほうに小さなベッドが置いてある。食事用の机があり、木製の椅子《いす》がふたつある。古びたソファがある。

敷物は宿命的に日焼けしている。いくつかの家庭で不要品になった家具を、手当たりしだいにかき集めてきたみたいに見える。ぶ厚い棚板をブロックで積み重ねただけの本棚があり、そこにはたくさんの本が並んでいる。本の背表紙はどれも古く、しっかりと読みこまれている。服を入れるための古風なチェストがある。簡単な台所がある。カウンターがあり、小さなガス台がひとつ、そして流し台がある。でも水道はない。そのかわりにアルミニウム製の水桶《おけ》が置いてある。鍋《なべ》ややかんが棚に並べられている。フライパンが壁にかかっている。部屋の真ん中に黒い鉄製の薪《まき》ストーブがある。

「兄がほとんど自力でこのキャビンをこしらえたんだ。もともとあった簡単な木こりの小屋を大幅に改造した。けっこう器用な人なんだ。僕もまだ小さかったけど、怪我をしない程度に少しは手伝った。自慢じゃないけど、すごく原始的なしろものだ。さっきも言ったように電気もない。水道もない。便所すらない。文明の利器としてあるのは、辛うじてプロパン・ガスだけだ」

大島さんはやかんを手にとり、ミネラル・ウォーターを使って中を簡単にゆすいでから、それで湯を沸かす。

「この山はもともと祖父の所有物だった。祖父は高知の資産家で、たくさんの土地や財産を持っていた。10年くらい前に彼が亡《な》くなり、兄と僕が遺産としてこの山林を引き継いだ。ほとんど山ひとつまるごと。ほかの親戚《しんせき》は誰もこんなところを欲しがらなかった。へんぴなところだし、資産価値はほとんどないからね。山林として利用するには人を集めて手入れをしなくちゃならないし、それにはずいぶんお金がかかる」

僕は窓のカーテンを開けてみる。でもその向こうには深い暗闇が壁のように広がっているだけだ。

「僕がちょうど君くらいの年齢のとき」、大島さんはカモミール茶のティーバッグをポットの中に入れながら言う。「何度もここにやってきて、ひとりきりで生活した。そのあいだ誰にも会わず、誰とも話さなかった。兄が半ば強制的にそうさせたんだ。僕みたいな疾患《しっかん》を持っていれば、そんなことは普通させないものだ。こんなところにひとりで置いていかれたら、危険だものね。でも兄はそんなことは気にもしなかった」

彼は台所のカウンターにもたれて、湯が沸くのを待つ。

「兄はなにも僕を厳しく鍛えようとか、そういうことを考えたわけじゃないんだ。僕にとってそうすることが必要だと信じていたからだ。でもそれはたしかに良いことだった。ここでの生活は僕にとってはずいぶん意味のある体験になった。多くの本を読むことができたし、ひとりでゆっくりものを考えることもできた。実を言うと、僕はある時期から学校にはほとんどいかなかったんだ。学校が好きじゃなかったし、学校のほうも僕のことがあまり好きではなかった。僕はなんというか、みんなとは違っていたからね。中学校だけはなんとかお情けで出してもらったけど、あとはひとりきりでやってきた。今の君と同じように。その話はしたっけ？」

僕は首を振る。「だから大島さんは僕に親切にしてくれるんですか？」

「それもある」と彼は言う。そして少し間をあける。「でもそれだけじゃない」

大島さんはお茶のカップをひとつ僕に手渡し、自分も飲む。温かいカモミール茶は、長い移動のせいでたかぶった神経を落ち着かせてくれる。

大島さんは時計を見る。「僕はもうそろそろ引きあげなくちゃならないから、ざっと説明をしておくよ。近くにきれいな流れがあるから、水はそれを汲《く》んできて使えばいい。すぐそこで湧《わ》き出た水だからそのまま飲むことができる。そのへんのミネラル・ウォーターよりはずっとまともだ。薪は裏に積んであるから、寒くなったらストーブを使うといい。ここは冷えるんだ。僕はときどき8月でもストーブに火を入れたよ。クッキング・ストーブになっていて、それで簡単な料理ならつくれる。そのほかいろんな作業に必要な道具は裏の用具小屋に入っているから、必要に応じて探してみてくれ。タンスの中には兄の服が入っているから、自由に使っていいよ。誰かが自分の服を着たからといって、いちいち気にするような男じゃない」

大島さんは両手を腰にあてて、小屋の中をぐるりと見回す。

「見てもわかるとおり、ロマンチックな目的のためにつくられた小屋じゃない。でもただ生きていくということを考えれば不便はないはずだ。それからひとつ忠告しておくけど、森の奥には入らないほうがいい。とてもとても深い森だし、道もろくについてない。森に入るときには、いつも視野の隅にこの小屋を入れておくようにするんだね。それより奥に行くとたぶん迷うおそれがあるし、一度迷うともとの場所に戻るのはむずかしい。僕もひどい目にあったことがある。ここからほんの数百メートルしか離れていないところを半日ぐるぐる歩きまわっていた。日本なんて狭い国だし、森の中で迷うことなんてないだろうと君は思うかもしれない。でも一度迷ってしまうと、森というのはどこまでも深くなるんだ」

僕は彼の忠告を頭に入れる。

「それから、よほど緊急のことがないかぎり、山を下りることも考えないほうがいい。人家のあるところまではあまりにも遠すぎる。ここで待っていれば、僕がそのうちに迎えに来る。たぶん2、3日のうちに来られると思うし、それくらいの食料品は用意してある。ところで携帯電話は持っている?」

持っている、と僕は言う。リュックを指さす。

彼はにっこりと笑う。

「じゃあそこに入れたままにしておくほうがいいね。携帯電話はここでは使えない。電波がまったく届かないんだ。もちろんラジオも聞こえない。つまり——君は世界から完全に孤立しているわけだ。ずいぶん本は読めるはずだよ」

僕はふと思いついた現実的な質問をする。「便所がないとなると、どこで用を足せばいいんだろう?」

大島さんは両手を大きく広げる。「この広くて深い森はすべて君のものだ。便所がどこかなんて君がきめればいいことじゃないか」

第14章

ナカタさんは何日か続けてその塀に囲まれた空き地に通った。一日だけ朝から激しい雨が降って、その日は家の中で簡単な木工細工をしていたが、それ以外の日はいちにち空き地の草むらの中に座って、行方不明の三毛猫が姿を見せるのを、あるいは奇妙な帽子をかぶった男が現れるのを待った。しかし成果はなかった。

日が暮れるとナカタさんは依頼主の家に寄って、その日の捜索の内容を口頭で報告をした——行方不明の猫をみつけるために、どんな情報を得て、どこに行って、どんなことをしたか。依頼主はその日の謝礼としてだいたいいつも3000円をくれた。それがナカタさんの労働の相場だった。誰が決めたというわけでもないのだが、口コミで「猫探しの名人」というナカタさんの評判が地域全体に伝わり、それと同時に一日3000円という謝礼の額がいつの間にかどこかで決定された。ただしお金だけではなく、何か必ずものをつけてあげること。食べ物でも衣服でもいい。それから実際に猫をみつけることができたときには、成功報酬として1万円がナカタさんに手渡されることになる。

いつもいつも猫探しの依頼があるというわけではないから、一カ月を通してみればたいした収入にはならなかったけれど、公共料金の払い込みは、両親の残した遺産（それほどの額ではない）とわずかな貯金をナカタさんに代わって管理している上の弟がやっていてくれたし、都から高齢障害者向けの生活の補助も出ていた。その補助金でとくに不自由なく生活を維持することはできた。だから猫探しで受け取る謝礼はまったく自由に使えるお金になったし、それはナカタさんにとってはけっこうな額のお金に思えた（実際の話、ときどきウナギを食べる以外にその使いみちを思いつけなかった）。余ったお金は部屋の畳の下に隠していた。読み書きのできないナカタさんは銀行にも郵便局にも行かない。そこでは何をするにも用紙に自分の名前や住所を書き込まなくてはならないからだ。

ナカタさんは猫と話ができることを自分だけの秘密にしていた。ナカタさんが猫と会話できることを知っているのは、猫たちをべつにすれば、ナカタさんだけだった。ほかの人にそんなことを言ったら、頭がおかしくなったと思われてしまう。もちろん頭が良くないのは周知の事実なのだが、頭が良くないのと頭がおかしいのとはまたべつの問題だ。

彼が道ばたでどこかの猫と熱心に会話しているときに、人がたまたまそばを通りかかることはあったけれど、それを見ても、誰もべつに気にはとめなかった。老人が動物に向かって、人に対するように語りかけているのは、とくに珍しい情景ではない。だからみんなに「ナカタさんってどうしてそんなに猫の習性や考え方がよくわかるのかしら。まるで猫ちゃんとお話できるみたいね」と感心されても、何も言わずににこにこと笑っているだけだった。ナカタさんはまじめで礼儀正しく、いつもにこにこしているので、近所の奥さんたちのあいだではとても評判がよかった。身なりがいたってこぎれいであることも評判の良い理由のひとつだ。貧乏ではあったけれど、ナカタさんは入浴と洗濯が大好きだった上に、猫探しの依頼主から謝礼の現金のほかに、不要になったまだ真新しい衣服をもらいうけることも多かったからだ。ジャック・ニクラウスのマークがついたサーモン・ピンクのゴルフウェアがナカタさんに似合うとは言えないかもしれないが、もちろん本人はそんなことは気にもとめなかった。

ナカタさんはそのときの依頼主であるコイズミさんの奥さんに、玄関先で詳細に訥々《とつとつ》と状況報告をした。

「ゴマちゃんのことでありますが、ようやくひとつ情報が入りました。カワムラさんという方が、2丁目にあります塀に囲まれた広い空き地で、何日か前にゴマちゃんらしき三毛猫の姿を見かけたそうであります。ここからはふたつばかり大きな道路をはさんでおりますが、年齢もガラも首輪の様子も、ゴマちゃんと同じでありました。ナカタはひとつここの空き地をしっかりと見張ってみようと考えます。ナカタはお弁当をもってここに朝から夕方まで座っています。いいえ、そんなことは気になさらないでください。ナカタはがんらい暇でありますので、強い雨が降らないかぎり困りません。ただもし奥さんが『これ以上見張る必要はない』と思われたら、そうナカタに言ってください。その場合ナカタはすぐに見張りを中止いたします」

カワムラさんが人ではなく、茶色い縞猫《しまねこ》であることは伏せておいた。そんなことを持ち出すと話がややこしくなる。

コイズミさんの奥さんはナカタさんに感謝した。二人の小さな娘は、可愛《かわい》がっていた三毛猫が急にどこかにいなくなってしまってから、ひどく沈み込んでいた。ろくに食事もとらないくらいだ。「猫なんて、そんな風にふっといなくなってしまうものなのよ」と言ってすませてしまうことはできそうにない。かといって奥さんには、自分で歩き回って猫を探しているような暇はない。3000円ぽっきりで毎日こんなに一生懸命猫を探してくれる人が見つかったのは本当にありがたいことだった。風変わりな老人だし、奇妙なしゃべり方をするが、猫探しとしての評判は高いし、悪い人には見えない。実直というか、こう言ってはなんだけど、人を欺《あざむ》くほどの才覚もなさそうだった。彼女は封筒に入れたその日の謝礼を渡し、作ったばかりの炊《た》き込みご飯を、里芋の煮物と一緒にタッパーウェアに詰めてあげた。

ナカタさんは頭を下げてタッパーウェアを受け取り、ちらっと匂《にお》いをかいでからお礼を言った。「ありがとうございます。里芋はナカタの好物であります」

「お口にあえばいいんですけど」とコイズミさんは言った。

空き地を見張るようになって一週間が過ぎた。ナカタさんはそのあいだに多くの猫をそこで見かけた。茶色の縞猫のカワムラさんは毎日何度か空き地にやってきて、ナカタさんのそばに寄って、親しく話しかけた。ナカタさんも挨拶《あいさつ》を返した。天気の話をしたり、都の補助の話をしたりした。しかしカワムラさんの言っていることは、相変わらずナカタさんには皆目理解できなかった。

「ホドウにすくむカワラがこまる」とカワムラさんは言った。彼はどうやら何かをナカタさんに伝えたがっているようだった。しかしナカタさんには何のことだかさっぱり理解できない。意味がよくわからない、とナカタさんは正直に言った。

カワムラさんはちょっと困ったような顔をして、同じことを（たぶん）別の言葉で言い直した。「カワラがさけびのシバリだな」

でもそれは余計によくわからなかった。

ここにミミさんがいてくれるといいんだけどな、とナカタさんは思った。ミミならカワムラさんの頰をぴしゃっと叩《たた》いて、その話をもっとわかりやすくすることができるに違いない。そして内容を要領よく通訳して教えてくれるはずだ。頭のいい猫なのだ。でもミミはいなかった。彼女は野原には姿を見せないと決めていた。ほかの猫からノミを移されるのがよほど嫌なのだろう。

ナカタさんには理解できないことをひとしきり並べ立てると、カワムラさんはにこやかに去っていった。

ほかの猫たちも入れ替わり立ち替わり姿を見せた。最初のうち彼らはナカタさんのことを警戒し、遠くからいかにも迷惑そうな目で眺めていたが、彼がそこにじっと座ったきり何もしないことがわかると、気にかけないことに決めたようだった。ナカタさんはいつも愛想良く猫たちに話しかけた。挨拶をし、名前を名乗った。しかしほとんどの猫は彼を黙殺し、ひとことの返事もかえさなかった。見えないふりをし、聞こえないふりをした。ここにいる猫たちは、そういうふりをするのがとくにうまかった。きっとこれまでに人間からずいぶんひどい目にあわされてきたのだろう、とナカタさんは思う。いずれにせよナカタさんは、彼らの社交性のなさを責める気にはなれなかった。なんといっても自分は、猫の社会の中ではあくまでよそものなのだ。彼らに何かを要求できるような立場にはない。

しかし中に一匹だけ好奇心の強い猫がいて、ナカタさんに簡単な挨拶を返した。

「おめえ、しゃべれるんだ」と耳のちぎれた白黒のぶち猫は、ちょっと迷って、あたりをぐるっと見回してから言った。しゃべり方はぶっきらぼうだったが、性格はよさそうだった。

「はい。ほんの少しでありますが」とナカタさんは言った。

「少しでもたいしたもんだ」とぶちは言った。

「ナカタと言います」とナカタさんは名乗った。「失礼ですが、あなたのお名前は？」

「そんなものねえよ」とぶちは素っ気なく言った。

「オオカワさんでいかがでしょう。そう呼んでかまいませんでしょうか？」

「なんだって、好きに呼べばいいや」

「それでですね、オオカワさん」とナカタさんは言った。「こうしてお目にかかったしるしに、煮干しでもちょっと召し上がりませんか？」

「いいねえ。煮干しはなんといってもおいらの好物だ」

ナカタさんは鞄《かばん》の中から、サランラップにつつんだ煮干しをとりだし、オオカワさんにあげた。ナカタさんは鞄の中にいつも煮干しの包みをいくつか用意していた。オオカワさんはいかにもおいしそうにそれをぽりぽりと食べた。頭から尻尾《しっぽ》まで全部きれいに食べてしまった。それから顔まで洗った。

「すまねえな」とオオカワさんは言った。「恩に着るぜ。よかったら、どっかなめてやろうか？」

「いいえ、そう言っていただけるのは、ナカタとしても大変に嬉《うれ》しいですが、今のところはなめていただかなくてもけっこうです。ありがとうございます。えー、実を言いますとですね、オオカワさん、ナカタは今おうちの方に頼まれてこの猫さんを探しております。雌の三毛猫でありまして、名前はゴマちゃんと言います」

ナカタさんは鞄からゴマのカラー写真をとりだして、オオカワさんに見せた。

「この猫さんをこの空き地で見かけたという情報が、あるところからはいりました。それでナカタは何日もここに座って、ゴマちゃんが現れるのを待っております。オオカワさんはひょっとしてゴマちゃんをお見かけになりませんでしたでしょうか？」

オオカワさんはその写真をちらりと見て、それからいやに暗い顔をした。眉《まゆ》のあいだにしわを寄せ、何度か瞬《まばた》きをした。

「あのな、おめえにはこうして煮干しまでもらって、恩義は感じているんだ。嘘《うそ》じゃなくてさ。でもそれについてはしゃべれない。しゃべるとやばい」

ナカタさんはそれを聞いて面食らった。「しゃべるとやばい？」

「とてもあぶねえんだ、そいつは。剣呑《けんのん》なんだ。悪いことはいわねえ、その猫のことはすっと忘れちまった方がいい。それからあんた、できることならこの場所には近づかない方がいいぜ。それはおいらの心からの忠告だ。役に立てなくてすまねえけど、その忠告が煮干しのお礼がわりだと思ってくれ」

オオカワさんはそう言うと立ち上がり、まわりを眺め、そのまま草むらの中に姿を消した。

ナカタさんはため息をついて、鞄から魔法瓶を出し、温かいほうじ茶をゆっくりと時間をかけて飲んだ。あぶねえんだ、とオオカワさんは言った。しかしナカタさんにはこの場所に関連したあぶないものなんて、何も思いつけなかった。自分は迷子になった三毛猫を探しているだけなのだ。それのどこが危険なのだろう。カワムラさんの話していた、奇妙な帽子をかぶった〈猫とり男〉が危険なのだろうか？　しかしナカタさんは人間だ。猫ではない。人間が猫とりを怯《おび》えなくてはならない理由はない。でも世間にはナカタさんには想像もつかないものごとがたくさんあり、そこにはナカタさんには理解できない理由が山ほどある。だからナカタさんは考えるのをやめる。容量が不足した脳味噌《のうみそ》でどれだけ考えたところで、ただ頭が痛くなるだけだ。ナカタさんはほうじ茶を大事に飲み終え、魔法瓶に蓋《ふた》をしてまた鞄にしまった。

オオカワさんが草むらに消えたあと、長いあいだ一匹の猫も姿を見せなかった。蝶《ちょう》蝶《ちょう》だけが草の上を静かに飛んでいた。雀《すずめ》たちが群をなしてやってきて、あちこちに散り、そしてまたひとつに集まって去っていった。何度かうとうととまどろみ、そのたびにはっと目をさました。太陽の位置でおおよその時刻はわかった。

その犬がナカタさんの前に姿を現したのは夕方近くだった。

犬は草むらのあいだから唐突に姿を見せた。のっそりと音もなく、彼は現れた。巨大な黒い犬だった。ナカタさんの座っている位置から見上げると、犬というよりはむしろ子牛みたいに見える。脚は長く毛は短く、筋肉が鋼《はがね》となって盛り上がっている。耳が刃物の先端のように鋭く尖《とが》り、首輪はつけてない。ナカタさんは犬の種類をよく知らない。しかしそれが獰猛《どうもう》な——少なくとも必要に応じて獰猛になり得る——性格の犬であることは一目でわかった。軍用犬として使われているような犬だ。目つきは鋭く無表情で、口のわきの肉がめくれて垂れ下がり、白い鋭利な牙《きば》がのぞいている。歯には赤い血のあとがあった。よく見ると、口のわきにぬるっとした肉片のようなものがこびりついている。真っ赤な舌が、歯のあいだから炎のようにちらちらと見える。犬はふたつの目でまっすぐにナカタさんの顔を凝視していた。長い時間、犬は何も言わず身動きひとつしなかった。ナカタさんも同じように黙っていた。ナカタさんは犬と話をすることはできない。彼が会話できる動物は猫だけだ。犬の目は沼の水でこしらえたガラス玉のように冷たく、淀《よど》んでいた。

ナカタさんは静かに小さく息をした。ナカタさんが何かを怖がるということはまずない。自分が今危険にさらされているのだということは、もちろん理解できる。そこにいるのが(何故かは知らないが)敵対的で攻撃的な意思を持った生き物であることもおおよそわかる。しかしそのような危険は、ナカタさん自身の身に直接降りかかったこととして捉《とら》えられるわけではない。死はもともとナカタさんの想像の枠外《わくがい》にあるものだ。そして痛みはナカタさんにとって、実際にそれがやってくるまでは認識の外にあるものだ。彼には架空の痛みというものを想像することができない。そんなわけで、ナカタさんはその犬を目の前にしてもとくに怯えはしなかった。ただ少し困っただけだった。

立ち上がるんだ、とその犬は言った。

ナカタさんは息を呑《の》む。犬がしゃべっている。しかし正確にいえば犬はしゃべってはいなかった。口もとは動いていない。犬は口をきく以外の何らかの方法で、メッセージをナカタさんに伝えているだけだった。

立ち上がってついてこい、と犬は命令した。

ナカタさんは言われたとおり地面から立ち上がった。犬に向かってひととおりの挨拶をしようかとも考えたが、思い直してやめた。仮にこの犬と話ができたとしても、それが役に立つとは思えなかった。だいいちナカタさんはこの犬と話をしたいという気持ちにはなれなかった。相手に名前をつけようという気持ちにもなれなかった。どれだけ時間をかけたところで、たぶんこの犬と友だちになることはできないだろう。

この犬は知事さんと関係があるのかもしれないとナカタさんはふと思った。自分が猫探しをして謝礼をもらっていることがばれて、知事さんは補助を取り消すためにこの犬をよこしたのかもしれない。知事さんならこんな大きな軍用犬をもっていても不思議はない。だとしたらちょっと困ったことになる。

ナカタさんが立ち上がると、犬はゆっくりと歩き始めた。ナカタさんは鞄を肩から下げ、そのあとに従った。犬は尾が短く、その尾の付け根のあたりに大きな睾丸《こうがん》をふたつつけていた。

犬は空き地をまっすぐに横切り、板塀のあいだから外に出た。ナカタさんもそのあとから外に出た。犬は一度も後ろを振り返らなかった。振り向くまでもなく、足音でナカタさんがあとをついてくることがわかるのだろう。ナカタさんは犬の導くままに通りを歩いた。商店街が近くなり、道路を歩く人の数も増えてきた。ほとんどは買い物に出て来た近所の主婦だった。犬は顔をあげ、まっすぐに前方を見据えながら威圧的に歩を運んだ。前からやって来る人々はみんな、そのいかにも暴力的な巨大な黒い犬の姿を見て、あわてて道を避けた。自転車を降りて反対側の歩道に移る人もいた。

そんな犬の後ろを歩いていると、まるで人々がみんな自分を避けているみたいにナカタさんには思えた。ナカタさんがロープもつけずにこの巨大な犬を散歩させているとみんなは考えるかもしれない。実際に非難がましい目でナカタさんをにらみつける人も中にはいた。それはナカタさんにとっては悲しいことだった。ナカタは好きでこうしているのではないのです、と彼はそこにいる人々に説明したかった。ナカタはこの犬さんに連れられて歩いているだけなのです。ナカタは強いものではありません。ナカタは実は弱いものなのです。

犬はナカタさんを従えて長い道のりを歩いた。いくつかの交差点を渡り、商店街を抜けた。交差点では犬はすべての信号を無視した。それほど広い通りではなく、車もスピードは出していなかったから、赤信号で通りを横断してもとくに危険はなかった。犬を見かけると、運転している人はみんなあわててブレーキを踏んだ。犬は歯をむき出し、運転者をぐっとにらみつけ、赤信号の歩道を挑戦的なまでにゆっくりと渡った。ナカタさんもしかたなくそのあとをついていった。犬は信号が何を意味するのかをちゃんと承知していた。ただそれを無視しているだけだった。ナカタさんにはそれがわかった。犬はすべてを自分が決定することに馴《な》れているようだった。

どこを歩いているのか、ナカタさんにはわからなくなった。途中までは見慣れた中野区の住宅地だったのだが、ある角を曲がったところから突然見覚えがなくなってしまった。ナカタさんは不安になった。このまま迷子になって、帰り道がわからなくなってしまったらどうしよう。ここはもう中野区ではないかもしれない。ナカタさんはあたりを見まわし、見覚えのあるしるしを見つけようとした。しかしそんなものはどこにも見あたらなかった。そこはナカタさんの見たこともない町だった。

犬は委細かまわず、同じ歩調で、同じ動作で歩き続けた。顔を上げ、耳を立て、睾丸を振り子のようにかすかに揺らせ、ナカタさんが無理なく歩いてついてこられる程度のスピードで。

「あの、ここはまだ中野区なのでしょうか？」とナカタさんは質問してみた。

犬は答えなかった。振り返りもしなかった。

「あなたは知事さんと関係があるのですか？」

やはり答えはない。

「ナカタはただ猫さんの行方を探しているだけのものです。探しているのは小さな三毛猫であります。名前はゴマと申します」

無言。

ナカタさんはあきらめた。この犬には何を言っても無駄なのだ。

静かな住宅地の一角だった。大きな家が並び、人通りもない。犬はその中の一軒に入っていった。昔風の石塀があり、最近では珍しい立派な両開きの門がある。門扉《もんぴ》は片側が開け放しになっていた。車寄せには大きな車が停まっている。犬と同じように真っ黒で、ぴかぴかでしみひとつない。玄関のドアもやはり開け放しになっていた。犬は迷いも立ち止まりもせず、そのまま屋内に入っていった。ナカタさんは古い運動靴を脱ぎ、それを逆向きに土間に揃《そろ》え、登山帽を脱いで鞄に入れ、ズボンについた草をよく払ってから板の間にあがった。犬は立ち止まってナカタさんの用意がととのうのを待っていたが、それからよく磨き込まれた板張りの廊下を歩いて、奥の方にある応接室だか書斎のようなところにナカタさんを導いた。

部屋の中は暗かった。日は暮れかけていたし、庭に面した窓の厚いカーテンは引かれていた。明かりもついていない。部屋の奥の方に大ぶりな机があり、隣に誰かが座っているようだった。しかし暗さに馴れない目には、何がどうなっているのかよくわからない。人のかたちをした黒いシルエットが、切り絵のようにぼんやりと暗闇《くらやみ》に浮かんでいるだけだ。ナカタさんが中に入っていくと、そのシルエットはゆっくりと角度を変えた。そこにいる誰かは回転椅子《いす》をまわしてこちらを向いたようだった。犬は立ち止まり、床に腰をおろし、目を閉じた。これで自分の役目は終わったとでもいうように。

「こんにちは」とナカタさんはその暗い輪郭に向かって声をかけた。

相手は無言だった。

「ナカタと申します。お邪魔いたします。あやしいものではありません」

答えはない。

「ナカタはこの犬さんについてこいと言われまして、ここまでついて参りました。それで、お宅に勝手に上がり込むようなかっこうになりました。申し訳ありません。もしよろしければこのまま帰らせていただきたいのですが……」

「そのソファに座りなさい」と男は言った。静かだけれど張りのある声だった。

「はい、座ります」とナカタさんは言った。そしてそこにある一人がけのソファに腰を下ろした。すぐ隣には黒い犬が彫像のように、身動きひとつせずじっと座っていた。

「知事さんでいらっしゃいますか?」

「そのようなものだ」と相手は暗闇の中から言った。「そう思った方がわかりやすければ、そう思えばいい。変わりはない」

男はうしろを振り向いて手をのばし、鎖を引いてフロアライトをつけた。昔風の黄色い薄暗い光だったが、部屋全体を見渡すにはじゅうぶんだった。

そこにいるのは黒いシルクハットをかぶった、長身の男だった。革張りの回転椅子に座り、身体《からだ》の前で脚を組んでいる。裾《すそ》の長い真っ赤な細身の上着を着て、その下に黒いヴェストを着て、黒い長靴をはいていた。ズボンは雪のように真っ白で、ひどくぴったりとしていた。まるで股引《ももひき》みたいに見える。彼は片手をあげて、帽子のつばのところにやっていた。あたかもご婦人に挨拶をするときのように。左手には丸い金の飾りのついた黒いステッキが握られている。帽子のかたちから言って、どうやらそれがカワムラさんが話していた〈猫とり男〉であるようだった。

顔だちには服装ほどの特色はなかった。若くはないが、それほど年をとっているというのでもない。ハンサムというのでもないが、醜くもない。眉がくっきりと太く、頬に健康そうな赤みがさしていた。顔は妙につるつるしていて、髭《ひげ》ははえていない。目は細められ、唇には冷笑のようなものが浮かんでいる。覚えにくい顔だった。顔だちよりは、どうしてもその特徴的な服装の方に目がいってしまう。別の服を着て現れたら、あるいは見分けがつかないかもしれない。

「私の名前はわかるだろうね？」

「いいえ、わかりません」とナカタさんは言った。

男は少しがっかりしたようだった。

「わからない？」

「はい。申し遅れましたが、ナカタはあまり頭がよくないのです」

「この姿に見覚えもないんだね？」と男は言って椅子から立ち上がり、横向きになり、脚を曲げて歩くかっこうをした。「これでも？」

「はい。すみません。やはり見覚えはありません」

「そうか、君はひょっとしてウィスキーを飲まないんだ」と男は言った。

「はい。ナカタはお酒を飲みません。煙草《たばこ》も吸いません。ナカタは都のホジョをいただくほど貧乏なものですから、そんなことはできないのです」

男はまた椅子に腰をおろし、脚を組んだ。机の上からグラスをとり、そこに入ったウィスキーを一口飲んだ。からんという氷の音がした。

「私の方は自由にやらせてもらうよ。いいかな」

「はい。ナカタはまったくかまいません。ご自由にお飲みください」

「ありがとう」と男は言った。それからあらためてナカタさんの姿をじっと眺めた。

「で、君は私の名前を知らない」

「はい。申し訳ありませんが、お名前を存じ上げません」

男は少しだけ唇をゆがめた。短い時間だったが、口もとの冷笑が水面の波紋のように歪《ゆが》み、消え、また浮かんだ。

「ウィスキーを嗜《たしな》む人なら一目見てわかるんだが、まあよろしい。私の名前はジョニー・ウォーカーだ。ジョニー・ウォーカー。世間のだいたいの人は私のことを知っている。自慢するんじゃないが全地球的に有名なんだ。イコン的な有名さと言ってもいい。とはいえ、私は本物のジョニー・ウォーカーではない。英国の酒造会社とは何の関係もない。とりあえずラベルにあるその格好と名前を無断で拝借して使っているだけだ。格好と名前というのはなんといっても必要だからね」

沈黙が部屋の中に降りた。相手が何を話しているのか、ナカタさんにはまったく理解できなかった。男の名前がジョニー・ウォーカーだということがわかっただけだ。

「ジョニー・ウォーカーさんは外国の方なのですか？」

ジョニー・ウォーカーは小首を傾《かし》げた。「そうだな、そう思った方がわかりやすければ、そう思ってもいい。どちらでもいいんだ。そしてどちらでもある」

ナカタさんにはやはり相手の言っていることが理解できなかった。これでは猫のカワムラさんと話しているのと変わりがない。

「外国人でもあり、また外国人でもない。ということなのでありましょうか？」

「そういうことだ」

ナカタさんはその問題についてはそれ以上追求しないことにした。「それで……ジョニー・ウォーカーさんは、この犬さんにナカタをここまで連れてこさせたということなのですか？」

「そのとおり」とジョニー・ウォーカーは簡潔に言った。

「つまり……ジョニー・ウォーカーさんは、ナカタに何かご用があるということなのでしょうか？」

「というか、むしろ君が私に用事があるんじゃないのかな」とジョニー・ウォーカーは言った。また一口オンザロックをすすった。「私の理解するかぎりでは、君は何日もずっとあの空き地で、私が現れるのを待っていたようだが」

「はい。そのとおりであります。すっかり忘れておりました。ナカタは頭が悪いので、なんでもすぐに忘れてしまうのです。たしかにおっしゃるとおりであります。ナカタはジョニー・ウォーカーさんに、猫さんのことをうかがおうと思って空き地で待っておりました」

ジョニー・ウォーカーは手に持っていた黒いステッキで、長靴の脇《わき》をぴしゃりと叩《たた》いた。軽く叩いただけなのだが、乾いた音が部屋の中に大きく響いた。犬が少しだけ耳を動かした。

「日は暮れていくし、潮も満ちてくる。話を少しばかり先に進めようじゃないか」とジョニー・ウォーカーは言った。「君が私に尋ねたいのはつまり、三毛猫のゴマのことなのだろう」

「はい。そのとおりであります。ナカタはコイズミさんの奥さんに頼まれまして、この10日ばかり三毛猫のゴマの行方をさがしております。ジョニー・ウォーカーさんはゴマのことをご存じでありましょうか？」

「その猫ならよく知っている」

「どこにいるかもご存じでありましょうか？」

「どこにいるかも知っている」

ナカタさんは口を軽く開けたまま、ジョニー・ウォーカーの顔を見た。彼のシルクハットにちょっとだけ視線を移し、それからまた顔を見た。ジョニー・ウォーカーの薄い唇は確信をもって閉じられていた。

「その場所は、この近くでありますか？」

ジョニー・ウォーカーは何度かうなずく。「ああ、すぐ近くだよ」

ナカタさんは部屋の中を見回した。しかしそこには猫の姿は見えなかった。書き物机があり、男の座っている回転椅子があり、ナカタさんの座っているソファがあり、あとふたつの椅子があり、フロアスタンドがあり、コーヒーテーブルがあるだけだ。

「それで」とナカタさんは言う、「そのゴマちゃんを、私が連れてかえることはできましょうか？」

「それは君次第だ」

「ナカタ次第でありますか？」

「そう。まさにナカタ次第だ」とジョニー・ウォーカーは言って、片方の眉を少しだけ釣り上げた。「君の決心ひとつで君はゴマを連れて帰ることができる。コイズミさんの奥さんも娘さんも大喜びする。あるいはまったく連れて帰れない。そうなるとみんなはがっかりする。みんなをがっかりさせたくはないだろう？」

「はい。ナカタはみなさんをがっかりさせたくはありません」

「私も同じだ。私だってみんなをがっかりさせたくはない。当然のことだ」

「それで、ナカタは何をすればいいのでありましょうか？」

ジョニー・ウォーカーはステッキを手の中でぐるぐるとまわした。「私は君にある、ことを求めているんだ」

「それはナカタにできますことでありましょうか？」

「私はできないことを人には求めない。だってできないことを求めても、時間の無駄というものだからね。そう思わないかい？」

ナカタさんは少し考えた。「たぶんそうであるとナカタも思います」

「だとしたら、私がナカタさんに求めていることは、ナカタさんにできることだということになるね」

ナカタさんはまた考える。「はい。たぶんそうなります」

「まず一般論――あらゆる仮説には反証というものが必要とされる」

「はあ？」とナカタさんは言った。

「仮説に対する反証のないところに、科学の発展はない」、ジョニー・ウォーカーはステッキで長靴をぴしゃりと叩いた。とても挑戦的な叩き方だった。犬がまた耳を動かした。「断じてない」

ナカタさんは口を閉ざしていた。

「実を言うと、私は長いあいだ君のような人を捜していたんだ」とジョニー・ウォーカーは言った。「しかしなかなか見つからなかった。でも先日たまたま君が猫と会話しているところを見かけた。そして思った。そうだ、これこそ私が探し求めていた人物だってね。それで君にわざわざご足労願《そくろう》うことになったんだ。こんな風に呼びつけて申し訳ないとは思っているんだが」

「いいえ、ナカタは元来暇でありますから」とナカタさんは言った。

「それで、私は君についてのいくつかの仮説を立てた」とジョニー・ウォーカーは言った。「もちろんそれに対する反証もいくつか用意した。ゲームのようなものだ。一人でおこなう頭脳のゲームだ。しかしどのようなゲームにも勝敗が必要とされる。この場合でいえば、仮説の当否が確かめられなくてはならない。と言ったところで、何のことだか君には理解できまいね」

ナカタさんは黙って首を横に振った。

ジョニー・ウォーカーはステッキで二度長靴を叩いた。それを合図に犬が身を起こした。

第15章

大島さんはロードスターに乗りこみ、ライトをつける。アクセルを踏みこむと、小石がはねあがって車体の底を打つ。車はうしろに下がり、鼻先をやってきた道のほうに向ける。彼は手をあげて僕にあいさつをする。僕も手をあげる。テールランプが暗《くら》闇《やみ》に呑《の》みこまれ、エンジンの音がしだいに遠ざかり、やがて完全に消え、森の静けさがそのあとを満たす。

僕は小屋の中に入り、ドアの内側からボルトをかける。ひとりきりになると、まるでそれを待ちかまえていたみたいに、沈黙がぴたりと僕を取りかこむ。夜の空気は初夏とは思えないほど冷えこんでいたけれど、ストーブに火をつけるには時間が遅すぎる。今夜はもう寝袋に潜りこんで寝てしまうしかない。頭は睡眠不足でぼんやりとしていたし、長く車に乗っていたおかげであちこちの筋肉が痛んだ。ねじをまわしてランプの火を細くする。部屋がほの暗くなり、部屋の隅を支配している陰が濃くなる。

着がえるのも面倒なので、ブルージーンズとヨットパーカというかっこうのまま寝袋に入る。

目を閉じてそのまま眠ってしまおうとするのだけど、うまく眠れない。身体《からだ》は強く眠りを求めているのに、意識は冷たく覚めている。ときどき夜の鳥が鋭く鳴いて静けさを破る。ほかにも正体のわからないさまざまな音が聞こえる。なにかが落ち葉を踏む音。なにかの重みで枝がすれる音。なにかが息を大きく吸いこむ音。それらはみんな小屋のすぐ近くから聞こえる。ときおりポーチの床がみしりと不吉に軋《きし》む。まわりを見知らぬものたちの——暗闇に生きるものたちの——軍団に包囲されているみたいに僕は感じる。

誰かに見られているという感覚がある。僕はその視線をひりひりと肌に感じる。心臓が乾いた音をたてる。僕は目を細く開き、寝袋の中に潜りこんだまま、淡いランプの光に照らされた部屋の中を見まわし、そこに誰もいないことを何度もたしかめる。入り口のドアには太いボルトがかかり、窓の厚いカーテンはぴたりと閉められている。大丈夫、この小屋の中にいるのは僕ひとりで、誰も中をのぞきこんだりはしていない。

それでも「誰かに見られている」という感覚は消えない。ときどきひどく息苦しくなり、喉《のど》が渇く。水が飲みたい。しかし今ここで水を飲んだりしたらきっと小便がしたくなるだろうし、こんな夜に外に出て用を足したくはない。朝まではなんとか我慢しよう。僕は寝袋の中で身を折り曲げたまま、小さく首を振る。

「やれやれなんのことはない、君は沈黙と暗闇におびえて縮みあがっている。それじゃまるで臆病《おくびょう》な小さな子どもじゃないか。それが君のほんとうの姿なのかい？」とカラスと呼ばれる少年があきれたように言う。「君はずっと自分のことをタフだと思ってきた。でもほんとうはそうじゃないみたいだな。今の君は泣きだしたくてしょうがないみたいだ。まったくもう、このぶんじゃ朝までに小便をちびってしまうかもしれないぜ」

僕は彼のあざけりの言葉をやりすごす。しっかりと目を閉じ、鼻の下のところまで寝袋のジッパーをあげ、すべての考えを頭の外に追いやる。フクロウが夜の言葉を宙に浮かべ、遠くのほうでなにかが地面に落ちるようなどすんという音が聞こえても、部屋の中でなにものかが動く気配があっても、目を開けない。僕は今ためされている、のだ、と僕は考える。大島さんも同じくらいの歳《とし》のときにここに何日もひとりで泊まった。彼も今の僕が感じているのと同じような怯《おび》えをきっと体験したはずだ。だから大島さんは僕に向かって「孤独にもいろんな種類の孤独がある」と言ったのだ。僕が真夜中にここでどんな思いを味わうことになるのか、大島さんにはおそらくわかっていた。それは彼自身がここでかつて味わった思いでもあるのだから。そう考えると身体から少しだけ力が抜ける。時間を超えて、そこにある過去の影を指でなぞることができる。その影に自分をかさねることができる。僕は深く息をつく。そしていつとはなく眠りにつく。

朝の6時過ぎに目を覚ます。鳥たちの声があたりにシャワーのように勢いよく降り注いでいる。鳥たちは枝から枝へとまめまめしく飛び移り、よくとおる声で互いを呼びあっている。彼らのメッセージには夜の鳥たちの、あの含みのある重い響きはない。

僕は寝袋から出て窓のカーテンを開け、小屋のまわりに昨夜の暗闇がひとかけらも残っていないことをたしかめる。すべてが新しく生みだされたばかりの黄金色に輝いている。マッチを擦ってガスの火をつけ、ミネラル・ウォーターを沸かし、ティーバッグのカモミール茶を飲む。食料品を入れた紙袋の中からクラッカーを出して、チーズと一緒に何枚か食べる。そのあとで流し台に向かって歯を磨き、顔を洗う。朝の光が、高ヨットパーカの上にウィンドブレーカーを着てキャビンの外に出る。

い樹木のあいだからポーチの前の空き地に差しこんでいる。いたるところに光の柱ができて、朝もやが生まれたばかりの魂のようにその中を漂っている。息を吸いこむと、混じりけのない空気が肺を驚かせる。僕はポーチのステップに腰をおろし、樹木のあいだを飛び交う鳥たちを眺め、その声に耳を澄ませる。鳥たちの多くはつがいで行動している。彼らはパートナーの居場所をしょっちゅう目でたしかめ、声をかけあっている。

流れはキャビンから近い林の中にある。場所は音ですぐに探しあてられる。まわりを石でかこんだたまりのようなものがあり、流れてきた水はそこで立ちどまって複雑に渦を巻き、それから再び勢いを取り戻して下に流れていく。澄んだ美しい水だ。すくって飲んでみると甘く冷たい。僕は水の中にしばらく両手を浸す。

フライパンを使ってハムエッグをつくり、網でトーストを焼いて食べる。手鍋で牛乳をわかして飲む。そのあと入り口のポーチに椅子《いす》を持ちだして座り、手すりに両脚を載せ、朝のあいだゆっくり本を読むことにする。大島さんの本棚には数百という数の本が詰まっている。フィクションはほんのわずかしか見あたらないし、それもよく知られた古典作品にかぎられている。大部分は哲学、社会学、歴史、心理学、地理、自然科学、経済——そういった種類の本だ。大島さんは学校教育をほとんど受けなかったから、おそらく必要な一般知識を読書によって独力で学習しようと心にきめ、ここで実行したのだろう。それらの本がカバーする領域はじつに広範囲で、見かたによってはとりとめがなかった。

僕はそこからアドルフ・アイヒマンの裁判について書かれた本を選ぶ。アイヒマンという名前はナチの戦犯としてぼんやりと記憶していたが、とくに興味があったわけじゃない。たまたまその本が目をひいたから手にとっただけだ。僕はそこでその金属縁の眼鏡をかけた髪の薄い親衛隊中佐が、どれくらいすぐれた実務家であったかという事実を知ることになる。彼は戦争が始まって間もなく、ナチの幹部たちからユダヤ人の最終処理——要するに大量殺戮《さつりく》——という課題を与えられ、それをどのようにおこなえばいいかを具体的に検討する。そしてプランをつくる。そのおこないが正しいか正しくないかという疑問は、彼の意識にはほとんど浮かばない。彼の頭にあるのは、短期間にどれだけローコストでユダヤ人を処理できるかということだけだ。彼の計算によれば、ヨーロッパ地域で処理するユダヤ人の数は全部で１１００万人ということになった。

何両連結の貨車を用意し、ひとつの貨車に何人のユダヤ人を詰めこめばいいか。そのうちの何パーセントが輸送中に自然に命を落とすことになるか。どうすればもっとも少ない人数でその作業をこなすことができるか。死体はどうすればいちばん安あがりに始末できるか――焼くか、埋めるか、溶かすか。彼は机に向かってせっせと計算する。計画は実行に移され、ほぼ計算通りの効果を発揮する。戦争が終わるまでにおおよそ600万（目標の半分を超えたあたり）のユダヤ人が彼のプランに沿ったかたちで処理される。しかし彼が罪悪感を感じることはない。エルサレムの法廷の防弾ガラス張りの被告席にあって、自分がどうしてこんな大がかりな裁判にかけられ、世界の注目を浴びることになったのか、アイヒマンは首をひねっているように見える。自分はひとりの技術者として、与えられた課題にたいしてもっとも適切な解答を提出しただけなのだ。世界中のすべての良心的な官僚がやっているのとまったく同じことじゃないか。どうして自分だけがこのように責められなくちゃならないのか。

静かな朝の森の中で鳥たちの声を聞きながら、僕はその「実務家」の物語を読む。本の後ろの見開きに、大島さんが鉛筆でメモを残している。僕はそれが大島さんの筆跡であることを知っている。特徴的な字なのだ。

「すべては想像力の問題なのだ。僕らの責任は想像力の中から始まる。イェーツが書いている。In dreams begin the responsibilities――まさにそのとおり。逆に言えば、想像力のないところに責任は生じないのかもしれない。このアイヒマンの例に見られるように」

大島さんがこの椅子に座って、尖《とが》った鉛筆を手に、本の見返しにメモを書き残す光景を僕は想像する。夢の中から責任は始まる。その言葉は僕の胸に響く。僕は本を閉じ、膝《ひざ》の上に置く。そして自分の責任について考える。考えないわけにはいかない。僕の白いシャツには新しい血がついていたのだ。僕はこの手でその血を洗い流した。洗面台が真っ赤になるくらいの血だった。その流された血に対して、僕はたぶん責任を負うことになるだろう。自分が裁判にかけられているところを想像する。人々が僕を非難し、責任を追及している。みんなが僕の顔をにらみ、指をつきつける。記憶にないことには責任を持てないんだ、と僕は主張する。そこでほんとうになにが起こったのか、それさえ僕は知らないんだ。でも彼らは言う、「誰がその夢の本来の持ち主であれ、その夢を君は共有したのだ。だからその夢の中でおこなわれたことに対して君は責任を負わなくてはならない。結局のところその夢は、君の魂の暗い通路を通って忍びこんできたものなのだから」

ヒットラーの巨大に歪《ゆが》んだ夢の中に否応《いやおう》もなく巻きこまれていった、アドルフ・アイヒマン中佐と同じように。

本を置いて椅子から立ちあがり、ポーチに立って背筋をまっすぐ伸ばす。ずいぶん長いあいだ本を読んでいた。身体を動かす必要がある。僕は2個のポリタンクを持って流れの水を汲《く》みに行く。それを小屋まで運んで水桶《おけ》に移す。その作業を5度繰りかえすと、水桶の中はだいたいいっぱいになる。裏手にある納屋《なや》から薪《まき》をひとかかえ持ってきて、ストーブのわきに積みあげる。

ポーチの隅には色のあせたナイロンの洗濯ロープが張ってある。僕はリュックから生乾きの洗濯物を出し、広げてしわをのばしてそこに干す。リュックの中から荷物を全部とりだしてベッドの上に並べ、新しい光にあてる。それから机に向かって数日ぶんの日誌をつける。細字のサインペンを使って、僕の身に起こったことを、小さな字でひとつひとつノートに書き記す。記憶がはっきりしているうちに、少しでも詳しく書き留めておかなくちゃいけない。記憶がいつまで正しいかたちでそこに留まっているものか、それは誰にもわかりはしないんだから。

僕は記憶をたどる。意識をうしなって、気がついたときには神社の裏手の林の中に横たわっていたこと。あたりはまっ暗で、シャツにはたくさんの血がついていたこと。

電話をかけてさくらのアパートに行って、そこに泊まらせてもらったこと。そこで彼女に話したこと、そこで僕に彼女がしてくれたこと。

彼女はおかしそうに笑う。「でも、よくわからないな。そんなの黙って勝手に想像していればいいじゃない。いちいち私の許可をもらわなくたって、君がなにを想像しているかなんて、私にはどうせわかりっこないんだから」

いや、そうじゃない。僕がなにを想像するかは、この世界にあっておそらくとても大事なことなんだ。

昼すぎに森の中に入ってみる。大島さんが言ったように、森の奥まで入りこむのはとても危険だ。「小屋の姿をいつも視野に収めておくように」と彼は忠告してくれた。しかしたぶんこれから何日か僕はここでひとりで生活することになる。巨大な壁のようにまわりを取りかこんでいるこの森について、まったくなにも知らないでいるよりは、いくらかでも知識を持っていたほうが安心できるはずだ。僕はまったくの手ぶらで、太陽の光の満ちた空き地をあとにし、薄暗い樹木の海の中に足を踏み入れる。

そこには簡単な道がついている。ほとんどは自然の地形を利用した踏み分け道だけど、ところどころ整地され、平らな岩が踏み石のように敷かれている。崩れやすそうないようになところには太い材木がうまくはめこまれ、下草が繁《しげ》っても道がわからなくならないように工夫されている。大島さんのお兄さんが、ここに来るたびに少しずつ時間をかけて整備したのかもしれない。僕はその道に沿って前に進む。坂を上り、少し下る。大きな岩をまわりこみ、また上る。だいたいが上りの道だが、たいした勾配《こうばい》じゃない。道の両側には樹木が高くそびえている。くすんだ色あいの幹、思い思いの方向に張りだした大枝、頭上をふさぐ密生した葉。地面では、ほのかな光をせいいっぱい吸収するように下草や羊歯《しだ》が繁っている。太陽のまったくあたらないところでは、苔《こけ》が岩の肌を無言のうちに覆《おお》っている。

小径《こみち》は、まるでいきおいよく語りはじめられたことばがだんだん細くなり、もつれていくように、進むにつれてしだいに狭くなり、下草に支配権をゆずっていく。整地されたあともなくなり、ほんものの道なのか、それともただ道のように見えるものなのか、それを見定めるのがむずかしくなる。そしてやがては緑の羊歯の海にすっぽりと呑みこまれる。あるいはその先にも道はまたつづいているのかもしれない。でもそれをたしかめるのは次の機会にしたほうがよさそうだ。もっと先に進むには、そのための準備と服装が必要だ。

僕は立ちどまり、うしろを振りかえる。そこにあるのは見おぼえのない風景だ。僕を励ましてくれるようなものはひとつとして見あたらない。樹木の幹がかさなりあって視野を不吉にさえぎっている。あたりはうす暗く、空気は深い緑色によどんでいる。鳥たちの声も耳にとどかない。冷ややかなすきま風が吹きこんだときのように肌がさっと粟《あわ》だつ。心配することはない――僕は自分にそう言いきかせる。道はそこにあるんだ。そこには僕がやってきた道がちゃんとある。それを見うしなわなければ、もとの光の中に戻ることができる。僕は足もとの小径をたしかめ、一歩一歩、注意深くそれをたどり、来たときよりも長い時間をかけて小屋の前の空き地に戻る。空き地には明るい初夏の光が満ち、鳥たちは澄んだ声をあたりに響かせながら餌《えさ》をさがしている。そこにあるものごとは、僕がそこを離れたときとなにひとつ変わっていない。おそらく変わっていないはずだ。ポーチには僕がさっきまで座っていた椅子がある。その前には僕がさっきまで読んでいた本が伏せられている。

しかし森の中が危険にみちていることを僕は実感する。そのことを忘れないようにしなくては、と自分にいいきかせる。カラスと呼ばれる少年が言ったように、この世界には僕の知らないことがいっぱいあるのだ。たとえば植物がそれほど不気味なものになれるのだという事実を、僕は知らなかった。僕がそれまで目にしたり手を触れたりしてきた植物といえば、よく飼いならされ小ぎれいに手入れをされた、都会の中の植物だけだった。しかしここにあるのは——いや、ここに生きているのは——それとはまったくべつのものだ。彼らはフィジカルな力をもち、人々に向かって吐きかける息をもち、獲物《えもの》をねらうような鋭い視線をもっている。そこには太古の暗い魔術を思わせるものがある。森の中は樹木が支配する場所なのだ——深い海の底を深海の生きものたちが支配しているのと同じように。必要があれば森は僕をあっさりとはねつけ、あるいは呑みこんでいくかもしれない。僕はたぶんそれらの樹木に対して、ふさわしい敬意やおそれのようなものをもたなくてはならないのだろう。

小屋に戻り、リュックから登山用のコンパスを取りだす。蓋《ふた》をあけて、その針が北を指していることをたしかめる。僕はその小さなコンパスをポケットに入れる。いざというときなにかの役にたつかもしれない。それからポーチに座って森を眺め、ウォークマンで音楽を聴く。クリームを聴き、デューク・エリントンを聴く。そういった古い時代の音楽を、僕は図書館のCDライブラリから録音した。僕は『クロスロード』を何度も繰りかえして聴く。音楽は僕のたかぶった気持ちをいくらか落ち着かせてくれる。でもそんなに長く聴いていることはできない。ここには電気がないから、電池を充電することはできない。予備の電池がなくなったらそれでおしまいだ。

夕食の前に僕は運動をする。腕立て伏せ、シットアップ、スクワット、逆立ち、何種類かのストレッチ――機械や設備のない狭い場所で、身体機能を維持するためにつくられたワークアウト・メニューだ。シンプルなものだし、退屈ではあるけれど、運動量に不足はないし、きちんとやればたしかな効果がある。僕はジムのインストラクターからそれを教わった。「これは世界でいちばん孤独な運動なんだ」と彼は説明してくれた。「これをもっとも熱心にやるのは、独房に入れられた囚人だ」。僕は意識を集中してそれを何セットかこなす。汗でシャツがぐっしょりと濡《ぬ》れるまで。

簡単な夕食のあとポーチに出ると、頭上には無数の星が光っている。空に鏤《ちりば》められているというよりは、手当たり次第ばらまかれたというほうが近い。プラネタリウムにだってこれほどたくさんの星はなかった。いくつかの星はひどく大きく、生々しく見える。真剣に手をのばせば、そのまま届いてしまいそうだ。それはもちろん息を呑むほど美しい光景だ。

でも美しいというだけじゃない。そう、星たちは森の樹木と同じように生きて呼吸をしているんだ、と僕は思う。そして彼らは僕を見ている。僕がこれまでなにをしてきて、これからなにをしようとしているのか、彼らは知っている。隅から隅まで彼らの目が見逃すものはひとつとしてない。僕はその輝く夜空の下で、再び激しい恐怖に襲われる。息苦しくなり、心臓の動悸《どうき》が速まる。これほどすさまじい数の星に見おろされながら生きてきたというのに、僕は彼らの存在に今まで気づきもしなかった。星についてまともに考えたことなんて一度もなかった。いや、星だけじゃない。そのほかにどれくらいたくさん、僕の気づかないことや知らないことが世の中にあるのだろう？　そう思うと、自分が救いようもなく無力に感じられる。どこまで行っても僕はそんな無力さから逃げきることはできないのだ。

　僕は小屋の中に入り、ストーブに薪を入れ、注意深く積みあげる。引き出しの中にあった古い新聞紙を丸めてマッチで火をつけ、炎が薪に移るのをたしかめる。小学生のときに夏休みのキャンプに入れられて、そこでたき火の起こしかたを教わった。キャンプはずいぶんひどいものだったけど、少なくともなにかの役にはたったわけだ。煙突のダンパーを全開にし、外気を中に入れる。はじめのうちはうまくいかないが、ようやく一本の薪が炎をキャッチする。ひとつの薪からべつの薪へと炎が移っていく。僕はストーブの蓋を閉め、椅子をその前に置き、ランプを手近に持ってきて、その明かりで本のつづきを読む。炎がひとつに集まって大きくなると、その上に水を入れたやかんを置き、沸騰《ふっとう》させる。やかんの蓋がときおり心地よい音をたてる。

もちろんアイヒマンの計画がすべてすんなりと実現されたわけじゃない。現場の事情で計算通りにものごとが進まないこともある。そういう場合にはアイヒマンはいくぶん人間らしくなる。つまり腹を立てるわけだ。机の上で生みだされた彼の美しい計算値を乱す無礼きわまりない不確定要素を、彼は憎む。列車が遅れる。官僚的手続きのおかげでものごとがつっかえる。司令官が代わり、引き継ぎがうまくいかない。東部戦線が崩壊したあと、収容所の警備兵が前線に移動させられる。大雪が降る。停電がある。ガスが足りない。鉄道が爆撃される。アイヒマンはそこにある戦争を憎みさえする――彼の計画を邪魔する「不確定要素」として。

彼はそのような経緯を表情もかえず淡々と法廷で語る。記憶力はみごとなものだ。彼の人生はほとんど実際的な細部によって成り立っている。

時計が10時を指すと、僕は本を読むのをやめ、歯を磨き、顔を洗う。煙突のダンパーを閉め、寝ている間に火が自然に消えるようにする。薪のおき火が部屋をオレンジ色に照らしだす。部屋の中は温かく、その心地よさが緊張感と恐怖をやわらげてくれる。僕はTシャツとボクサーショーツだけで寝袋の中に潜りこみ、昨夜よりもずっと自然に目を閉じることができる。僕はさくらのことを少しだけ考える。

「私が君のほんとうのお姉さんだとよかったのにね」と彼女は言った。

でもそれ以上はさくらのことを考えないようにする。僕は眠らなくてはならない。ストーブの中で薪が崩れる。フクロウが鳴く。そして僕は見分けのつかない夢の中に引きずりこまれていく。

翌日もだいたい同じことの繰りかえしだ。朝の6時すぎににぎやかな鳥の声で目を覚ます。お湯を沸かしてお茶を飲み、朝ごはんをつくって食べる。ポーチで本を読み、ウォークマンで音楽を聴き、小川に水を汲みにいく。森の中の小径をまた歩く。今度はコンパスをもっていく。ところどころでそれに目をやり、小屋がどっちにあるかおおよその方向をつかむ。それから用具小屋でみつけた鉈《なた》を手にもち、樹木の幹に簡単な目じるしをつける。まぎらわしくのびた下草を払い、道をわかりやすくしておく。

森は昨日と同じように深くて暗い。そびえ立つ木々が、厚い壁となって僕のまわりをかこんでいる。暗い色あいのなにかが、まるでだまし絵の中の動物のように樹木のあいだに姿をひそめ、僕の行動を観察している。でも昨日感じた、あの肌が粟だつようなはげしい恐怖感はそこにはもうない。僕は自分のルールをつくり、それを注意深くまもっている。そうすれば道に迷わずにすむはずだ。たぶん。

昨日歩きやめたところまでやってきて、さらに先へと進む。道を覆いかくしていた羊歯の海に足を踏み入れる。しばらく進んだところで、踏み分け道のつづきを発見する。それからまた樹木の壁に取りかこまれる。僕は帰り道をすぐにみつけられるように、ところどころ樹木の幹に鉈で刻みめをつけておく。頭上の枝のどこかで、大きな鳥が侵入者をおどすように羽ばたきする。でもそのあたりを見あげても鳥の姿は見えない。口の中がからからに渇いて、ときどき唾《つば》を呑《の》みこまなくてはならない。呑みこむときにとても大きな音がする。

しばらく進んだところに、丸いかたちに開けた場所がある。背の高い樹木にかこまれて、それはまるで大きな井戸の底のようだ。開かれた枝のあいだから太陽の光がまっすぐ降って、スポットライトとなって足もとを明るく照らしだしている。それは僕にはなにかとくべつな場所のように感じられる。僕はその光の中に腰をおろし、太陽のささやかな温かみを受けとる。ポケットからチョコバーを出してかじり、口の中にひろがる甘みを楽しむ。太陽の光が人間にとってどれくらいたいせつなものなのかをあらためて僕は知る。その貴重な1秒1秒を全身で味わう。昨夜、あの無数の星によってもたらされた激しい孤独感と無力感はもう僕の中から消えている。しかし時間が過ぎると太陽が位置を変え、光もうしなわれてしまう。僕は立ちあがり、来た道をたどって小屋に戻る。

昼すぎに暗雲がとつぜん頭上を覆う。空気が神秘的な色に染められていく。間を置かずはげしい雨が降りだし、小屋の屋根や窓ガラスが痛々しい悲鳴をあげる。僕はすぐに服を脱いで裸になり、その雨降りの中に出ていく。石鹼《せっけん》で髪を洗い、身体を洗う。すばらしい気分だ。僕は大声で意味のないことを叫んでみる。大きな硬い雨粒が小石のように全身を打つ。そのきびきびした痛みは宗教的な儀式の一部のようだ。それは僕の頰を打ち、瞼《まぶた》を打ち、胸を打ち、腹を打ち、ペニスを打ち、睾丸《こうがん》を打ち、背中を打ち、足を打ち、尻《しり》を打つ。目を開けていることもできない。その痛みにはまちがいなく親密なものが含まれている。この世界にあって、自分がかぎりなく公平に扱われているように感じる。僕はそのことを嬉《うれ》しく思う。自分がとつぜん解放されたように感じる。僕は空に向かって両手を広げ、口を大きく開け、流れこんでくる水を飲む。

小屋に戻り、タオルで身体を拭《ふ》く。ベッドに腰掛け、自分のペニスを眺める。包皮がむけあがったばかりの、まだ明るい色をした健康なペニスを。亀頭《きとう》には雨に打たれた痛みがかすかに残っている。自分のものでありながら、ほとんどの場合自分の思いどおりにはならないその奇妙な肉体器官を、僕は長いあいだ見つめている。頭が考えているのとはちがうなにかを、それはひとりで考えているみたいにも見える。

大島さんは、僕と同じ年齢のときにここにひとりきりでいて、やはり同じように性欲の問題に苦しめられたのだろうか。たぶん苦しめられたはずだ。そういう年齢なのだ。でも彼がそれを自分で処理しているところを想像することができない。大島さんはそんなことをするには、あまりにも超然としている。

「僕は特殊な人間だ」と大島さんは言った。彼がそのときになにを伝えようとしていたのか、僕にはわからない。でもその場の思いつきで言ったんじゃないことはよくわかる。ただの意味ありげな仄《ほの》めかしじゃないこともわかる。

手をのばして、マスターベーションをすることを考える。でも思いなおしてやめる。雨に激しく打たれたあとのこの不思議に清らかな感覚を、しばらく残しておきたい。新しいボクサーショーツをはき、何度か深呼吸をし、それからスクワットにかかる。百回のスクワットが終わると、次は百回のシットアップだ。僕はひとつひとつの個別の筋肉に神経を集中する。運動をひととおり終えたとき、頭はずっとクリアになっている。外の雨もあがり、雲が割れて太陽が姿を見せ、鳥たちがまた鳴き始めている。

でもそんな平穏が長くはつづかないことを、君は知っている。それは飽きることのない獣のように君をどこまでも追いかけてくるだろう。深い森の中を彼らはやってくる。彼らはタフで、執拗《しつよう》で、無慈悲で、疲れやあきらめというものを知らない。もし今ここでマスターベーションを我慢できたとしても、それはやがて夢精というかたちをとってやってくるはずだ。君はその夢の中で、ほんものの姉や母を犯すことになるかもしれない。君にはそれを統御することはできない。それは君の力を超えたものごとなんだ。君はただ受け入れるしかない。

君は想像力を恐れる。そしてそれ以上に夢を恐れる。夢の中で開始されるはずの責任を恐れる。でも眠らないわけにはいかないし、眠れば夢はやってくる。目覚めているときの想像力はなんとか押しとどめられる。でも夢を押しとどめることはできない。

僕はベッドの上に横になって、ヘッドフォンでプリンスの音楽を聴く。その奇妙に切れ目のない音楽に意識を集中する。ひとつめの電池が『リトル・レッド・コーヴェット』の途中で切れる。音楽は流砂に呑みこまれるようにそのまま消えてしまう。ヘッドフォンをはずすと沈黙が聞こえる。沈黙は耳に聞こえるものなんだ。僕はそのことを知る。

第16章

黒い犬は立ち上がって、ナカタさんを台所に導いた。台所は書斎を出て、暗い廊下を少し歩いたところにあった。窓が少なく、暗い。きれいに片づけられているが、どことなく無機的で、学校の実験室みたいに見えた。犬は大きな冷蔵庫の扉の前で立ち止まり、振り返って冷ややかな目でナカタさんの顔を見た。

左側の扉を開けるんだ、と犬は低い声で言った。でも犬が本当にしゃべっているのでないことは、ナカタさんにもわかった。実際にはジョニー・ウォーカーがしゃべっているのだ。彼が犬を通してナカタさんに語りかけているのだ。犬の目を通してナカタさんの姿を見ているのだ。

ナカタさんは言われたとおり、冷蔵庫の左側のアヴォカド・グリーンの扉を開けた。ナカタさんの背丈より高い冷蔵庫だった。扉を開けると、かたんという乾いた音を立ててサーモスタットのスイッチが入り、モーターがうなりを上げ始めた。中から霧のような白い煙がこぼれ出てきた。左側は冷凍庫になっていて、ずいぶん低い温度に設定されているらしかった。

中には丸みのある果物のようなものがきれいに並べられていた。数は全部で20くらいはあっただろう。そのほかにはまったく何も入っていない。ナカタさんは腰をかがめ、目を凝らしてそれを見た。白い煙があらかた扉の外にこぼれてしまうと、並べられているものが果物ではないことがわかった。それは猫の頭だった。色や大きさの違ういくつもの猫の頭が切り取られ、果物屋にオレンジが陳列されるみたいに、冷凍庫の棚に3段にわたって並べられているのだ。どの猫も顔をまっすぐこちらに向けたまま凍りついていた。ナカタさんは息を呑《の》んだ。

よく見ろ、と犬は命令した。その中にゴマがいるかどうか、自分の目でたしかめるんだ。

ナカタさんは言われたとおり、猫の頭のひとつひとつを目で追ってみた。そうすることにとくに恐怖は感じなかった。ナカタさんの頭にあるのはまず、行方不明のゴマをみつけることだった。ナカタさんは慎重にすべての猫の頭を点検し、そこにゴマがいないことを確認した。間違いない。三毛猫はいない。頭だけになった猫たちは、みんな奇妙に空虚な顔つきをしていた。苦悶《くもん》の表情を浮かべているものは1匹もいない。

それはナカタさんにとってはせめてもの救いだった。中には目を閉じているものが少しいたが、ほとんどの猫たちは目を開いてぼんやりと空間の一点を見ていた。

「ゴマちゃんはここにはいないようであります」とナカタさんは抑揚のない声で犬に言った。そして咳《せき》払いをし、冷凍庫の扉を閉めた。

間違いないな?

「はい間違いはありません」

犬は立ち上がり、ナカタさんをまた書斎に連れて戻った。書斎ではジョニー・ウォーカーが革張りの回転椅子《いす》の上で、同じ姿勢のまま彼を待っていた。ナカタさんが部屋に入ってくると、彼は敬礼でもするみたいにシルクハットの鍔《つば》に手をやり、愛想良く微笑《ほほえ》んだ。それからぽんぽんと二度手を叩《たた》いた。犬は部屋から出ていった。

「あの猫たちの首は、みんな私が切ったんだ」とジョニー・ウォーカーは言った。そしてウイスキーのグラスを手にとってひとくち飲んだ。「コレクションしている」

「ジョニー・ウォーカーさん、やはりあなたがあの空き地で何匹も猫を捕まえて、殺している人なのですね」

「そう。そのとおり。私が有名な猫殺しのジョニー・ウォーカーだ」

「ナカタにはよくわかりませんので、ひとつ質問してよろしいでしょうか?」

「もちろん、もちろん」とジョニー・ウォーカーは言った。そしてウィスキーのグラスを宙にかかげた。「なんでも自由に質問してくれていい。すすんで質問に答えよう。しかし、時間を節約するためにちょっと失礼して話を先に進めれば、君がまず最初に知りたいのは、何故《なぜ》私が猫を殺さなくてはならないかということだろう。どうして猫の首をコレクションなんかしなくてはならないのか」

「はい。そのとおりであります。それがナカタの知りたいことであります」

ジョニー・ウォーカーはグラスを机の上に置き、ナカタさんの顔をまっすぐ見た。

「大事な秘密だから、普通の人にはこんなことをいちいち教えないのだが、まあ、ナカタさんだから今日はとくべつに教えてあげよう。だからむやみに人に話してはいけないよ——といっても、話したところで誰が信じるというものでもないだろうけどね」

ジョニー・ウォーカーはそう言ってくすくすと笑った。

「いいかい、私がこうして猫たちを殺すのは、ただの楽しみのためではない。楽しみだけのためにたくさんの猫を殺すほど、私は心を病んではいない。というか、私はそれほど暇人ではない。こうやって猫を集めて殺すのだってけっこう手間がかかるわけだからね。私が猫を殺すのは、その魂を集めるためだ。その集めた猫の魂を使ってとくべつな笛を作るんだ。そしてその笛を吹いて、もっと大きな魂を集める。そのもっと大きな魂を集めて、もっと大きい笛を作る。最後にはおそらく宇宙的に大きな笛ができあがるはずだ。しかしまず最初は猫だ。猫の魂を集めなくてはならない。それが出発点だ。かくかようにものごとにはすべからく順番というものがある。順番をきちんと正確に守るというのは、つまりは敬意の発露なんだ。魂を相手にするというのはそういうことだからね。パイナップルやメロンなんぞを扱うのとはわけが違う。そうだね？」

「はい」とナカタさんは返事をしたが、実のところさっぱりわけがわからなかった。笛？　それは縦笛なのだろうか、横笛なのだろうか。そしてどんな音がするのだろう。だいいち猫の魂というのはどのようなものなのだろう。それはナカタさんの理解力をはるかに超えた問題だった。彼にわかるのは、自分はなんとしてでも三毛猫のゴマをみつけ、コイズミさんのところに連れて帰らなくてはならないということだけだった。

「で、君はとにかく、ゴマを連れて戻りたい」とジョニー・ウォーカーはナカタさんの心を読んだように言った。

「はい。その通りです。ナカタはゴマちゃんをおうちに連れて帰りたいと思います」

「それが君の使命だ」とジョニー・ウォーカーは言った。「我々はみんな自分の使命に従って生きている。当然のことだ。それはそうと、君は猫の魂を集めて作った笛の音を聞いたことはないだろうね」

「はい。ありません」

「当然そうだろう。それは耳には聞こえないものなんだ」

「音の聞こえない笛なのですね？」

「そのとおり。もちろん私には聞こえるよ。私に聞こえなくちゃ話にもならないからね。でも普通の人の耳には届かない。その笛の音を聴いていても、聴いているとはわからない。かつて聴いたことがあっても、思い出すことはできない。不思議な笛なんだ。でもひょっとして、ナカタさんの耳になら聞こえるかもしれないね。ここに実際に笛があったら試せるんだが、今はあいにくないんだ」とジョニー・ウォーカーは言った。それから思い出したように、空中に指を一本立てた。「実を言うとだね、ナカタさん、私はちょうど今から、猫たちの首をまとめて切ろうと思っていたところなんだ。そろそろ刈り入れどきがきたなと思っていたのでね。あの空き地に集まる猫たちも、捕まえられるものは捕まえてしまったし、よそに移る潮時だ。君の探している三毛猫のゴマも、その刈り入れの中に含まれている。もちろん首を切ってしまったら、君はゴマをコイズミさんのところに持って帰ることはできなくなる。そうだね？」

「はい。そのとおりです」とナカタさんは言った。切り取られた猫の首をコイズミさんのところに持って帰ることはできない。二人の小さな女の子はそんなものを見たら、永遠にご飯が食べられなくなってしまうかもしれない。

「私としてはゴマの首を切りたい。君としては切ってほしくない。お互いの使命、お互いの利益がぶつかりあうことになる。世間にはよくあることだ。そこで取り引きになる。つまりね、ナカタさん、もし君があることをやってくれるなら、私は君にゴマを、五体健全なまま手渡そう」ナカタさんは手を頭の上にやり、手のひらで白髪混じりの短い髪をごりごりと撫《な》でた。それは何かを真剣に考えようとしているときの動作だった。

「それはナカタにできることなのでありましょうか？」

「その話はたしかさっき済ませたと思ったけどね」とジョニー・ウォーカーは苦笑しながら言った。

「はい。そのとおりです」とナカタさんは思い出して言った。「そうであります。その話はたしかさっき済ませました。申し訳ありません」

「時間があまりない。単刀直入に言ってしまおう。私が君にやってもらいたいのは、私を殺すことだ。私の命を奪うことだ」

ナカタさんは手を自分の頭の上に置いたまま、長いあいだジョニー・ウォーカーの顔を見ていた。

「ナカタが、ジョニー・ウォーカーさんを、殺すのでありますか？」

「そのとおり」とジョニー・ウォーカーは言った。「実を言うとね、私はこうやって生きていることに疲れたんだよ、ナカタさん。私はずいぶん長く生きてきた。年齢も忘れるくらい長く生きてきた。もうこれ以上生きていたいとは思わない。猫を殺すのにもいささか飽きた。しかし生きている限り、猫を殺さないわけにはいかない。その魂を集めないわけにはいかない。順番をきちんと守って1から10に進み、10まで行ったらまた1に戻る。その果てしない繰り返しだ。そりゃ飽きるし、疲れる。こんなことをしたって、誰に喜ばれるわけでもない。尊敬されるわけでもない。でもそれは決まりだから、自分から『はい、やめました』とやめちまうわけにもいかないんだよ。そして私には自分を殺すことだってできやしない。それもまた決まりなんだ。自殺することができない。そこには決まりがいっぱいある。もし死にたければ、誰かに頼んで殺してもらうしかない。だから私は君に殺してほしいんだ。恐怖と憎しみをもって、きっぱりと殺してもらいたい。まず君は私を恐怖する。そして私を憎む。しかるのちに君は私を殺す」

「どうして――」とナカタさんは言った。「どうしてそれがナカタなのでしょう？ナカタはこれまでに人を殺したことなんてありません。そういうことにはナカタはあまり向いておりません」

「それはよく知っているよ。君は人を殺したこともないし、殺したいと思ったこともない。君はそういうことにはあまり向いていない。しかしね、ナカタさん、世の中にはそういう理屈がうまく通じない場所だってあるんだ。向き不向きなんてことを、誰も考えちゃくれない状況があるんだ。君はそいつを理解しなくてはならない。たとえば戦争がそうだ。戦争のことは知っているね」

「はい。戦争のことは知っています。ナカタが生まれたときにも大きな戦争が行われておりました。そのような話を聞きました」

「戦争が始まると、兵隊にとられる。兵隊にとられたら、鉄砲をかついで戦地に行って、相手の兵隊を殺さなくてはならない。それもなるべくたくさん殺さなくちゃならない。君が人殺しが好きとか嫌いとか、そんなことは誰も斟酌《しんしゃく》しちゃくれない。それはやらなくてはならないことなんだ。さもないと逆に君が殺されることになる」

ジョニー・ウォーカーは人差し指の先をナカタさんの胸に向けた。「ズドン！」と彼は言った。「それが人間の歴史の骨子《こつし》だ」

ナカタさんは質問した。「知事さんがナカタを兵隊にとって、人を殺せと命令するのでしょうか？」

「そうだ知事さんがそれを命令するのだ。人を殺せと」

ナカタさんはそれについて考えてみたが、うまく考えをまとめることができなかった。どうして知事さんが自分に人殺しを命じなくてはならないのだろう。

「というわけでつまり、君はこう考えなくちゃならない。これは戦争なんだとね。それで君は兵隊さんなんだ。今ここで君は決断を下さなくてはならない。私が猫たちを殺すか、それとも君が私を殺すか、そのどちらかだ。君は今ここで、その選択を迫られている。もちろんそれは君の目から見れば実に理不尽な選択だろう。しかし考えてもみてごらん、この世の中のたいていの選択は理不尽なものじゃないか」

ジョニー・ウォーカーはシルクハットに軽く手をやった。まだその帽子がちゃんと自分の頭の上にあることを確認するかのように。

「ただひとつ、君にとっての救いは——もし君が救いなんてものを必要とするならということだが——私自身が心から死を求めているということだ。私が殺してくれと君に頼んでいるんだ。お願いしているんだ。だから君は私を殺すことに何ら良心の呵責《かしゃく》を感じることもない。なにしろ私が望むことをやるだけなんだからね。そうじゃないか？　死にたくないと言っている相手を無理に殺すわけじゃない。むしろ善行と呼んでもいいくらいのものじゃないか」

ナカタさんは額の髪の生え際《はえぎわ》あたりに浮かんだ汗の玉を、手で拭《ぬぐ》った。「しかしナカタにはとてもそんなことはできません。殺せと言われても、どうやればいいのかもわからないのです」

「なるほど」とジョニー・ウォーカーは感心したように言った。「なるほど。それもまあ一理あるな。どうやればいいかがわからない。なにせ人を殺すなんて初めてのことだものね……。たしかにそのとおりだ。言い分はよくわかった。よろしい。私がひとつやり方を教えてあげよう。人を殺すときのコツはだね、ナカタさん、躊躇《ちゅうちょ》しないことだ。巨大なる偏見を持って、速やかに断行する――それが人を殺すコツだ。人ではないけれど、ちょうどここに良いサンプルがある。何かの参考にはなるだろう」

ジョニー・ウォーカーは椅子から立ち上がり、机の陰から大きな革鞄《かばん》をとり上げた。その鞄をさっきまで自分が座っていた椅子の上に置き、楽しそうに口笛を吹きながら蓋《ふた》を開け、まるで手品でも始めるみたいに中から1匹の猫をとりだした。見たことのない猫だった。灰色の縞《しま》模様の雄猫だ。大人になったばかりの若い猫だ。猫はぐったりとしていたが、目は開いていた。どうやら意識はあるようだった。ジョニー・ウォーカーはやはり口笛を吹きながら、とれたての魚を人に見せるように、両手にその猫を抱えて差し出した。彼が口笛で吹いているのは、ディズニー映画『白雪姫』の中で7人のこびとたちが歌う「ハイホー!」だった。

「この鞄の中には5匹の猫が入っている。みんなあの空き地で捕まえた猫たちだ。新鮮なとれたての猫だ。産地直送、もぎたての猫たちだ。薬物を注射して身体《からだ》を麻痺《まひ》させてある。麻酔じゃない。だから眠ってはいないし、感覚はある。ちゃんと痛みも感じる。しかし筋肉が弛緩《しかん》しているから、手足を動かすことはできない。首を曲げることだってできない。暴れて引っかかれたりすると困るから、そうしてあるんだ。私はこれからナイフを使ってこれらの猫の腹を割き、そこから脈打つ心臓をとりだし、首を切る。君の目の前でそれをやる。多くの血が流される。痛みはそりゃ激しいものだ。君だって腹を割かれて心臓をとりだされたら痛いだろう。猫だって同じことだ。痛くないわけがない。かわいそうだとは思うよ。私だって血も涙もないサディストじゃないんだ。しかしそれは仕方ないことなんだ。そこには痛みがなくてはならない。それが決まりなんだ。また決まりだ。ほらね、このあたりは決まりが実に多いんだよ、なにしろ」

ジョニー・ウォーカーはナカタさんに向かって片目をつぶった。

「しかし仕事は仕事だ。使命は使命だ。1匹1匹順番に処理していって、最後にゴマを始末する。まだ少し時間はあるから、君はそれまでに心を決めればいい。私が猫たちを殺すか、あるいは君が私を殺すか、どちらかだ」

ジョニー・ウォーカーはぐったりとしたままの猫を机の上に置いた。そして机の袖《そで》の引き出しを開け、大きな黒い包みを両手で抱えるようにしてとりだした。そして注意深く布を広げ、くるまれていたものを机の上に並べた。小型の丸鋸《まるのこ》、様々のサイズの手術用のメス、大型のナイフ。どれも今さっき研ぎあげられたばかりのように白い鮮やかな光を放っていた。ジョニー・ウォーカーはそれらの刃物をひとつひとつ愛《いと》おしそうに点検しながら、机の上に並べていった。次にべつの引き出しから金属製の皿をいくつかとりだし、それも机の上に並べた。所定の位置という感じだった。引き出しから黒い大きなビニールのゴミ袋をとりだした。そのあいだもずっと彼は「ハイホー！」を口笛で吹き続けていた。

「すべてのものごとにはね、ナカタさん、手順というものが必要なんだ」とジョニー・ウォーカーは言った。「先を見すぎてもいけない。先を見すぎると、足もとがおろそかになり、人は往々にして転ぶ。かといって、足もとの細かいところだけを見ていてもいけない。よく前を見ていないと何かにぶつかることになる。だからね、少しだけ先を見ながら、手順にしたがってきちんとものごとを処理していく。こいつが肝要だ。何ごとによらず」

ジョニー・ウォーカーは目を細めて、猫の頭をしばらくのあいだ優しく撫でていた。そして人差し指の先を、猫のやわらかい腹の上で上下させた。それから右手にメスを持ち、何の予告もなく、ためらいもなく、若い雄猫の腹を一直線に裂いた。それは一瞬の出来事だった。腹がぱっくりと縦に割れ、中から赤い色をした内臓がこぼれるように出てきた。猫は口を開けて悲鳴を上げようとしたが、声はほとんど出てこなかった。舌が痺《しび》れているのだろう。口もうまく開かないようだった。しかしその目は疑いの余地なく、激しい苦痛に歪《ゆが》んでいた。その痛みがどれほど激しいものか、ナカタさんには想像がついた。それからふと思い出したように血がほとばしった。その血はジョニー・ウォーカーの手を濡《ぬ》らし、そのヴェストに散った。しかしジョニー・ウォーカーは血のことはまったく気にもとめなかった。彼は口笛で「ハイホー！」を吹きながら、猫の身体に手を突っ込み、小型のメスで手際よく心臓を切り取った。小さな心臓だった。それはまだ脈を打っているように見えた。彼はその血だらけの小さな心臓を、手のひらに載せてナカタさんの方に差し出した。

「ほら、これが心臓だ。まだ動いている。見てごらん」

ジョニー・ウォーカーはそれをしばらくナカタさんに見せてから、当然のことのように、そのまま口の中に放り込んだ。そしてもぐもぐと口を動かした。何も言わずに、それをじっくりと味わい、時間をかけて咀嚼《そしゃく》した。その目には焼きたての菓子を口にしている子どものような、純粋な至福の色が漂っていた。それから口もとについた血《ち》糊《のり》を、手の甲でふき取った。舌の先で丁寧に唇を舐《な》めた。

「温かくて新鮮だ。口の中でまだ動いている」

ナカタさんは言葉もなく、その光景を見守っていた。目をそらせることもできなかった。彼の頭の中で何かが動き始めているような感覚があった。部屋には流されたばかりの血の匂《にお》いが満ちていた。

ジョニー・ウォーカーは「ハイホー!」を口笛で吹きながら、猫の首を鋸《のこぎり》で切り取った。鋸の歯がこりこりと音を立てて骨を切断した。馴《な》れた手つきだった。太い骨でもないし、それほどの時間はかからない。しかしその音には不思議なほどの重みがあった。彼は切断した猫の首を愛おしそうに金属の皿に載せた。芸術作品を鑑賞するみたいに、少し離れて目を細め、それをひとしきり眺めた。口笛を吹くのを少し中断して、歯のあいだにはさまった何かを爪《つめ》でとり、それをまた口に入れ、大事に味わった。満足そうに音を立てて唾《つば》を呑《の》み込んだ。最後に黒いビニールのゴミ袋の口を広げ、首を切り取られ心臓を抜かれた猫の身体を無造作に中に放り込んだ。抜け殻にはもう用はないという感じで。

「一丁あがり」とジョニー・ウォーカーは言って、血まみれになった両手をナカタさんの方に差し伸べた。「けっこうな労働だと思わないか。そりゃまあ生きのいい心臓が食べられるのは余得ではあるけれど、そのたびにこんなに血だらけになっていちゃたまったものじゃあない。『のたうつ波も、この手をひたせば、紅《くれない》一色、緑の大海原《おおうなばら》もたちまち朱《あけ》と染まろう』、マクベスの台詞《せりふ》だ。マクベスほど深刻じゃないが、衣装のクリーニング代だって馬鹿《ばか》にはできない。なにしろ特殊な衣装だものね。手術着を着て、手袋をはめてやれれば便利でいいんだが、そうもいかない。これもまた例の決まりでね」

ナカタさんは何も言わなかった。頭の中では何かが動きつづけている。血の匂いがする。耳の中で「ハイホー!」のメロディーが鳴り響いている。

ジョニー・ウォーカーは鞄の中から次の猫をとりだした。白い雌猫だった。そんなに若くはない。尻尾《しっぽ》の先端が少しだけ曲がっている。ジョニー・ウォーカーは前と同じようにその頭をしばらく撫でていた。それから腹に指で切取線のようなものを引いた。喉《のど》から尻尾の付け根までゆっくりとまっすぐ、架空の線を引いた。そしてメスを手に取り、同じように一息で割いた。あとは前と同じ繰り返しだ。無音の悲鳴。全身の痙攣《けいれん》。こぼれでる内臓。まだ脈打つ心臓をとりだし、ナカタさんの方に差し出して見せ、口の中に放り込む。ゆっくりとした咀嚼。満足の微笑み。手の甲で血糊を拭《ぬぐ》う。口笛の「ハイホー!」。

ナカタさんは椅子の中に深く座り込んだ。そして目を閉じた。両手で頭を抱え込んだ。指先がこめかみに食い込む。彼の中で間違いなく何かが起こり始めていた。激しい混乱が彼の肉体の組成を大きく変えようとしていた。息づかいが知らないあいだに速くなり、首のあたりに激しい痛みがあった。視野が大きく組み替えられているようだった。

「ナカタさん、ナカタさん」とジョニー・ウォーカーが明るい声で言った。「それはいけないね。だって、今からがいよいよ本番なんだぜ。これまではただの前座だ。ただの調子付けだ。このあとナカタさんにおなじみの顔ぶれがどんどん出てくるんだもの。しっかり目を開けてよく見なくっちゃ。なにしろお楽しみはこれからなんだ。私だっていろいろと考えて、趣向を凝らしてやっているんだもの、そのへんはわかってくれなくっちゃ」

彼は「ハイホー!」を吹きながら、次の猫を出してきた。ナカタさんは椅子に沈み込んだまま、目を開けてその猫を見た。それはカワムラさんだった。カワムラさんはその目でじっとナカタさんを見た。ナカタさんもその目を見ていた。しかし彼には何も考えることができなかった。立ち上がることもできなかった。

「紹介する必要もないだろうが、いちおう念のために礼儀としてやっておこう」とジョニー・ウォーカーは言った。「えー、こちらは猫のカワムラさんだ。こちらはナカタさんだ。お互いによろしくお見知り置きを」

ジョニー・ウォーカーは芝居がかった手つきでシルクハットを持ち上げ、ナカタさんに挨拶《あいさつ》し、それからカワムラさんに挨拶した。

「まずは人並みにご挨拶。しかし挨拶が終われば、さっそく別れが始まる。ハロー・グッドバイ――花に嵐《あらし》のたとえもあるぞ、さよならだけが人生だ」、ジョニー・ウォーカーはそう言って、指先でカワムラさんの柔らかい腹部を愛撫《あいぶ》した。いかにも愛おしそうな、優しい愛撫だった。「止めるなら今だよ、ナカタさん。止めるなら今だ。時間は過ぎ去っていくし、ジョニー・ウォーカーは躊躇をしない。高名な猫殺しのジョニー・ウォーカーの辞書には『躊躇』という文字はないんだ」

そしてジョニー・ウォーカーはまさに躊躇なくカワムラさんの腹を割いた。カワムラさんの悲鳴はちゃんと聞こえた。舌が十分に麻痺していなかったのだろう。あるいはそれはナカタさんの耳にだけ聞こえるとくべつな悲鳴だったのかもしれない。神経が凍りつくような激しい悲鳴だった。ナカタさんは目を閉じ、両手で頭を抱えた。手がぶるぶると震えているのがわかった。

「目を閉じちゃいけない」とジョニー・ウォーカーはきっぱりとした声で言った。「それも決まりなんだ。目を閉じちゃいけない。目を閉じても、ものごとはちっとも良くならない。目を閉じて何かが消えるわけじゃないんだ。それどころか、次に目を開けたときにはものごとはもっと悪くなっている。私たちはそういう世界に住んでいるんだよ、ナカタさん。しっかりと目を開けるんだ。目を閉じるのは弱虫のやることだ。現実から目をそらすのは卑怯《ひきょう》もののやることだ。君が目を閉じ、耳をふさいでいるあいだにも時は刻まれているんだ。コツコツと」

ナカタさんは言われたとおり目を開けた。ジョニー・ウォーカーはそれを確認してから、見せつけるようにカワムラさんの心臓を食べた。前にも増してゆっくりと、うまそうにそれを食べた。

「柔らかくて、温かくて、まるでとれたてのウナギの肝のようだ」とジョニー・ウォーカーは言った。血だらけの人差し指を口の中に入れ、それをしゃぶり、外に出して宙に立てた。「一度この味を覚えるとね、やみつきになる。忘れられない。とくにこの血のねっとりとした粘り具合が何ともいえないんだ」

彼はメスについた血糊を布できれいにふき取り、それからやはり明るく口笛を吹きながら、カワムラさんの頭部を丸鋸で切り取った。その細かい歯が骨を挽《ひ》いた。血がまわりに飛び散った。

「お願いです。ジョニー・ウォーカーさん。ナカタにはもうこれ以上は耐えられそうにありません」

ジョニー・ウォーカーは口笛を吹くのをやめた。作業を中断し、手を顔の横にやって、耳たぶをぽりぽりと掻《か》いた。

「それはいけないね、ナカタさん。具合が悪いのはいけない。しかし申し訳ないが、ここで『はい、わかりました』とやめることはできないんだ。さっきも言っただろう、これは戦争なんだよ。いったん始まった戦争を中止するのはとてもむずかしい。一度鞘《さや》から抜かれた剣だ、血は流されなくてはならない。これは理屈でもない。論理でもない。私のわがままでもない。ただの決まりなんだ。だからこれ以上猫を殺されたくなければ、君が私を殺すしかない。立ち上がり、偏見を持って、断固殺すんだ。それも今すぐにだ。そうすればすべては終わる。ピリオド」

ジョニー・ウォーカーはまた口笛を吹き、カワムラさんの頭部を切断し終え、その頭のない死体をゴミ袋にひょいと投げ入れた。金属の盆の上には3つの猫の頭が並んでいた。あれほどの苦悶を味わったはずなのに、どの猫の顔にも表情はなかった。冷凍庫の中に並んでいた猫たちの顔と同じように、どれも奇妙に空虚な顔をしていた。

「お次は、シャム猫だ」

ジョニー・ウォーカーはそう言うと、鞄の中からぐったりとしたシャム猫をとりだした。それはもちろんミミだった。

「『我が名はミミ』ときたね。プッチーニのオペラだ。たしかにこの猫にはそういう優雅なコケットリーの雰囲気が感じられる。私もプッチーニは好きだよ。プッチーニの音楽には、なんというか永遠の反時代性のようなものが感じられる。たしかに通俗的ではあるが、不思議に古びない。それは芸術としてひとつの素晴らしい達成だ」

ジョニー・ウォーカーは口笛で『我が名はミミ』の一節を吹いた。

「しかしね、ナカタさん、このミミさんは捕まえるのにずいぶん苦労させられたよ。なにしろすばしこいし、用心深いし、頭の回転が速いと来ている。なかなかのことじゃひっかからない。まさに難物中の難物だった。しかし高名なる稀代《きだい》の猫殺し、ジョニー・ウォーカー様の手を逃れることのできる猫は、この世界広しといえどまずいない。なにも自慢しているんじゃないよ。ただ捕まえるのが大変だったという事実をありのままに述べているだけだ。……というところで、ヴォワラ！　ご存じ、シャム猫のミミちゃんだ。私はなんといってもシャム猫が好きだよ。たぶん君は知らないだろうが、シャム猫の心臓ときたらこれはもう逸品なんだ。味わいに気品みたいなものがある。トリュフのようにね。大丈夫だよ、ミミちゃん。案ずることはない。君の温かいキュートな心臓はこのジョニー・ウォーカーさんがしっかりと味わって食べてあげるからね。うん、ずいぶんどきどきしているじゃないか」

「ジョニー・ウォーカーさん」とナカタさんは腹の底から絞り出すような声で言った。「お願いです。こんなことはもうよしてください。これ以上続けば、ナカタはおかしくなってしまいそうです。ナカタはもうナカタではないような気がするのです」

ジョニー・ウォーカーはミミを机の上に寝かせ、例によってゆっくりと、その腹の上にまっすぐ指を這《は》わせた。

「君はもう君ではない」と彼は静かな声で言った。その言葉を舌の上でじっくり味わった。「それはとても大事なことだよ、ナカタさん。人が人ではなくなるということはね」

ジョニー・ウォーカーは机の上からまだ使っていない新しいメスを取り上げ、指先でその刃の鋭さを確かめた。それから試し切りをするみたいに、自分の手の甲をそのメスですっと切った。少し間があって、それから血がこぼれた。その血は彼の手の甲から机の上にしたたり落ちた。血はミミの身体の上にも落ちた。ジョニー・ウォーカーはくすくすと笑った。「人が人ではなくなる」と彼は繰り返した。「君が君ではなくなる。それだよ、ナカタさん。素敵だ。なんといっても、それが大事なことなんだ。『ああ、おれの心のなかを、さそりが一杯はいずりまわる！』、これもまたマクベスの台詞だな」

ナカタさんは無言で椅子から立ち上がった。誰にも、ナカタさん自身にさえ、その行動を止めることはできなかった。彼は大きな足取りで前に進み、机の上に置いてあったナイフのひとつを、迷うことなくつかんだ。ステーキナイフのような形をした大型のナイフだった。ナカタさんはその木製の柄を握りしめ、刃の部分をジョニー・ウォーカーの胸に根もと近くまで、躊躇なく突き立てた。黒いヴェストの上から一度突き立て、それを引き抜き、また別の場所に思いきり突き立てた。耳もとで何か大きな音が聞こえた。それが何なのか、始めのうちナカタさんにはよくわからなかった。しかしそれはジョニー・ウォーカーの高笑いだった。彼はナイフを胸に深く突き立てられ、そこから血を流しながら、なおも大声で笑い続けていた。

「そうだ、それでいい」とジョニー・ウォーカーは叫んだ。「躊躇なく私を刺した。

お見事だ」

倒れながら、ジョニー・ウォーカーはまだ笑い続けていた。ははははは、と彼は笑っていた。おかしくておかしくてもう我慢できないという高笑いだった。しかしその笑いはやがてそのまま嗚咽《おえつ》に変わり、喉の中で血が湧《わ》き立つ音になった。排水パイプの詰まりがとれかけたときのようなごぼごぼという音だった。それから全身に激しい痙攣が走り、口から勢いよくどっと血を吐いた。血といっしょに、ぬるぬるとした黒い塊が吐き出された。さっき咀嚼されたばかりの猫たちの心臓だった。その血は机の上に落ち、ナカタさんの着ているゴルフウェアにもかかった。ジョニー・ウォーカーもナカタさんも全身血だらけになっていた。机の上に横たわったミミも血だらけだった。

気がついたとき、ジョニー・ウォーカーはナカタさんの足もとに倒れて死んでいた。横向きになり、子どもが寒い夜に身を丸めるようなかっこうで、紛れもなく彼は死んでいた。左手は喉のあたりを押さえ、右手は何かを探し求めるかのようにまっすぐ前に伸ばされている。痙攣もなくなり、もちろん高笑いも消えていた。しかし口もとにはまだ冷笑の影が淡く残っていた。それは何かの作用で永遠にそこに張りつけられてしまったみたいに見えた。板張りの床には血だまりが広がり、シルクハットは倒れるときに脱げ落ちて、部屋の隅の方に転がっていた。ジョニー・ウォーカーの後頭部の髪は薄く、地肌がのぞいていた。帽子がなくなってしまうと、彼はずっと老《ふ》けて弱々しく見えた。

ナカタさんはナイフを手から離した。金属が床を打つ大きな音がした。どこか遠くで、大きな機械の歯車がひとつ前に進んだような音だった。長いあいだナカタさんは死体のそばに身動きひとつせず立っていた。部屋の中ではすべてが静止していた。血だけがまだ音もなく流れ続け、血だまりが少しずつ広がっていた。それから彼は気を取り直し、机の上に横たわったミミを抱き上げた。そのぐったりとした温かい身体を手の中に感じることができた。猫は血だらけになっていたが、怪我《けが》はないようだ。ミミは何かを言いたげに、ナカタさんの顔をじっと見上げていた。しかし薬のせいで口をきくことはできない。

それからナカタさんは鞄の中にゴマをみつけ、右手で抱き上げた。写真でしか見たことのない猫だったが、ずっと前から知っている猫に再会したような自然な懐《なつ》かしさがあった。

「ゴマちゃん」とナカタさんは言った。

ナカタさんは2匹の猫を両手に抱え、ソファに腰を下ろした。

「家に帰ろう」とナカタさんは猫たちに言った。しかし立ち上がることはできなかった。どこからともなくさっきの黒い犬が現れ、ジョニー・ウォーカーの死体の隣に腰を下ろした。犬はそこに池のようにたまった血を舐めたかもしれない。しかし確かなことは思い出せない。頭が重くかすんでいる。ナカタさんは大きく息をついて、目を閉じた。意識が薄れ、そのまま無明の暗闇の中に沈み込んでいった。

第17章

それが小屋で過ごす三度めの夜になる。日を追うごとに静けさにも馴《な》れ、闇《やみ》の深さにも馴れる。夜を怖いとはもうあまり感じなくなる。ストーブに薪《まき》を入れ、その前に椅子《いす》を置いて本を読む。本を読むのに疲れると、頭をからっぽにしてただストーブの炎を眺める。炎は、どれだけ眺めていても飽きることがない。いろんなかたちの炎があり、いろんな色の炎がある。それは生きもののように自由自在に動きまわる。生まれ、つながり、別れ、滅びて消えていく。

曇っていなければ外に出て、空を見あげる。もう星も僕にはそれほどの無力感を与えない。僕は彼らを身近なものとして感じるようになっている。星はひとつひとつちがった光りかたをしている。僕はいくつかの星を覚え、そのきらめきかたを観察する。星はときどき、まるでなにか大事なことを思いついたみたいに、強い光をはなつ。月は白く明るく、目をこらせばそこにある岩のひとつひとつが見えそうなくらいだ。そんなときになにかを考えることなんてできない。息をひそめ、ただじっと見入っているしかない。

ＭＤウォークマンの充電式電池は切れてしまったが、音楽のないことは思ったほど気にはならない。音楽にかわるものはいたるところにあった。鳥のさえずり、様々な虫の声、小川のせせらぎ、樹木の葉が風に揺れる音、なにものかが小屋の屋根を歩いている足音、雨降り。そしてときどき耳に届く、説明のつかない、言葉では表現することもできない音……。地球がこれほど多くの美しく新鮮な自然の音に満ちていることに、これまで僕は気づかずにいた。そんな大事なことをずっと見逃し、聞き逃して生きてきたわけだ。そのぶんの埋めあわせをするように、僕は長い時間ポーチに座り、目を閉じ、気配をころし、そこにある音をひとつ残らず聴きとろうとする。

森に対しても、最初ほどには恐怖を感じないようになっている。その森に自然な敬意のようなものを抱き、親しみさえ感じるようになる。もちろんそうは言っても、森の中で僕が足を踏み入れることができるのは小屋のまわりの、小径《こみち》のついている範囲だけだ。道から外れてはいけない。ルールをまもっているかぎりおそらく危険はない。森は僕を黙って受け入れてくれる。あるいは見逃してくれる。そしてそこにある安らぎや美しさをいくらか分けあたえてくれる。しかしいったんルールを踏み外すと、そこに隠れている沈黙の獣たちは鋭い爪《つめ》で僕をとらえてしまうかもしれない。

僕は踏み分け道を何度も散歩し、森の中の丸い小さな空き地に横になって、そこにある日溜《ひだま》りに身をひたす。まぶたをかたく閉じ、太陽の光を受けながら、樹上を渡る風の音に耳を澄ませる。鳥たちの羽ばたきや、羊歯《しだ》の葉のそよぎを聴く。植物の深い香りに身を包まれる。そういうときには僕は重力から解放され、地面からほんの少しだけ持ちあげられる。僕は空中にぽっかりと浮かんでいる。それはもちろんいつまでもつづく状態じゃない。目を開けて森から出ていけば消えてしまう、そのときだけの束《つか》の間《ま》の感覚だ。でもそうとわかってはいても、それはやはり心が圧倒されてしまうような体験だ。なにしろ僕は宙に浮かぶことができるのだ。

何度か強い雨が降り、いつもすぐにあがった。このあたりの山の上は天候が変わりやすいのだ。雨が降るたびに僕は裸になって外に出て、石鹸《せっけん》をつけて全身を洗う。運動で汗をかくと、着ているものを全部脱いで、ポーチで裸で日光浴をする。たくさんのお茶を飲み、ポーチの椅子に座って読書に集中する。日が暮れるとストーブの前で本を読む。歴史書を読み、科学書を読み、民俗学や神話学や社会学や心理学の本を読み、シェイクスピアを読む。一冊の本を最初から最後まで読みとおすよりは、重要だと思える部分を、理解できるまで何度もていねいに読みかえすことをこころがける。

そういうふうに読んでいると、様々な種類の知識が次から次へと、僕の中に吸いこまれていくたしかな手ごたえのようなものがある。いつまでもここにいられたらどんなに素晴らしいだろうと僕は思う。読みたい本は本棚にいくらでもあったし、食料品のストックもじゅうぶん残っている。しかしここが僕にとってのひとときの通過点にすぎないことは、自分でもよくわかっている。僕は近いうちにここを離れなくてはならないだろう。この場所はあまりにも穏やかで、あまりにも自然で、あまりにも完結しすぎている。それは今の僕にはまだ与えられるはずのないものだ。まだ早すぎる——たぶん。

4日目の昼前に大島さんがやってくる。車の音は聞こえない。彼は小型のリュックを背負って、道を歩いてやってくる。僕は真っ裸でポーチの椅子に座り、光の中でまどろんでいたので、近づいてくる彼の足音に気づかない。たぶん冗談半分で足音を忍ばせていたのだろう。彼はそっとポーチにあがり、手をのばして僕の頭に軽く触れる。僕はあわてて飛び起きる。身体《からだ》を隠すタオルを探す。でもタオルは手が届くところにはない。

「気にしなくていい」と大島さんは言う。「僕もここにいるときは、よく裸で日光浴をした。普段はなかなか日にあてられないところを日にあてるのは気持ちがいいものね」

大島さんの前で裸で横になっていると、息が詰まりそうになった。僕の陰毛とペニスと睾丸《こうがん》が太陽に照らされている。それらはとても無防備で、傷つきやすそうに見える。どうすればいいのか、僕にはわからない。今さらあわてて隠すわけにもいかない。

「こんにちは」と僕は言う。「歩いてきたんですか?」

「素晴らしい天気だからね。自分の足で歩かないともったいないじゃないか。門のところで車を降りて歩いてきた」と彼は言う。そして手すりにかかっていたタオルをとって僕に渡す。僕はそのタオルを腰に巻き、やっと落ちついた気持ちになる。

彼は小さな声で歌を歌いながらお湯を沸かし、小さなリュックの中から、用意してきた粉と卵と牛乳のパックを出し、フライパンをあたためてパンケーキをつくる。バターとシロップをつける。レタスとトマトとタマネギを出す。大島さんはサラダをつくるときには、とても注意深くゆっくりと包丁を使う。僕らはそれを昼食に食べる。

「3日間はどんな具合だった?」と大島さんはパンケーキを切りながらたずねる。

ここでの生活をどれくらい楽しんだかということを僕は話す。でも森に入ったときのことは話さない。なんとなくそのほうがいいような気がしたから。

「それはよかった」と大島さんは言う。「たぶん君の気に入ると思ったんだ」

「でも僕らは今から街に戻るんですね」

「そう。僕らは街に戻る」

我々は帰り支度をする。てきぱきと要領よく、小屋の中を片づける。食器を洗って戸棚にしまい、ストーブのよごれを掃除する。水桶《おけ》の中の水を捨て、プロパン・ガスのボンベのバルブを閉める。日もちのする食品を食品棚にしまい、日もちのしない食品は処分する。ほうきで床を掃き、テーブルや椅子の上を雑巾《ぞうきん》で拭《ふ》く。表に穴を掘ってごみをそこに埋める。ビニールなんかは小さくまとめて持ち帰る。

大島さんは小屋の鍵《かぎ》を閉める。僕は最後に振りかえってその小屋を見る。それはさっきまでしっかりと実在していたのに、今ではなんとなく架空のもののように感じられる。ほんの数歩歩いただけで、そこにあったものごとはたちまち現実感を失っていく。そしてさっきまでそこにいたはずの僕自身さえ架空のもののように思えてくる。大島さんが車を停めたところまでは、歩いて30分ほどかかる。僕らはほとんど口をきかず、山道を下る。大島さんはそのあいだずっとなにかのメロディーを口ずさんでいる。僕はとりとめのない思いをたどっている。

緑色の小さなスポーツカーはまわりの樹木にとけこむようなかっこうで、じっと大島さんが戻るのを待っている。知らない人間が迷って（あるいは意図して）入りこまないように、彼は門を閉め、チェーンを二重に巻き、南京錠《ナンキン》をかける。僕のリュックは前と同じようにリアのラックに紐《ひも》で縛りつけられる。幌《ほろ》がおろされて、車はオープンになる。「これから僕らは都会に戻る」と彼は言う。

僕はうなずく。

「自然の中でひとりぼっちで暮らすのはたしかに素晴らしいことだけれど、そこでずっと生活しつづけるのは簡単じゃない」と大島さんは言う。サングラスをかけ、シートベルトを締める。

僕も助手席に座って、シートベルトを締める。

「理論的にはできなくはないし、実際にそうする人もいる。しかし自然というのは、ある意味では不自然なものだ。安らぎというのは、ある意味では威嚇《いかく》的なものだ。その背反性を上手に受け入れるにはそれなりの準備と経験が必要なんだ。だから僕らはとりあえず街に戻る。社会と人々の営みの中に戻っていく」

大島さんはアクセルを踏み、山道を下り始める。行きとはちがって、彼はのんびりと車を走らせる。急いではいない。まわりに広がる風景を楽しみ、風の感触を楽しむ。

風が彼の長い前髪を揺らせ、後ろに押しやる。やがて未舗装の道路が終わり、狭いけれど舗装した道になる。小さな村落や畑も目につくようになってくる。

「背反性といえばね」と大島さんは思いだしたように言う。「最初に君に会ったときから、僕はこう感じているんだ。君はなにかを強く求めているのに、その一方でそれを懸命に避けようとしているって。君にはそう思わせるところがある」

「求めるって、どんなものを？」

大島さんは首を振る。バックミラーに向かって顔をしかめる。「さあ、どんなものだろう。僕にはわからない。ただの印象をただの印象として述べているだけだ」

僕は黙っている。

「経験的なことを言うなら、人がなにかを強く求めるとき、それはまずやってこない。人がなにかを懸命に避けようとするとき、それは向こうから自然にやってくる。もちろんこれは一般論に過ぎないわけだけれどね」

「その一般論をあてはめて、僕の場合はいったいどうなるんですか。もし大島さんが言うように、僕がなにかを求めると同時に、それを避けようとしているとしたら」

「むずかしい問題だ」と言って大島さんは笑う。少し時間を置いて彼は言う。「でもあえて言うなら、こういうことになるだろうね。そのなにかはたぶん君が求めるときに、求めるかたちではやってこないだろう」

「なんだか不吉な予言みたいに聞こえる」

「カッサンドラ」

「カッサンドラ？」と僕は尋ねる。

「ギリシャ悲劇だ。カッサンドラは予言をする女なんだ。トロイの王女だ。彼女は神殿の巫女《みこ》になり、アポロンによって運命を予知する能力を与えられる。彼女はその返礼としてアポロンと肉体関係を結ぶことを強要されるがそれを拒否し、アポロンは腹を立てて彼女に呪《のろ》いをかける。ギリシャの神様たちは、宗教的というよりはむしろ神話的なんだ。つまり彼らは人間と同じような精神的な欠陥を持っている。癇癪《かんしゃく》持ちだったり、好色だったり、嫉妬《しっと》深かったり、忘れっぽかったりする」

彼はグローブコンパートメントからレモンドロップのはいった小さな箱を出し、口に入れる。ひとつを僕にすすめる。僕はそれを受けとって口に入れる。

「それはどんな呪いだったんですか？」

「カッサンドラにかけられた呪いのこと？」

僕はうなずく。

「彼女の口にする予言はいつも正しい。しかし誰も彼女の予言を信じないだろう。それがアポロンのかけた呪いだ。おまけに彼女が口にする予言はなぜか不吉な予言ばかりだ――裏切り、過失、人の死、国の没落。だから人々は彼女を信じないばかりか、彼女をさげすみ、憎むことになる。もしまだ読んでいなかったら、君はユーリピデスなりアイスキュロスなりの戯曲を読むべきだよ。そこには我々の時代の持つ本質的な問題点がとても鮮明に描かれている。コロスつきで」

「コロス？」

「ギリシャ劇にはコロスと呼ばれる合唱隊が登場するんだ。彼らは舞台の背後に立って、声を揃《そろ》えて状況を解説したり、登場人物の深層意識を代弁したり、ときには彼らを熱心に説得したりする。なかなか便利なものだよ。僕のうしろにも一組いればいいのにとときどき思う」

「大島さんには予言する能力があるんですか？」

「ない」と彼は言う、「幸か不幸か、僕にはそんな能力はない。僕がもし不吉なことばかり予言するように聞こえるとすれば、それは僕が常識に富んだリアリストであるからだ。僕は一般論で演繹《えんえき》的にものを言う。するとそれはとりもなおさず不吉な予言に聞こえることになる。どうしてかといえば、僕らのまわりにある現実とは不吉な予言の実現の集積でしかないからだ。どの日の新聞だっていい、新聞を開いてそこにある善《よ》いニュースと悪いニュースとを天秤《てんびん》にかけてみれば、それは誰にでも簡単にわかる」

カーブが来ると大島さんは慎重にシフトダウンする。身体にまったくショックを感じない、洗練されたシフトダウンだ。エンジンの回転音だけが変化する。

「でもひとつグッド・ニュースがある」と大島さんは言う。「僕らは君を迎えることにした。君は甲村記念図書館の一員になる。君にはたぶんその資格がある」

僕は思わず大島さんの顔を見る。「つまりそれは、僕が甲村図書館で働くということなんですか？」

「もう少し正確に表現するなら、君はこれから図書館の一部になるんだ。君はあの図書館に寝泊まりし、そこで生活する。開館時間になったら図書館を開け、閉館時間になったら図書館を閉める。君は規則正しい生活をするし、体力もありそうだ。だからその仕事は、君にとってはたいした負担にはならないだろう。でもあまり体力のない僕と佐伯さんにとっては、君がそれを代わりにやってくれればとてもありがたい。そのほかちょっとした日々の雑用をしてもらうことになるだろう。むずかしいことじゃない。たとえば僕のためにおいしいコーヒーをつくるとか、あるいはちょっとした買い物をするとか……。君のために部屋を用意した。図書館に付属した部屋で、シャワーもついている。もともとはゲストルームとしてつくられたものなんだが、うちの図書館には泊まるようなゲストはまず来ないから、今のところまったく使われていない。そこで君は生活をすることになる。なによりも便利なのは、図書館の中にいれば君は好きなだけ本を読めるということだ」

「どうして……」と言いかけて、僕は言葉を失ってしまう。

「どうしてそんなことが可能なのか？」と大島さんは言葉を補う。「原理としては簡単なことなんだ。僕は君を理解し、佐伯さんは僕を理解している。僕は君を受け入れる。佐伯さんは僕を受け入れる。君が身もとのしれない15歳の家出少年であったとしても、とくに問題にはならない。で、結局のところ君はどう思う――自分が図書館の一部になることについて？」

僕はしばらく考える。そして言う、「僕は屋根のあるところに寝泊まりしたかった。それだけです。それ以上は今はうまく考えられない。図書館の一部になるというのがどういうことなのか、僕にはよくわからない。でももしあの図書館に住まわせてもらえるのなら、とてもありがたいと思います。電車に乗って通ってくる必要もなくなるし」

「じゃあ決まりだ」と大島さんは言う。「僕は今から君を図書館に連れて行く。そして君は図書館の一部になる」

僕らは国道に入り、いくつかの町を抜ける。消費者金融の大きな広告看板、人目を引くために大仰に飾りたてたガソリン・スタンド、ガラス張りの食堂、西洋のお城のようなかたちをしたラブホテル、つぶれて看板だけを残した貸ビデオ店、広い駐車場のあるパチンコ屋——そういうものが僕の前に現れてくる。マクドナルド、ファミリーマート、ローソン、吉野《よしの》家《や》……、騒音に満ちた現実が僕らを取りかこんでいく。大型トラックのエア・ブレーキ、クラクション、排気ガス。つい昨日まで僕のそばにあった親密なストーブの炎や、星のきらめきや、森の中の静けさが遠ざかり消えていく。もうそれらをうまく思いだすことができない。

「佐伯さんについて君にいくつか知っておいてもらいたいことがある」と大島さんは言う。「僕の母は小さいころ佐伯さんと同級生で、とても親しくしていた。母の話によれば、彼女はとても利発な子どもだったらしい。学校の成績もよかったし、文章もうまかったし、スポーツは万能、ピアノも上手だった。なにをやらせても一番だった。それに美しかった。今でも美しい人だけどね、もちろん」

僕はうなずく。

「彼女にはまだ小学生のころから決まった恋人がいた。甲村家の長男だ。二人は同い歳《どし》で、美しい少女と美しい少年だった。ロメオとジュリエットみたいにね。二人は遠縁の関係にあった。家もすぐ近くにあり、なにをするにもどこに行くにも一緒だった。自然に心を引かれあい、成長してからは男と女として愛しあうようになった。まるで一心同体みたいだった——と母は僕に話してくれた」

彼は信号待ちをしているあいだ、空を見あげる。信号が青になると、アクセルを踏みこみ、タンクローリーの前に出る。

「僕がいつか図書館で君に話したことを覚えているかな？　人はみんな自分の片割れを求めてさまよっているという話を」

「男男と女女と男女の話」

「そう。アリストパネスの話。僕らの大部分は自分の残り半分を必死に模索しながら、つたなく人生を送ることになる。しかし佐伯さんと彼にはそんな模索をする必要もなかった。二人は生まれながらにして、まさにその相手をみつけていたんだ」

「幸運だったんだ」

大島さんはうなずく。「文句なく幸運だった。あるポイントまでは」

大島さんは髭《ひげ》の剃《そ》りあとをたしかめるみたいに、手のひらで頬を撫《な》でる。しかし彼の頬には髭の痕跡《こんせき》すら見あたらない。磁器のようにつるりとしている。

「少年は18歳になって東京の大学に進んだ。成績が良かったし、専門的な勉強もしたかった。都会にも出てみたかった。彼女は地元の音楽大学に入ってピアノを専攻することになった。ここは保守的な土地だし、彼女の育ったのは保守的な家だったんだ。彼女はひとりっ子で、そんな娘を東京に出すことを親は望まなかった。そのようにして二人は生まれて初めて離れ離れになった。それこそ神様に刃物ですぱっと切り離されたみたいにね。

もちろん二人は毎日のように手紙を書きあった。『一度こんなふうに離れてみるのも大事なことかもしれない』と彼は手紙に書いた。『離れ離れになれば、僕らがほんとうにどれくらいお互いを大事に思って、お互いを必要としているか、それをたしかめることができるわけだから』。でも彼女のほうはそうは思わなかった。二人の関係はわざわざたしかめるまでもないくらい真実なものだということが、彼女にはわかっていたからだ。それは百万にひとつの運命的な結びつきであり、そもそもの最初から分離不可能なものだったんだ。彼女にはそれがわかっていた。彼にはわからなかった。あるいはわかっていても、そのまますんなり受けいれることができなかった。だからあえて彼は東京に出ていった。試練をくぐり抜けることで、二人の関係をよりたしかなものにしたいと思ったんだろうね。男というのは往々にしてそういう考えかたをする。

19歳のときに彼女は詩を書いた。それにメロディーをつけ、ピアノを弾いて歌った。メロディーはメランコリックで、無垢《むく》で、純粋に美しいものだった。でもそれに比べて歌詞のほうはシンボリックで、思索的で、どちらかといえば難解だった。その対比が新鮮だった。詩にもメロディーにも、言うまでもないことだけれど、遠く離れたところにいる彼を求める心が凝縮されていた。彼女は何度か人前でそれを歌った。彼女は普段はシャイな人だったんだけど、歌を歌うのは好きだったし、学生時代にはフォーク・ミュージックのバンドを組んでいたこともある。で、それを聴いた人が感心して、簡単なデモテープをつくり、知り合いのレコード会社のディレクターに送った。ディレクターも曲がすっかり気に入り、彼女を東京のスタジオに呼んで、正式に録音させることになった。

彼女は生まれて初めて東京に行って、恋人と会った。そしてレコーディングの合間に、時間をみつけては前と同じように親密に愛しあった。たぶん二人は14歳くらいから日常的に性的な関係を持っていたと思う——と母は言っていた。二人は早熟だったんだ。そして早熟な人がしばしばそうであるように、うまく歳《とし》をとることができなかった。彼らはいつまでも14歳か15歳のままでいた。二人はしっかりと抱きあって、そのたびに自分たちがどれくらいお互いを必要としているかを確認しあった。どちらもほかの異性にはまったく心を引かれることがなかった。離ればなれになっていても、二人のあいだには別のものが入りこむような余地はなかった。ねえ、こういうおとぎ話みたいなラブストーリーは退屈じゃない？」

僕は首を振る。「先のほうできっと、大きな転換があるような気がする」

「そのとおり」と大島さんは言った。「それが物語というものの成り立ちだ――大きな転換。意外な展開。幸福は一種類しかないが、不幸は人それぞれに千差万別だ。トルストイが指摘しているとおりにね。幸福とは寓話《ぐうわ》であり、不幸とは物語である。さて、そのレコードは発売され、ヒットした。それも尋常なヒットじゃない。劇的にヒットしたんだ。それは売れに売れた。１００万、２００万、正確な数は知らない。いずれにせよその当時としては記録的な数だった。レコード・ジャケットには彼女の写真が出ている。録音スタジオのグランド・ピアノの前に座って、こちらを向いてにっこりと笑っている写真だ。

ほかの曲が用意できなかったので、シングル盤のB面には同じ曲のインストルメント版が入れられた。オーケストラとピアノだ。彼女がピアノを弾いた。それも美しい演奏だった。１９７０年前後のことだ。当時はどのラジオ局にあわせても、その曲が流れていたということだ。母がそう言っていた。僕はそのときにはまだ生まれてもいないから知らないんだけどね。しかし結局、歌手として彼女が世に出したのはその一曲だけだった。ＬＰも出さなかったし、2枚目のシングルも出さなかった」

「僕はその曲を聴いたことがあるかな？」

「君はよくラジオを聴く？」

僕は首を振る。僕はラジオをほとんど聴かない。

「じゃあたぶん聴いたことはないんじゃないかな。ラジオのオールディーズ特集でもないかぎり、今ではまず聴く機会もないだろうから。でも素敵な歌だ。僕はその曲が入ったＣＤを持っていて、ときどき聴いている。もちろん佐伯さんのいないところでね。彼女はそのことについて触れられるのをひどくいやがるから。というか実際のところ、過去のどんなことについても触れられるのをいやがるんだけどね」

「曲のタイトルはなんていうんですか？」

「『海辺のカフカ』」と大島さんは言った。

「『海辺のカフカ』？」

「そうだよ、田村カフカくん。君と同じ名前だ。奇《く》しき因縁というところだね」

「それは僕のほんとうの名前じゃない。田村というのはほんとうだけど」

「でも君が自分で選んだんだろう?」

僕はうなずく。名前を選んだのは僕だし、その名前を新しくなった自分につけることをずっと前からきめていた。

「それがむしろ重要なことなんだ」と大島さんは言う。


20歳のときに佐伯さんの恋人は死んだ。『海辺のカフカ』が大ヒットしている最中のことだ。彼の通っている大学はストライキで封鎖中だった。そこに泊まりこんでいる友人に差し入れをするために、彼はバリケードをくぐった。夜の10時前だった。建物を占拠している学生たちは、彼を対立セクトの幹部とまちがえて捕まえ(顔がよく似ていたのだ)、椅子《いす》に縛りつけて、スパイ容疑で「尋問」した。彼は人違いであることを相手に説明しようとしたが、そのたびに鉄パイプや角棒で殴りつけられた。床に倒れると、ブーツの底で蹴《け》りあげられた。夜明け前には彼は死んでいた。頭蓋骨《ずがいこつ》が陥没し、肋骨《ろっこつ》が折れ、肺が破裂していた。死体は犬の死骸《しがい》みたいに道ばたに放りだされた。2日後に大学の要請があって機動隊が構内に突入し、数時間であっさりと封鎖を解除し、何人かの学生を殺人容疑で逮捕した。学生たちは犯行を認め、裁判にかけられ、もともとの殺意はなかったということで、二人が傷害致死罪で、短い懲役刑を宣告された。誰にとっても意味のない死だった。

彼女はもう二度と歌わなかった。部屋に鍵《かぎ》をかけて閉じこもったきり、誰とも口をきかなかった。電話にもでなかった。彼の葬儀にも顔を見せなかった。通っていた音楽大学には退学届を出した。そのようにして何カ月かが経過し、人々が気がついたときには彼女の姿はもう町から消えていた。佐伯さんがどこに行ってなにをしているのか、誰ひとり知らなかった。両親もそれについては口を閉ざしていた。あるいは両親だって、彼女の正確な行き先を知らなかったのかもしれない。彼女は煙のように虚空《こくう》に消えてしまったのだ。無二の親友であった大島さんの母親も、佐伯さんのその後の足どりをまったく知らない。彼女は富士の樹海で自殺をはかったが、それに失敗して今では精神病院に入っていると言う人もいた。知り合いの知り合いが東京の街でばったり彼女と顔を合わせたという話もあった。その人の話によれば、彼女は東京でなにかものを書く仕事をしているという話だった。結婚して子どもをつくったという話もあった。しかしどれも裏づけのない噂話《うわさ》だった。そのようにして20年以上が過ぎた。

ひとつ言えるのは、佐伯さんがそのあいだどこでなにをしていたとしても、経済的には問題なかっただろうということだ。彼女の銀行口座には『海辺のカフカ』の印税が入っていた。所得税を引いたあとでもかなりの額が残った。曲がラジオで放送されたり、オールディーズのCDにコンパイルされたりすれば、たいした額ではないにせよ使用料や印税が入ってきた。どこか遠くの場所でひっそりと自立した生活を送るくらいのことはできたはずだ。それに加えて彼女の実家は裕福で、彼女はひとり娘だった。

しかし25年後に佐伯さんは突然、高松に戻ってきた。帰郷の直接の理由は母親の葬儀だった（5年前の父親の葬儀のときには顔をださなかったのだが）。彼女はささやかな葬儀を主宰し、一段落してから生まれ育った大きな家を処分した。そして高松市内の閑静な場所にマンションを買い、そこに落ちついた。もうほかの場所に移るつもりはないようだった。しばらくしてから甲村家とのあいだに話しあいがもたれ（甲村家の現在の当主は亡《な》くなった長男より3つ年下の次男だった。佐伯さんと彼が二人だけで話をした。でもそれがどんな内容の話だったのかは明らかになっていない）、その結果、佐伯さんは甲村図書館の管理責任者をつとめるようになった。

今でも彼女は美しく、ほっそりとしていた。『海辺のカフカ』のレコード・ジャケットに写っているのと同じような知的な清楚《せいそ》さをほとんどそのまま保っていた。ただそこにはもう無条件に透き通った微笑《ほほえ》みはなかった。彼女は今でもときおり微笑んだ。

チャーミングではあるけれど、それは時間と範囲をあるところまで限定された微笑みだった。その外側には目に見えない高い壁があった。その微笑みは誰をもどこにも導かなかった。彼女は毎朝、市内からグレーのフォルクスワーゲン・ゴルフを運転して図書館にやってきて、それを運転して家に帰っていった。

故郷に戻ってきたわけだが、かつての友だちとも親戚《しんせき》ともほとんど交際しなかった。なにかの折に顔を合わせれば礼儀正しく世間並みの話はした。しかし話題は常にかぎられたものだった。過去の出来事が話題になると（とくにその出来事の中に彼女が含まれている場合には）、彼女はすぐに、しかしあくまで自然に、別の方向に話題を誘導した。彼女が口にする言葉はいつも丁寧で優しかったが、そこには本来あるべき好奇心や驚きの響きが欠けていた。彼女の生《なま》の心情は――もしそういうものがあったとしても――いつもどこかにしまいこまれていた。現実的な判断が要求されるときを別にすれば、彼女の個人的な意見が表にもち出されることはまずない。彼女は自分では多くを語らず、主に相手に語らせ、それに温かい相槌《あいづち》をうった。彼女と話している相手は多くの場合、どこかのポイントでふと、漠然とした不安を抱くことになった。こうして話をしていることで、自分は彼女の静かな時間を無益に消費させ、その端正に整えられた世界に土足で踏み入っているんじゃないかと。そしてその印象はおおむね正しかった。

たとえ町に戻ってきても、彼女は人々にとって相変わらず謎《なぞ》の存在でありつづけた。彼女はこのうえなく洗練されたスタイルで、秘密の衣をまといつづけていた。そこには簡単には近づきがたいものがある。名目上は雇い主である甲村家の人々でさえ彼女には一目置いて、余計な口出しはしないようにしていた。

やがて大島さんが彼女の助手として、図書館で働くようになった。大島さんはそのころ学校にも行かず仕事もせず、ひとりで家にこもって大量の本を読み、音楽を聴いていた。電子メイルの文通相手をべつにすれば、友だちもほとんどいないようだった。血友病という事情のせいもあって、専門病院に行ったり、あてもなくマツダ・ロードスターに乗ったり、定期的に広島の大学病院に行ったり、高知の山小屋にこもるときのほかは町を離れることもなかった。しかし彼はそんな生活にたいしてとくに不満も抱かなかった。佐伯さんは大島さんのお母さんにある日、ふとしたきっかけで彼を紹介され、一目で気に入ってしまった。大島さんのほうも佐伯さんが気に入ったし、図書館で仕事をすることにも興味を持った。佐伯さんが日常的に接触し口をきく相手は、大島さんひとりだけのようだった。

「大島さんの話を聞いていると、佐伯さんは甲村図書館の管理の仕事をすることを目的としてここに帰ってきたみたいに思えるんだけど」と僕は言う。

「そうだね。僕もだいたい同じことを感じている。母親の葬儀は戻ってくるためのひとつのきっかけに過ぎなかったんだろうと。過去の記憶がしみついた故郷の町に戻ってくるには、それなりの決心が必要だったはずだけど」

「図書館がどうしてそんなに大事だったんだろう」

「ひとつには、そこに彼が住んでいたからだよ。彼は、佐伯さんの亡くなってしまった恋人は、今の甲村図書館がある建物で、つまりかつての甲村家の書庫の中で生活していたんだ。彼は甲村家の長男だったし、血筋というべきか、本を読むのがなによりも好きだった。そしてこれも甲村家の血筋のひとつの特徴なんだけど、孤独を好む性格だった。だから中学校にあがったとき、みんなが暮らしている母屋《おもや》ではなく、書庫のある離れに自分ひとりの部屋がほしいと主張し、それはかなえられた。なにしろ本の好きな一族だから、そういうことには理解がある。『なるほど、本にかこまれて暮らしたいのか。それはけっこうなことだ』ってね。彼はその離れで、誰に邪魔されることもなく生活し、食事をするときだけ母屋に帰った。佐伯さんは毎日のようにそこに遊びに来た。二人で一緒に勉強し、一緒に音楽を聴き、果てしなく話をした。そしてたぶん一緒に抱きあって眠った。その場所は二人にとっての楽園になった」

大島さんはハンドルの上に両手を置いたまま、僕の顔を見る。「君はこれからそこに住むことになるんだ、カフカくん。まさにその部屋にね。さっきも言ったように図書館に改築したときにいくらか手は入れてある。でも部屋としては同じだ」

僕は黙っている。

「佐伯さんの人生は基本的に、彼が亡くなった20歳の時点で停止している。いや、そのポイントは20歳ではなく、もっと前かもしれない。僕にはそこまではわからない。しかし君はそのことを理解しなくちゃいけない。彼女の魂に埋めこまれた時計の針はその前後のどこかでぴたりと停まっているんだ。もちろんそのあとも外の時間は流れつづけているし、それはもちろん彼女に現実的な影響を及ぼしている。でも佐伯さんにとってはそんな時間はほとんど意味を持たない」

「意味を持たない？」

大島さんはうなずく。「ないも同然ということだよ」

「つまり佐伯さんはずっと、その停まった時間の中で生きてきたというわけ？」

「そのとおりだよ。しかしどのような意味合いにおいても、彼女は生ける屍《しかばね》なんかじゃない。彼女を知るようになれば、それは君にもわかるはずだ」

大島さんは手をのばして僕の膝《ひざ》の上に置く。とても自然な動作だ。

「田村カフカくん、僕らの人生にはもう後戻りができないというポイントがある。それからケースとしてはずっと少ないけれど、もうこれから先には進めないというポイントがある。そういうポイントが来たら、良いことであれ悪いことであれ、僕らはただ黙ってそれを受け入れるしかない。僕らはそんなふうに生きているんだ」

僕らは高速道路に入る。その前に大島さんは車を停め、幌をあげる。そしてまたシューベルトのソナタをかける。

「もうひとつ、君に知っておいてもらいたいことがある」と大島さんは言う。「それは佐伯さんはある意味では心を病んでいるということだ。もちろん僕だって君だって、心を病んでいる。多かれ少なかれ。それはまちがいない。しかし佐伯さんはそういう一般的な意味を超えて、もっと個別的に病んでいるんだ。魂の機能が普通の人とはちがった動きかたをしていると言っていいかもしれない。しかしだから彼女が危ういとか、そういうんじゃない。日常生活においては佐伯さんはきわめてまともだ。ある意味では僕の知っている誰よりもまともだ。深みがあり、賢くてチャーミングだ。ただ彼女についてもしなにか不思議なことがあったとしても、それは気にしないでほしい」

「不思議なこと?」と僕は思わず聞きかえす。

大島さんは首を振る。「僕は佐伯さんのことが好きだ。尊敬してもいる。君もきっと同じような気持ちを彼女に対して抱いてくれる」

それは僕の質問に対する直接のこたえにはなっていない。しかし大島さんはそれ以上なにも言わない。タイミングをはかってギアを落とし、アクセルを踏みこみ、トンネルの手前でライトバンを追い抜く。

第18章

気がついたとき、ナカタさんは草むらの中に仰向けになって寝ていた。彼は意識を回復し、そろそろと目を開けた。夜だった。星はない。月も出ていない。それでも空はほんのりと明るかった。夏草の強い匂《にお》いがする。虫の声も聞こえる。そこはどうやら、毎日見張りをしていた空き地の中であるようだった。顔に何かをこすりつけられているような感触があった。ざらざらとして、温かい何かだった。彼は顔を少しだけ動かし、2匹の猫が自分の両側の頬を、小さな舌で熱心になめているのを目にした。それはゴマとミミだった。彼はゆっくりと身を起こし、手をのばして2匹の猫を撫《な》でた。

「ナカタは寝ていたのでしょうか？」と彼は猫たちに尋ねた。

2匹の猫は何かを訴えるように、口々に鳴いた。しかしナカタさんはその言葉を聞き取ることができなかった。彼らが語りかけていることがナカタさんにはまったく理解できなかった。それはただの猫の鳴き声にしか聞こえなかった。ナカタにはあなたがたのおっしゃっていることがうまく聞きとれないようです」

「すみません。ナカタさんは起きあがって自分の体をひととおり見回し、そこに何の異変もないことを認めた。痛みもない。手足もちゃんと動く。あたりは暗く、目が慣れるまでに時間がかかったが、手にも服にも血がついていないことは確かだった。身につけている服は、家を出てきたときのままだった。乱れはまったくない。魔法瓶と弁当を入れたズックの鞄《かばん》もそばに置いてあった。帽子もズボンのポケットに入っている。ナカタさんにはわけがわからなかった。

彼はついさっき大きなナイフを手にとって〈猫殺し〉のジョニー・ウォーカーを殺したのだ。ミミとゴマの命を救うために。そのことをナカタさんははっきりと記憶していた。手にはまだそのときの感触が残っていた。夢なんかではない。相手を刺したときに返り血を浴びて血まみれになった。ジョニー・ウォーカーは床に倒れて、丸まって死んでいた。そこまでは記憶している。それからソファに沈み込んで、意識を失ってしまった。そして気がつくと、こうして空き地の草むらの中に横になっている。どうやってここまで戻ってきたのだろう。道順だってわからないのに。おまけに服には血がまったくついていない。夢ではない証拠にミミとゴマが自分の両側にいる。しかし彼らの話すことは、ナカタさんにはひとことも理解できない。

ナカタさんはため息をついた。うまくものを考えることができない。しかたない。あとでまた考えよう。彼は鞄を肩にかけ、両手に2匹の猫を抱いて空き地を出た。塀の外に出ると、ミミが体をもぞもぞと動かして、下に降りたいという意思を表明した。ナカタさんは彼女を降ろしてやった。

「ミミさんはもう自分ひとりで家に戻れるんですね。すぐ近くだから」とナカタさんは言った。

そう、というようにミミは勢いよく尻尾《しっぽ》を振った。

「いったい何が起こったのかナカタにはよく理解できませんし、このように何故《なぜ》かはわかりませんが、もうミミさんとお話をすることもできません。しかしゴマちゃんはなんとか見つけることができました。これからゴマちゃんをコイズミさんのところに届けてこようと思います。コイズミさんのおうちのみなさんは、ゴマちゃんの帰りを待っておられるのです。ミミさんにはたいへんお世話になりました」

ミミは一声鳴き、また尻尾を振って、足早に角を曲がって消えていった。彼女の身体《からだ》にも血はついていなかった。そのことをナカタさんは記憶の中に留めておいた。

コイズミさんの一家はゴマが戻ってきたのを見て驚喜した。もう夜の10時を過ぎていたが、子どもたちはまだ歯を磨いているところだった。ほうじ茶を飲みながら「ニュースステーション」を見ていたコイズミさんの夫婦は、猫を連れてきたナカタさんを温かく歓迎してくれた。パジャマ姿の子どもたちは三毛猫を奪い合って抱いた。早速ミルクとキャットフードが与えられ、ゴマはそれを熱心に食べた。

「こんな夜遅くにお邪魔してしまって、申し訳ありませんでした。もっと早い時間であればよかったのですが、ナカタには選びようがなかったのです」

「いいんです、そんなこと。どうか気になさらないでください」とコイズミさんの奥さんは言った。

「時間なんて何時だってかまいませんよ。あの猫はうちの家族の一員みたいなものなんです。見つかってほんとによかった。ちょっとお上がりになりませんか。一緒にお茶でも飲んでいってください」とご主人が言った。

「いいえ、いいえ。ナカタはすぐに引き上げます。ナカタはただ一刻も早くコイズミさんにゴマちゃんをお渡ししたかっただけなのです」

コイズミさんの奥さんが奥に行って、礼金の入った封筒を用意した。それをご主人がナカタさんに渡した。「ほんの気持ちですが、ゴマを見つけていただいたお礼です。どうかお受け取りください」

「ありがとうございます。遠慮なくいただきます」、ナカタさんは封筒を受け取り、頭を下げた。

「しかしこんな暗くなってから、よく居場所がわかりましたね」

「はい。話せば長い話になります。ナカタにはとてもお話しできそうにありません。ナカタは頭があまりよくありませんし、長い説明をするのがとりわけ苦手なのです」

「いいんですよ、そんなこと。ほんとうに何とお礼を申し上げればいいか」と奥さんが言った。「そうだ、夕ご飯の残り物で申し訳ないんですが、焼きなすとキュウリの酢の物があるんです。ナカタさん、よかったらお持ちになりませんか?」

「そうですか。お言葉に甘えて、いただいて参ります。焼きなすもキュウリの酢の物も、ナカタの大好物であります」

ナカタさんは焼きなすとキュウリの酢の物の入ったタッパーウェアと、お金の封筒を鞄にしまい、コイズミさんの家を出た。駅に向かって足早に歩き、商店街の近くにある交番まで行った。交番には若い警官が一人で机の前に座り、書類に何かを書き込んでいるところだった。無帽で、帽子は机の上に置かれていた。

ナカタさんは交番のガラスの引き戸を開けて中に入り、「こんばんは。失礼いたします」と言った。

「こんばんは」と警官も言った。彼は書類から目を上げ、ナカタさんの風体を観察した。害のないおとなしそうな老人に見えた。たぶん道でも聞きにきたのだろうと警官は思った。

ナカタさんは戸口に立ったまま帽子をとり、それをズボンのポケットに入れた。そして反対側のポケットからハンカチを出し、鼻をかんだ。ハンカチをたたみ、もとのポケットに入れた。

「それで、何かご用ですか？」と警官は尋ねた。

「はい。ナカタはさきほど人を殺しました」

警官は持っていたボールペンを思わず机の上に落とし、口を開けてナカタさんの顔を見つめた。彼はしばらくのあいだ言葉を失っていた。

「ちょっと……、まあ、そこに座って」と警官は半信半疑で、机の向かいにある椅子《いす》を指さした。それから手をのばして、拳銃《けんじゅう》と警棒と手錠を腰に帯びていることをいちおう確認した。

「はい」と言って、ナカタさんはそこに腰を下ろした。背筋を伸ばし、両手を膝《ひざ》の上に置き、警官の顔をまっすぐに見た。

「それであんたは……人を殺した」

「はい。ナカタはナイフで人を刺し殺しました。ついさっきのことであります」、ナカタさんはそうきっぱりと言った。

警官は用紙をとりだし、掛け時計に目をやり、ボールペンで現在時刻を記入し、ナイフで刺殺と書いた。「まずあんたの名前と住所だ」

「はい。ナカタサトルといいます。住所は――」

「ちょっと待って。ナカタサトル、どんな字を書くの？」

「ナカタは字のことはわかりません。申し訳ありませんが、字が書けないのです。読むこともできません」

警官は顔をしかめた。

「まったく読み書きができない？　自分の名前も書けない？」

「はい。9歳のときまではナカタにもちゃんと読み書きができたということですが、事故にあいまして、それ以来すっかりできなくなりました。頭もよくありません」

警官はため息をついて、ボールペンを下に置いた。「それじゃ書類も書けないよ。

自分の名前の字もわからないようじゃ」

「申し訳ありません」

「誰かおうちの人はいないの？　家族は」

「ナカタは一人です。家族はおりません。仕事もしておりません。知事さんにホジョをいただいて生活しております」

「もう夜も遅いし、あんたそろそろ家に戻った方がいいよ。そしてぐっすりと寝なさい。それで明日になってまた何か思い出したら、もう一度ここに来なさい。そのときにあらためて話を聞こう」

勤務交代の時刻が近づいていたし、警官はその前に書類を片づけてしまいたかった。勤務が明けたら同僚と一緒に、近くの酒場に飲みにいく約束になっていた。頭のおかしい老人の相手をしている暇はない。しかしナカタさんは厳しい目をして首を振った。

「いいえ、お巡《まわ》りさん、ナカタは思い出せるうちに一切をお話ししておきたく思います。明日になれば大事なことを忘れてしまっているかもしれません。ナカタは2丁目の空き地におりました。コイズミさんに頼まれて、そこで猫のゴマちゃんを探していたのです。そこに大きな黒い犬が突然やってまいりまして、ナカタをあるお宅につれていきました。大きな門があり、黒い自動車のある大きなお宅でした。住所はわかりません。あたりに見覚えもありません。でもたぶん中野区だと思います。そこにジョニー・ウォーカーさんという不思議な黒い帽子をかぶった人がいました。丈の高い帽子です。台所の冷蔵庫の中には、猫さんたちのあたまがたくさん並んでいました。20個くらいはあったと思います。その人は猫さんを集めて、のこぎりで首を切り、心臓を食べます。猫さんの魂をつかってとくべつな笛を作るのです。そしてその笛をつかって、今度は人の魂を集めるのであります。ジョニー・ウォーカーさんはナカタの前で、ナイフでカワムラさんを殺しました。ほかの何匹かの猫さんたちも殺しました。ナイフでおなかを割きます。ゴマちゃんとミミさんも殺そうとしました。そこでナカタがナイフを持って、ジョニー・ウォーカーさんを殺したのであります。

ジョニー・ウォーカーさんはナカタに、自分を殺してほしいと言いました。しかしナカタはジョニー・ウォーカーさんを殺すつもりはありませんでした。はい、そうです。ナカタはこれまで人を殺したことなんてありません。ナカタはジョニー・ウォーカーさんが猫さんたちを殺すのを、ただとめようと思っただけです。しかし体が言うことを聞いてくれませんでした。体が勝手に動いてしまったのです。ナカタはそこにありましたナイフを手にとって、一度、二度、三度とジョニー・ウォーカーさんの胸に突き刺しました。ジョニー・ウォーカーさんは床に倒れ、血だらけになって死にました。ナカタもそのときに血だらけになりました。そのあとナカタはふらふらと椅子に座って、そのまま眠ってしまったのだと思います。目が覚めたらもう夜中で、空き地にいました。ミミさんとゴマさんが隣にいました。それがさっきのことです。ナカタはまずコイズミさんのおたくにゴマちゃんを届け、奥さんに焼きなすとキュウリの酢の物をいただき、それからすぐここに参りました。知事さんにご報告せねばと思ったのであります」

背筋を伸ばしたままそれだけ一気に話し終えると、ナカタさんは大きく息をした。一度にこんなに長い話をしたのは初めてのことだった。頭の中ががらっぽになってしまったような気分だった。

「そのことをどうか知事さんにお伝えください」

若い警官は呆然《ぼうぜん》とした顔でナカタさんの話を聞いていた。しかしナカタさんが何を言っているのか、実のところ彼にはほとんど理解できなかった。ジョニー・ウォーカー？ ゴマちゃん？

「わかりました。知事さんにそのことを伝えておきましょう」と警官は言った。

「ホジョがうち切られないといいのですが」

警官はむずかしい顔をして、用紙にメモをするふりをした。「わかりました。そのように書いておきましょう。当人は、補助がうち切られないことを希望している、と。これでいいですね」

「けっこうです。お巡りさん、ありがとうございました。お手間をとらせました。知事さんによろしくお伝えください」

「伝えておきます。だから安心して、今日はゆっくりとお休み」、警官はそう言ってから、最後にひとつだけ感想を付け加えた。「ところで、あんた、人を殺して血まみれになったというわりには、服に何もついていないですね」

「はい。そのとおりであります。実を申しまして、それがナカタにも不思議でならないのです。腑《ふ》に落ちません。たしかナカタ自身もずいぶん血まみれになっていたはずなのですが、気がついたときにはそれはなくなっていました。不思議です」

「不思議だね」と警官は一日ぶんの疲労をにじませた声で言った。

ナカタさんは引き戸を開けて交番を出ようとしたが、足を停めて振り返って言った。

「ところで明日の夕方は、お巡りさんはこのへんにおられますか?」

「いるよ」と警官は用心深い声で言った。「明日の夕方もここで勤務している。それが何か？」

「もし空が晴れておりましても、念のために傘をお持ちになった方がいいです」

警官はうなずいた。そして振り返って壁の時計を見た。そろそろ同僚から誘いの電話がかかってくるはずだ。「わかりました。傘を持っていくようにします」

「空から雨が降るみたいに魚が降ってきます。たくさんの魚です。たぶんイワシだと思います。中にはアジも少しは混じっているかもしれません」

「イワシとアジか」と警官は笑って言った。「だとしたら、むしろ傘を逆さにして魚を受けて、酢の物にするといいかもしれないね」

「アジの酢の物はナカタも好物であります」とナカタさんはまじめな顔で言った。

「でもナカタは明日のその時刻には、たぶんもうここにはおりません」

翌日実際に中野区のその一角にイワシとアジが空から降り注いだとき、その若い警官は真っ青になった。何の前触れもなく、おおよそ２０００匹に及ぶ数の魚が、雲のあいだからどっと落ちてきたのだ。多くの魚は地面にぶつかるときに潰《つぶ》れてしまったが、中にはまだ生きているものもいて、商店街の路面をぴちぴちとはねまわっていた。魚は見るからに新鮮で、まだ潮の匂《にお》いをはなっていた。魚は人や車や建物の屋根に音を立ててあたったが、それほど高いところから落下してきたものではないらしく、幸いなことに大きな怪我《けが》をした人はいなかった。それよりはむしろ心理的ショックの方が大きかった。大量の魚が雹《ひょう》のように空から降ってきたのだ。まさに黙示録的な光景だった。

あとになって警察が調査をおこなったが、それらの魚がどこからどのようにして空を運ばれてきたのか、説明はつかなかった。魚市場や漁船から大量のアジとイワシが消滅したという話もなかった。その時刻に上空を飛行機やヘリコプターが飛んでいた事実もなかった。竜巻の報告もなく、誰かの悪戯《いたずら》とも思えなかった。悪戯にしてはあまりにも手間がかかりすぎる。警察の要請を受けて、中野区の保健所は降ってきた魚を採集して検査をしたが、異常な点は見つからなかった。それらはごく当たり前のイワシでありアジのようだった。新鮮で、うまそうだった。しかし警察は広報車を出して、出所が不明で、中に危険物が混ざっている可能性があるので、空から降ってきた魚を食べないようにしてくださいと放送した。

テレビの報道車も詰めかけた。それは実にテレビ向きの事件だった。レポーターが商店街に群がり、その奇妙きわまりない事件を全国に報道した。彼らはシャベルで道に落ちている魚をすくって見せた。空から落ちてきたイワシとアジが頭に当たった主婦のコメントを放送した。彼女はアジの背鰭《せびれ》で頰を切っていた。「まあ、落ちてきたのがまだアジやイワシでよかったわ。これがマグロだったらもっとひどいことになっていたと思うから」と彼女はハンカチで頰を押さえながら言った。まっとうな発言だったが、テレビを見ていた人々は笑った。中には落ちてきたイワシとアジをその場で焼いて、カメラの前で食べてみせるという勇気のあるレポーターもいた。「とてもおいしいです」と彼は得意そうに言った。「新鮮だし、あぶらもよく乗っています。大根おろしと温かいご飯がないのが残念です」

若い警官はどうしていいのかわからなかった。あの奇妙な老人は——名前はなんといったっけ、思い出せない——今日の夕方に大量の魚が空から降ってくることを予言したのだ。イワシとアジだ。彼の言ったとおり……。しかし自分は笑い飛ばして、名前も住所も控えなかった。上司にそのことをあらためて報告するべきだろうか。たぶんそうするのが筋なのだろう。しかし今更そんなことを申し出て、いったいどんなメリットがあるというのか。誰かが大きな怪我をしたわけでもないし、今のところ犯罪が関与しているという証拠もない。ただ空から魚が落ちてきたというだけだ。だいたい、奇妙な老人が交番にやってきて、空からイワシとアジが降ってくることを前の日に予言していたなんていう与太話を、上司はすんなりと信じてくれるだろうか。頭がおかしくなったと思われるのがおちではないか。あるいは話に尾鰭がついて、署内のいい笑い話にされるかもしれない。

それからもうひとつ、あの老人は交番にやってきて自分が殺人を犯したという報告をした。つまり自首してきたわけだ。それを自分は相手にしなかった。その事実を勤務日誌に記載することさえしなかった。これは明らかに職務規定に違反しているし、処分の対象になる。老人の話はあまりにも馬鹿《ばか》げていた。どんな警官だって、現場で勤務している人間ならそんな話を真剣に取りあったりはしない。交番勤務は日々の雑用に追われて忙しいし、事務作業は山積していく。世間には頭のねじがゆるんだ人間がうようよといて、そういう連中は申し合わせたみたいに交番に押しかけてきてわけのわからないことを言う。いちいちまともに取り合っているわけには行かないのだ。

しかし魚が空から降ってくるという予言（それも十分すぎるくらい馬鹿げた話だ）が現実のものになったからには、あの老人が誰かを——ジョニー・ウォーカーさんと彼は言った——ナイフで刺殺したというわけのわからない話だって、まったくの作り話とは言い切れなくなってくる。もし仮にそれが事実だとしたら、これはたいへんなことだ。なにしろ「さっき殺人を犯しました」と自首してきた人間をそのまま帰してしまい、報告すらしなかったのだから。

やがて清掃局の車がやってきて、道路に散らばった魚を処理した。若い警官はその交通整理をした。商店街の入り口を封鎖し、車が入れないようにした。商店街の道路にはイワシとアジの鱗《うろこ》がこびりついて、いくらホースで水を流してもうまくとれなかった。しばらくのあいだ路面はぬるぬるとして、自転車の車輪を滑らせて転ぶ主婦も何人かいた。魚の匂いはいつまでたっても抜けず、近所の猫たちは一晩中興奮していた。警官はそのような雑事の処理に追われて、謎の老人についてそれ以上考える余裕もなくなってしまった。

しかし魚が空から降ってきた翌日、近所の住宅地で男の刺殺死体が発見されたとき、その若い警官は息を呑《の》んだ。殺されていたのは高名な彫刻家で、死体を発見したのは一日おきにやってくる通いの家政婦だった。被害者はなぜか全裸で、床は血の海になっていた。推定死亡時刻は2日前の夕方、凶器は台所にあったステーキナイフだ。あの老人がここで話したことは真実だったのだ、と警官は思った。やれやれ、大変なことになってしまった。俺はあのとき本署に連絡して、老人をパトカーで連れて行ってもらうべきだったんだ。殺人の告白をしたということで、そのまま上に引き渡してしまうべきだったんだ。頭がおかしいかどうかの判断は彼らに任せればいい。それで現場としての責任は果たせたはずだ。でも俺はそれをしなかった。こうなったらあとはだんまりを決めこむしかないぞ。警官はそう決心した。

そのころナカタさんは既に街を出ていた。

第19章

月曜日で、図書館は閉まっている。普段の図書館もじゅうぶん静かだけれど、休館日の図書館は必要以上に静かだ。まるで時間に忘れられてしまった場所のように見える。あるいは時間に見つけられまいと息をひそめている場所のように見える。

閲覧室の先の廊下（「関係者以外の立ち入りをお断りします」という札が出ている）を進むと従業員用の流し台があり、飲み物をつくって温められるようになっている。電子レンジもある。その奥にゲストルームのドアがある。部屋には簡単なバスルームとクローゼットがついている。ひとり用のベッドがあり、枕《まくら》もとのテーブルには読書灯と目覚まし時計が置いてある。書き物ができる机があり、その上にはライト・スタンドが載っている。白いカバーのかかった昔ふうの応接セット、服を畳んで入れるためのチェスト。単身者用の小型冷蔵庫があり、その上には食器や食品を入れるための戸棚がある。もし簡単な調理をしようと思えば、ドアの外の流し台を使えばいい。バスルームには石鹸《せっけん》やシャンプー、ドライヤーとタオルも揃《そろ》っている。人がそれほど長くない期間、不自由なく生活するためのものがだいたい備えられている。西を向いた窓からは庭の樹木が見える。時刻は夕方に近く、傾きかけた太陽が杉の枝の向こうにちらちらと光っている。

「僕は家に帰るのが面倒なとき、たまに泊まることがあるけど、ほかにこの部屋を使う人はいない」と大島さんは言う。「佐伯さんは僕の知るかぎり、まったくこの部屋を使わない。つまり君がここに寝泊まりしても、誰も迷惑はしないということだ」

僕はリュックを床に置き、部屋の中を見まわす。

「シーツはセットしてあるし、冷蔵庫にはとりあえず必要なものは入っている。牛乳、果物、野菜、バター、ハム、チーズ……。手のこんだ料理をつくるのは無理だけれど、サンドイッチをつくったり、野菜を切ってサラダをつくるくらいはできる。まともな食事をしたければ、出前をとるか、外に食べにいくかすればいい。洗濯はバスルームで自分でするしかない。ほかになにか僕が言い忘れたことはあるかな?」

「佐伯さんは普段はどこで仕事をしているんですか?」

大島さんは指で天井を指す。「館内見学のときに二階の書斎を見ただろう。彼女はあそこでいつも書きものをしているんだ。僕が席を外すときには、下に来てかわりにカウンターに座っている。でもとくに一階に用事がないときには、あそこにいる」

僕はうなずく。

「僕は明日の朝10時前にここに来て、君に仕事のだいたいの段取りを教える。それまではゆっくりやすんでいるといい」

「いろいろとありがとう」と僕は言う。

「My pleasure」と彼は英語で返事をする。

大島さんが行ってしまうと、僕はリュックの中の荷物を整理する。数少ない服をチェストにしまい、シャツと上着をハンガーにかけ、ノートと筆記具を机の上に置き、洗面用具をバスルームに持っていき、リュックをクローゼットの中に入れる。

部屋の中には装飾的なものはなにもないが、壁に一枚だけ小さな油絵がかかっている。海辺にいる少年の写実的な絵だった。悪くない絵だ。名のある画家が描いたのかもしれない。少年はたぶん12歳くらい。白い日よけ帽をかぶり、小振りなデッキチェアに座っている。手すりに肘《ひじ》をつき、頰杖《ほおづえ》をついている。いくぶん憂鬱《ゆううつ》そうな、いくぶん得意そうな表情を顔に浮かべている。黒いドイツ・シェパードが少年を護《まも》るような格好でそのとなりに腰をおろしている。背景には海が見える。何人かの人々も描きこまれているが、とても小さくて顔までは見えない。沖には小さな島が見える。海の上には握り拳《こぶし》のようなかたちをした雲がいくつか浮かんでいる。夏の風景だ。僕は机の前の椅子《いす》に座って、しばらくその絵を眺める。見ていると、実際に波の音が聞こえ、潮の匂《にお》いがかぎとれそうな気がしてくる。

そこに描かれているのは、この部屋にかつて暮らしていた少年なのかもしれない。佐伯さんが愛した同い歳の少年。20歳のときに学生運動のセクト間の争いに巻きこまれて、意味もなく殺されてしまった少年。たしかめようもないけれど、なんとなくそういう気がする。風景もこのあたりの海辺の風景のように見える。もしそうだとしたら、その絵の中に描かれているのは40年くらい前の風景であるはずだ。40年という歳月は、僕にはほとんど永遠みたいに思える。ためしに40年後の自分を想像してみる。でもそれは宇宙の果てを想像するようなものだ。

翌日の朝、大島さんがやってきて、僕に図書館を開ける手順を教えてくれる。鍵《かぎ》を開け、窓を開けて空気を入れ換え、床にざっと掃除機をかけ、雑巾《ぞうきん》で机の上を拭《ふ》き、花瓶の水を取り替え、明かりをつけ、ときによっては庭に水を撒《ま》き、時間が来ると表の門を開く。閉館のときにはだいたいその逆のことをする。窓に鍵をかけ、机をまた雑巾で拭き、明かりを消し、門を閉める。

「盗まれるものなんてここにはなにもないから、そんなに戸締まりに気を遣うこともないのかもしれない」と大島さんは言う。「でもだらしないのは佐伯さんも僕もあまり好きじゃない。だからできるだけきちんとやる。ここは僕らの家なんだ。だから敬意をもって扱う。君にもできるだけそうしてもらいたい」

僕はうなずく。

それから彼は受付カウンターの仕事について僕に教える。カウンターに座ってなにをすればいいのか。閲覧者の案内のやりかた。

「しばらく僕のそばについていて、やりかたを見て、手順を覚えるといい。そんなにむずかしいことじゃない。もしなにかむずかしいことが持ちあがったら、二階に行って佐伯さんを呼んでくれればいいんだ。あとは彼女がうまく処理してくれる」

佐伯さんは11時前にやってくる。彼女の運転するフォルクスワーゲン・ゴルフのエンジン音は特徴的で、すぐにそれとわかる。彼女は駐車場に車を停め、裏口から入ってきて、大島さんと僕に挨拶《あいさつ》をする。「おはよう」と彼女は言う。「おはようございます」と大島さんと僕は言う。僕らのあいだで交わされる会話はそれだけだ。佐伯さんは紺色の半袖のワンピースを着て、手にコットンの上着を持っている。肩からショルダーバッグをかけている。アクセサリーというものをほとんど身につけていない。化粧気もあまりない。しかしそれでも彼女には相手を眩《まぶ》しがらせるものがある。大島さんの横に立っている僕を見て、なにか言いたそうな顔をするが、結局なにも言わない。僕に向かって軽く微笑《ほほえ》み、それから静かに階段をあがって二階に行く。

「大丈夫だよ」と大島さんは言う。「君のことはすべて了解しているし、なにも問題はない。余計なことは言わない人なんだ。それだけ」

11時になると、大島さんと僕は図書館を開ける。門を開けてもすぐには誰も入ってこない。大島さんは検索コンピュータの使いかたを僕に教える。図書館でよく使われているIBMのもので、僕はその使いかたに馴《な》れている。それから閲覧カードの整理方法を教える。毎日何冊かの新刊書が郵便で届くので、それを手書きでカードに書きこむのも仕事のひとつだ。

11時半に二人連れの女性が現れる。どちらも同じような色かたちのブルージーンズをはいている。背の低いほうは水泳選手のように髪を短くして、背の高いほうは髪を編みあげている。靴はどちらもジョギング・シューズ。ひとりはナイキ、ひとりはアシックス。背の高いほうは40歳くらい、背の低いほうは30歳くらいに見える。背の高いほうは格子《こうし》柄のシャツを着て眼鏡をかけ、背の低いほうは白いブラウスを着ている。どちらもデイパックを背負い、曇り空のような気むずかしい顔をしている。口数も少ない。大島さんは入り口で荷物を預かり、彼女たちはそこから不機嫌そうにノートと筆記具を取りだす。

彼女たちは書架を一段一段チェックし、閲覧カードを熱心に繰っている。ときどきノートになにかをメモする。本は読まない。椅子に座りもしない。図書館の利用客というよりは、在庫調査にあたっている税務署の調査員みたいに見える。大島さんにも僕にも彼女たちがどういう人で、ここでいったいなにをしているのか、まるで見当がつかない。大島さんは僕に目配せして、小さく肩をすくめる。ごく控え目にいって、あまり良い予感はしない。

お昼どきになって、大島さんが庭で食事をしているあいだ、僕がかわりにカウンターに座っている。

「うかがいたいことがあるんだけど」と女性のひとりがやってきて言う。背の高いほうだ。声のトーンは硬くこわばっていて、戸棚の奥に忘れられていたパンを連想させる。

「はい。どんなことでしょう」

彼女は眉《まゆ》を寄せて、まるで斜めに傾いた額ぶちを見るみたいな目つきで僕の顔を見る。「ねえ、あなたは高校生かなにかじゃないの?」

「はい。そうです。ここで研修をしています」と僕は答える。

「誰かもうすこし話のわかる人を呼んできてくれる?」

僕は庭に大島さんを呼びにいく。彼は口の中にあるものをコーヒーでゆっくり飲みくだし、膝《ひざ》の上に落ちたパンくずを払ってからやってくる。

「なにかご質問でも?」と大島さんは愛想よく話しかける。

「実を言いますと、私たちの組織は女性としての立場から、日本全国の文化公共施設の設備、使いやすさ、アクセスの公平性などを実地調査しております」と彼女は言う。「一年がかりで手分けして実際に各施設をまわり、設備を点検し、調査結果をレポートとして公表します。多くの女性がこの作業にかかわっております。私たちはこの地域を担当しています」

「もしよろしければ、その組織の名前をお聞かせいただけますでしょうか」と大島さんは言う。

女性は名刺をとりだして手渡す。大島さんは表情を変えずに注意深くそれを読み、カウンターの上に置き、それから顔をあげ、ゴージャスな微笑みを浮かべて相手の顔をじっと見る。健全な女性なら思わず頬が赤くなるような第一級品の微笑みだった。

しかし相手は眉《まゆ》ひとつ動かさない。

「それで、結論からまず申しあげますと、この図書館には残念ながらいくつかの問題点が見受けられます」と彼女は言う。

「つまりそれは、女性的見地から見てということですね」と大島さんは尋ねる。

「そうです。女性的見地から見て、ということです」と彼女は言う。そして咳《せき》払いする。「そのあたりのことについて、いちおうアドミニストレーションの側のご意見をうかがいたく思いますが、よろしいでしょうか?」

「アドミニストレーションというような大げさなものはここには存在しませんが、僕でよろしければなんなりとも」

「まずここには女性専用の洗面所がありません。そうですね?」

「そのとおりです。この図書館には女性専用の洗面室はありません。男女兼用になっています」

「たとえ私立の施設とはいえ、パブリックに開放された図書館であれば、原則として、洗面所は男女別にされるべきではないでしょうか」

「原則として」と大島さんは確認するように相手の言葉を繰りかえす。

「そうです。男女兼用の洗面所は様々な種類のハラスメントにつながります。調査によりますと、女性の大半は男女兼用の洗面所に対して使いづらさを切実に感じています。これは明らかに女性利用者に対するニグレクトです」

「ニグレクト」と大島さんは言う。そしてなにか苦いものをまちがえて飲みこんでしまったときのような表情を顔に浮かべる。その言葉の響きがあまり好きではないのだ。

「意識的看過です」

「意識的看過」と彼はまた繰りかえす。そしてその言葉のフォルムの無骨さについてひとしきり考察する。

「そのことをどうお考えになりますか?」と女性がかすかな苛立《いらだ》ちを抑えて言う。

「ごらんになればおわかりのように、ここはとても小さな図書館です」と大島さんは言う。「残念ながら男女別の洗面所をつくるほどのスペースの余裕はありません。洗面所が男女別になっていれば、そのほうが好ましいのは論をまたないところですが、今のところ利用者から苦情は出ていません。幸か不幸か、うちの図書館はそれほど混雑しないのです。もしあなたがたが男女別の洗面所の問題を追及なさりたければ、シアトルのボーイング社に行かれて、ジャンボ・ジェットの洗面所について言及なさったらいかがでしょう。私どもの図書館よりはジャンボ・ジェットのほうが遥《はる》かに大きいし、遥かに混雑もしていますし、私の知るところでは機内の洗面所はすべて男女兼用です」

背の高い女性は厳しく目を細めて大島さんの顔を見る。彼女が目を細めると、両側の頰骨がぐっと前に出る。それに合わせて眼鏡が上に持ちあがる。

「私たちは今ここで交通機関の調査をしているわけではありません。どうしてジャンボ・ジェットの話が急に出てこなくてはならないのですか」

「ジャンボ・ジェットの洗面所が男女兼用であることも、図書館の洗面所が男女兼用であることも、原則的に考えれば、生じる問題は同じじゃありませんか？」

「私たちは個々の公共施設の設備の調査をしています。原則の話をするためにここに来たのではありません」

大島さんはあくまで柔和な微笑を顔に浮かべる。「そうですか。僕はてっきり、我々は原則について語りあっているんだと思っていたんですが」

背の高い女性は自分がどこかで過《あやま》ちを犯したらしいことに気がつく。彼女の頰が少し赤くなる。しかしそれは大島さんの性的アピールがもたらしたものではない。彼女は体勢を立て直そうと試みる。

「とにかくジャンボ・ジェットの問題はここでは関係ありません。無関係なことを持ち出して話を混乱させないでください」

「わかりました。飛行機の話はやめましょう」と大島さんは言う。「地上の問題にかぎって話をしましょう」

彼女は大島さんの顔をにらみつける。ひと息ついてあとをつづける。「それからもうひとつおうかがいしたいのですが、著者の分類が男女別になっています」

「はい。そのとおりです。そのインデックスを作ったのは私たちの前任者ですが、なぜか男女別になっています。そのうちに作りなおそうと思っているのですが、余裕のないまま現在に至っています」

「私たちはなにもそのことに文句をつけているのではありません」と彼女は言う。

大島さんは軽く首をかしげる。

「ただしこの図書館では、すべての分類において、男性の著者が女性の著者より先に来ています」と彼女は言う。「私たちの考えるところによれば、これは男女平等という原則に反し、公平性を欠いた処置です」

大島さんは名刺を手に取り、もう一度そこにある文字を読み、それをまたカウンターの上に置く。

「曽我さん」と大島さんは言う。「学校で出欠をとられるときには、曽我さんは田中さんの前だし、関根さんのあとだったはずです。あなたはそのことに対して文句を言いましたか？　たまには逆から呼んでくれと抗議しましたか？　アルファベットのG

は自分がFのあとになっているからといって腹を立てますか？　本の68ページは自分が67ページのあとになっているからといって革命を起こしますか？」

「それとは話がちがいます」と彼女は声を荒げて言った。「あなたはさっきから、意図的に話を混乱させています」

それを聞きつけて、書架の前でノートをとりつづけていた背の低い女性も足早にこちらにやってくる。

「意図的に話を混乱させる」と大島さんは、まるで文字に傍点でも打つみたいに相手の言葉を反復する。

「そうじゃないとでも言うんですか？」

「レッド・ヘリング」と大島さんは言う。

曽我という名前の女性は口を軽く開けたまま、なにも言わない。

「英語に red herring という表現があります。興味深くはあるが、話の中心命題からは少し脇道《わきみち》に逸《そ》れたところにあるもののことです。赤いニシン。どうしてそんな言いかたをするのかまでは浅学にして知りませんが」

「ニシンだかアジだか、いずれにせよあなたは話をはぐらかしています」

「正確に申しあげれば、アナロジーのすりかえです」と大島さんは言う。「アリストテレスはそれを、雄弁術にとってもっとも有効な方法のひとつであると述べています。そのような知的トリックは、古代アテネ市民のあいだでは日常的に楽しまれ、行使されていました。当時のアテネにおいて『市民』の定義に女性が含まれていなかったのはまことに残念なことですが」

「あなたは私たちをからかっているんですか？」

大島さんは首を振る。「いいですか、僕が申しあげたいのはこういうことです――小さな町の小さな私立図書館にやってきて、あたりをくんくん嗅《か》ぎまわって、洗面所の形態や閲覧カードのあらを探しているような時間があれば、全国の女性の正当な権利の確保にとって有効なことは、ほかにいくらでもみつけられるはずだ、と。僕らはこのささやかな図書館を少しでも地域の役に立つものにするべく、全力を尽くしています。書物を愛する人々のために、優れた書物を集め提供しています。人間味のあるサービスを心がけています。あなたはご存じないかもしれませんが、この図書館の、大正期から昭和中期にかけての詩歌の研究資料のコレクションは、全国的にも高く評価されています。もちろん不備はあります。限界だってあります。しかし及ばずながら精一杯のことはやっているのです。僕らができないでいることを見るよりは、できていることのほうに目を向けてください。それがフェアネスというものではありませんか」

背の高い女性は背の低い女性を見て、背の低い女性は背の高い女性を見あげる。

背の低い女性がそこで初めて口を開く。声は鋭く高い。「あなたの主張していることとは結局のところ内容空疎な責任回避、言い逃れに過ぎません。現実という便宜的タームを持ちだすことによって、安易な自己正当化をおこなっているだけです。言わせていただければ、あなたはまさに男性性のパセティックな歴史的例です」

「パセティックな歴史的例」と大島さんは感心したような口調で繰りかえす。声の響きからすると彼はその表現がけっこう気に入ったようだった。

「つまり、あなたは典型的な差別主体としての男性的男性だということです」と背の高いほうが苛立ちを隠しきれない声で言う。

「男性的男性」と大島さんはまた繰りかえす。

背の低いほうがそれを無視してつづける。「社会的既成事実と、それを維持するためにつくられた安直な男性的論理を盾に、あなたは女性というジェンダー全体を二級市民化し、女性が当然受けとるべき権利を制限し剝奪《はくだつ》しています。意図的にというよりはむしろ非自覚的にですが、そのぶんかえって罪が深いとも言えます。あなたがたは他者の痛みに鈍感になることによって、男性としての既得権益《きとくけんえき》を確保しているのです。そしてそのような無自覚性が、女性に対して社会に対して、どれほど悪を及ぼしているのかを見ようとはしません。洗面所の問題や閲覧カードの問題はもちろん細部に過ぎません。しかし細部のないところに全体はありません。まず細部から始めなくては、この社会を覆《おお》っている無自覚性の衣を剝《は》ぎとることはできません。それが私たちの行動原則です」

「それはまた、すべての心ある女性の感じていることです」と背の高いほうが無表情につけ加える。

「『およそ心ある女性で、私と同じような責め苦を負わされて、私と同じように振舞わないものがいるだろうか』」と大島さんは言う。

二人は並んだ氷山のように黙っている。

「ソフォクレスの『エレクトラ』。素晴らしい戯曲です。僕は何度も読みかえしました。それからちなみにジェンダーということばは、そもそもは文法上の性をあらわすものであって、フィジカルな性差を示す場合はやはりセックスのほうが正しいと僕は思います。この場合の『ジェンダー』は誤用です。言語的な細かいことを申しあげれば」

冷たい沈黙がつづく。

「いずれにせよ、あなたの言っていることは根本的にまちがっています」と大島さんは穏やかな声で、しかしきっぱりと言う。「僕は男性的男性のパセティックな歴史的例なんかじゃありません」

「どこがどう根本的にまちがっているのか、わかりやすく説明していただけますか」と背の低いほうの女性が挑戦的に言う。

「論理のすり替えや知識のひけらかしは抜きで」と背の高いほうがつけ加える。

「わかりました。論理のすり替えや知識のひけらかしは抜きで、わかりやすく正直に説明しましょう」と大島さんは言う。

「お願いします」と背の高いほうが言う。もうひとりはそれに同意するように簡潔にうなずく。

「まずだいいちに、僕は男性じゃありません」と大島さんは宣言する。

すべての人々が言葉を失い、沈黙する。僕も息をのみ、となりの大島さんをちらっと見る。

「僕は女だ」と大島さんは言う。

「つまらない冗談はよしてください」、背の低いほうの女性がひと呼吸置いてからそう言う。しかしそれは誰かがなにかを言わなくてはならないから言っているという感じの言いかただった。確信があるわけじゃない。

大島さんはチノパンツのポケットから財布を出し、プラスチックのカードをとって彼女に渡す。写真入りのIDカード。たぶん何か病院の関係のものだろう。彼女はカードに書かれた文字を読み、眉をひそめ、背の高い女性に渡す。彼女もそれを読み、少しためらってから、不吉なトランプ札を引き渡すときのような表情を顔に浮かべ、大島さんに返す。

「君も見たい？」と大島さんは僕のほうを向いて言う。僕は黙って首を振る。彼はそのIDカードを財布に収め、財布をチノパンツのポケットにしまう。そしてカウンターに両手をつく。「というわけでごらんのとおり、僕は生物学的に言っても、戸籍から言っても、紛れもない女性です。だからあなたの言いぶんは根本的にまちがっている。僕はあなたの定義するところの、典型的な差別主体としての男性的男性ではありえない」

「でも――」と背の高い女性はなにかを言いかけるが、あとの言葉がつづかない。背の低いほうはまっすぐに唇を結び、右手の指でブラウスの襟をひっぱっている。

「でも身体の仕組みこそ女性だけど、僕の意識は完全に男性です」と大島さんはつづける。「僕は精神的にはひとりの男性として生きています。だからまあ、あなたの言っていることは歴史的例として正しいかもしれない。僕は札つきの差別主義者かもしれない。ただ、僕はこんな格好はしていても、レズビアンじゃない。性的嗜好《しこう》でいえば、僕は男が好きです。つまり女性でありながら、ゲイです。ヴァギナは一度も使ったことがなくて、性行為には肛門《こうもん》を使います。クリトリスは感じるけど、乳首はあまり感じない。生理もない。さて僕はなにを差別しているんだろう。どなたか教えてくれますか」

我々残りの三人は再び言葉もなく黙りこむ。誰かが小さな咳払いをするが、それは不適切なものとして部屋に響く。壁の時計がいつになく大きな乾いた音をたてる。

「申しわけないけど、今昼食をとっているところなんです」と大島さんはにこやかに言う。「ツナのスピナッチ・ラップというのを食べています。半分食べたところで呼ばれて来ました。長く置いておくと、近所の猫が来て食べてしまうかもしれない。このへんは猫がずいぶん多いんです。海岸の松林に子猫を捨てていく人が多いものですから。もしよろしければ、戻って食事をつづけたいと思います。というわけで失礼いたしますが、みなさんはどうぞごゆっくりなさってください。この図書館はすべての市民に対して開かれています。館内規則をまもり、ほかの閲覧者の邪魔にならない限り、なにをなさるのもご自由です。好きなものを好きなだけごらんになってください。

あなたがたの報告書にはなんなりともご自由にお書きください。どのように書かれても、我々はたぶん気にしないと思います。私たちはこれまでどこからの補助も受けず、指図も受けず、自分たちの考えるやりかたでものごとを進めてきましたし、これからもそうするつもりでいます」

大島さんが行ってしまうと、二人組の女性は黙って顔を見あわせ、それから二人で僕の顔を見る。僕が大島さんの恋人なのだろうかと考えているのかもしれない。僕はなにも言わずに閲覧カードを整理している。二人は書架のところで小声でなにか言いあっていたが、そのうちに荷物をまとめて引きあげる。彼女たちはとてもこわばった顔をしている。カウンターで僕がデイパックを手渡しても、ありがとうも言わない。

しばらくして食事を済ませた大島さんが戻ってくる。スピナッチ・ラップを二本僕にくれる。スピナッチ・ラップというのは、緑色のトルティーヤのような生地で、野菜とツナをはさんで、白いクリームソースをかけたものだ。僕はそれを昼ご飯に食べる。お湯を沸かして、ティーバッグのアールグレイを飲む。

「僕がさっき言ったのはみんなほんとうのことだよ」、僕が昼食から戻ってきたときに大島さんは言う。

「この前、自分は特殊な人間だと言ったのはそういう意味だったんだね」と僕は言う。

「自慢するわけじゃないけれど、僕の表現が決して誇張じゃなかったことはわかってもらえたよね」

僕は黙ってうなずく。

大島さんは笑う。「僕は性別からいえばまちがいなく女だけど、乳房もほとんど大きくならないし、生理だって一度もない。でもおちんちんもないし、睾丸《こうがん》もないし、髭《ひげ》もはえない。要するになにもないんだ。さっぱりしているといえば、とてもさっぱりしている。それがどういう感じのものか、たぶん君には理解できないだろうけど」

「たぶん」と僕は言う。

「ときどき僕自身にもなにがなんだか理解できなくなることがある。僕はいったいなんなんだろうってさ。ねえ、僕はいったいなんなんだろう?」

僕は首を振る。「ねえ大島さん、そんなことを言えば、僕にだって自分がなにかはわからないんだよ」

「アイデンティティーの古典的模索《もさく》」

僕はうなずく。

「しかし君には少なくともとっかかりのようなものはある。僕にはない」

「大島さんがたとえなにであれ、僕は大島さんのことが好きだよ」と僕は言う。誰かに向かってそんなことを口にしたのは、生まれて初めてのことだ。僕の顔は赤くなる。

「ありがとう」と大島さんは言う。そして僕の肩にそっと手を置く。「たしかに僕はほかのみんなとは少し変わっている。でも基本的には同じ人間なんだ。そのことは君にわかってもらいたい。僕は化け物でもなんでもない。普通の人間だ。ほかのみんなと同じように感じ、同じように行動する。しかしそのちょっとしたちがいが、ときには無限の深淵《しんえん》のように感じられることがある。それはもちろん、考えてみればしかたないことではあるんだけどね」

彼はカウンターの上に置かれていた長い尖《とが》った鉛筆を手に取り、それを眺める。その鉛筆は彼の身体の延長線上にあるもののように見える。

「このことは君になるべく早い機会にうち明けておいたほうがいいだろうと思っていたんだ。誰かほかの人から聞かされるよりは、僕自身の口から直接伝えておきたかった。だから今日はまあいい機会だった——ということだよ。あまり気分がいいとは言いかねるけれどね」

僕はうなずく。

「僕はごらんのとおりの人間だから、これまでいろんなところで、いろんな意味で差別を受けてきた」と大島さんは言う。「差別されるのがどういうことなのか、それがどれくらい深く人を傷つけるのか、それは差別された人間にしかわからない。痛みというのは個別的なもので、そのあとには個別的な傷口が残る。だから公平さや公正さを求めるという点では、僕だって誰にもひけをとらないと思う。ただね、僕がそれよりも更にうんざりさせられるのは、想像力を欠いた人々だ。T・S・エリオットの言う〈うつろな人間たち〉だ。その想像力の欠如した部分を、うつろな部分を、無感覚な藁《わら》くずで埋めて塞《ふさ》いでいるくせに、自分ではそのことに気づかないで表を歩きまわっている人間だ。そしてその無感覚さを、空疎《くうそ》な言葉を並べて、他人に無理に押しつけようとする人間だ。つまり早い話、さっきの二人組のような人間のことだよ」

彼はため息をついて、指の中で長い鉛筆をまわす。

「ゲイだろうが、レズビアンだろうが、ストレートだろうが、フェミニストだろうが、ファシストの豚だろうが、コミュニストだろうが、ハレ・クリシュナだろうが、そんなことはべつにどうだっていい。どんな旗を掲げていようが、僕はまったくかまいはしない。僕が我慢できないのはそういううつろな連中なんだ。そういう人々を前にすると、僕は我慢できなくなってしまう。ついつい余計なことを口にしてしまう。さっきの場合だって適当に受け流して、あしらっておけばよかったんだ。あるいは佐伯さんを呼んできて、まかせてしまえばよかったんだ。彼女ならうまくにこやかに対処してくれる。ところが僕にはそれができない。言わなくてもいいことを言ってしまうし、やらなくてもいいことをやってしまう。自分が抑えきれない。それが僕の弱点なんだ。どうしてそれが弱点になるのかわかるかい？」

「想像力の足りない人をいちいち真剣に相手にしていたら、身体がいくつあっても足りない、ということ？」と僕は言う。

「そのとおり」と大島さんは言う。そして鉛筆の消しゴムの部分で軽くこめかみを押さえる。「実にそういうことだ。でもね、田村カフカくん、これだけは覚えておいたほうがいい。結局のところ、佐伯さんの幼なじみの恋人を殺してしまったのも、そういった連中なんだ。想像力を欠いた狭量さ、非寛容さ。ひとり歩きするテーゼ、空疎な用語、簒奪《さんだつ》された理想、硬直したシステム。僕にとってほんとうに怖いのはそういうものだ。僕はそういうものを心から恐れ憎む。なにが正しいか正しくないか——もちろんそれもとても重要な問題だ。しかしそのような個別的な判断の過ちは、多くの場合、あとになって訂正できなくはない。過《あやま》ちを進んで認める勇気さえあれば、だいたいの場合取りかえしはつく。しかし想像力を欠いた狭量さや非寛容さは寄生虫と同じなんだ。宿主を変え、かたちを変えてどこまでもつづく。そこには救いはない。僕としては、その手のものにここには入ってきてもらいたくない」

大島さんは鉛筆の先で書架を指す。もちろん彼は図書館ぜんたいのことを言っているのだ。

「僕はそういうものを適当に笑い飛ばしてやりすごしてしまうことができない」

第20章

冷凍大型トラックの運転手が、ナカタさんを東名高速道路の富士川サービスエリアの駐車場に降ろしたとき、時刻は既に夜の8時を過ぎていた。ナカタさんはズックの鞄《かばん》とこうもり傘をもって高い助手席から降りた。

「ここで次の車を見つけるといいよ」とその運転手は窓から首を突き出して言った。「聞いてまわったら、なんとかひとつくらいは見つかるだろう」

「ありがとうございます。ナカタはとても助かりました」

「気をつけてな」と運転手は言った。そして手をあげて行ってしまった。

フジガワ、と運転手は言った。フジガワがどこにあるのか、ナカタさんにはまったくわからない。しかし自分が東京を離れて、少しずつ西に向かって移動していることだけは理解できた。磁石がなくても、地図が読めなくても、それくらいは本能的に理解できた。これからまた次の、西に向かう車に乗せてもらえばいいのだ。

ナカタさんは空腹を感じたので、食堂でラーメンを食べることにした。鞄の中にあるおにぎりとチョコレートには今は手をつけず、非常の場合に備えてとっておこうとナカタさんは思った。字が読めないせいで、システムを理解するのに時間がかかった。食堂に入る前にまず食券を買わなくてはならない。食券は自動販売機で売られていたので、字を読めないナカタさんは誰かに手伝ってもらわなくてはならなかった。「弱視でよく目が見えないものですから」と言うと、中年の女性がかわりにお金を入れ、ボタンを押し、お釣りを渡してくれた。相手によっては字が読めないという事実はなるべくかくしておいた方がいいということを、ナカタさんは経験から学んでいた。ときどき化けものでも見るような目で見られることがあったからだ。

それからナカタさんはズックの鞄を肩にかけ、傘を持ち、そのあたりにいるトラックの運転手らしき人に声をかけてみた。自分は西に向かっているのですが、乗せていっていただけませんでしょうか、と聞いてまわった。彼らはナカタさんの顔を見て、格好を見て、それから首を振った。ヒッチハイクをする老人はきわめて珍しいし、珍しいものを彼らは本能的に警戒した。ヒッチハイカーを乗せるのは会社から禁止されているんだと彼らは言った。悪いね。

だいたい中野区から東名高速道路に入るまでに、ずいぶん時間がかかった。ナカタさんはなにしろほとんど中野区から外に出たことがないし、東名高速道路の入り口がどこにあるかも知らなかった。とくべつパスのきく都バスは必要に応じて利用するが、切符が必要な地下鉄や電車には一人で乗ったことがない。

着替えと洗面用具と簡単な食品を鞄につめ、畳の下にかくしていたお金を腹巻きの中に大事に入れ、大きなこうもり傘を持ってアパートの部屋を出たのは、朝の10時前だった。都バスの運転手に「トーメイ高速道路にはどのようにして行けばよろしいのでしょうか」と尋ねたが、笑われただけだった。

「このバスは新宿駅までしかいかないんだよ。都バスは高速道路を走らないからね。高速道路は高速バスに乗らなくちゃいけない」

「トーメイ高速道路を走る高速バスはどこから出るのでしょうか?」

「東京駅」と運転手は言った。「このバスで新宿まで行って、新宿駅から電車に乗って東京駅に行って、そこで指定席切符を買ってバスに乗るんだ。そしたら東名高速道路に入ることになる」

よくわからなかったけれど、ナカタさんはとりあえずそのバスに乗って新宿駅まで行った。しかしそこはあまりにも巨大な街だった。行き来する人も多く、うまく道を歩くこともできない。何種類もの電車が走っていて、いったいどこに行けば東京駅行きの電車に乗れるのか、さっぱりわけがわからなかった。もちろん案内板の字も読めない。何人かの人に行き方を尋ねてみたが、彼らの説明はあまりにも早口で複雑で、耳にしたこともない固有名詞に満ちていて、ナカタさんにはとても覚えきれなかった。これでは猫のカワムラさんと話しているのと同じようなものだ、とナカタさんは内心思った。交番に行って尋ねてみてもよかったのだが、痴呆《ちほう》症の老人と思われて保護されるおそれがあった（これまでに一度だけそのような経験をしたことがあった）。駅の近くをうろうろと歩きまわっているうちに、空気が悪いのとうるさいのとで、だんだん気分が悪くなってきた。ナカタさんは人通りのなるべく少ない方に歩いていって、高層ビルの谷間に小さな公園のようなところを見つけ、そこのベンチに腰を下ろした。

ナカタさんはそこで長いあいだ途方に暮れていた。ときどきひとり言を言って、手のひらで短く刈り込んだ頭を撫《な》でた。公園には猫は一匹もいなかった。カラスがやってきて、ゴミ箱をあさっていた。ナカタさんは何度か空を見上げ、太陽の位置からおよその時刻を推測した。空は排気ガスのせいで不思議な色に曇っていた。

お昼を過ぎると近くのビルで働いている人々が公園に出てきて、そこで弁当を食べた。ナカタさんも用意してきたあんパンを食べ、魔法瓶のほうじ茶を飲んだ。隣のベンチに二人連れの若い女性が座っていたので、ナカタさんは声をかけてみた。どうすればトーメイ高速道路に行くことができるのでしょうかと、尋ねてみた。二人は都バスの運転手と同じことを教えてくれた。中央線に乗って東京駅に出て、そこから東名高速バスに乗ればいいんですよと。

「それはさっきためしてみたのですが、うまくできませんでした」とナカタさんは正直に言った。「ナカタはこれまでに中野区から外に出たこともありません。ですから電車にもうまく乗れないのです。都バスにしか乗れません。字が読めませんので、切符も買えません。都バスでここまで来たのですが、そこから先に進めないのです」

二人はそれを聞いてかなりびっくりした。字が読めない？　しかし見るからに害のなさそうな老人だった。にこやかで、身なりも小ぎれいだった。こんな天気の良い日にこうもり傘を持っているのはいささかひっかかるけれど、ホームレスには見えない。顔だちだって悪くないし、何より目が澄んでいた。

「ほんとうに中野区から外に出たことがないの？」と黒髪の女の子が言った。

「はい。ずっと出ないようにしてきました。ナカタが迷子になりましても、誰も探してはくれませんから」

「字も読めないんだ」と髪を茶色に染めた方の女の子が言った。

「はい。字はまったく読めません。数字は簡単なものならだいたいわかりますが、計算はできません」

「じゃあ、電車に乗るのもむずかしいよねえ」

「はい。とてもむずかしいです。切符が買えませんから」

「時間があったら駅まで連れて行って、正しい電車に乗せてあげるところなんだけど、私たちはもう少ししたら会社に戻らなくちゃいけないんだ。駅まで行っているような時間はない。ごめんね」

「いいえ、いいえ、そんなことおっしゃらないでください。ナカタは自分でなんとかやっていけます」

「そうだ」と黒髪の子が言った。「営業の峠口くん、今日これから横浜に行くって言ってなかった？」

「うん、そういえば言ってた。あいつに頼めば大丈夫だと思うよ。ちょっと暗いけど、悪いやつじゃないから」と茶髪の子が言った。

「ねえ、おじさん。字が読めないのなら、いっそのことヒッチハイクしちゃえば」と黒髪の子が言った。

「ヒッチハイク？」

「そのへんの車に頼んで乗せていってもらうの。だいたいは長距離トラックだけどね。一般車はあまり乗せてくれないから」

「長距離トラックだとか一般車だとか、そういうむずかしいことはナカタにはよくわかりませんが」

「まあ行っちゃえばなんとかなるものなんだ。私も昔、学生時代に一度やったことがあるよ。トラックの運転手の人ってみんな親切だったわね」

「ところでおじさん、東名高速道路のどこまで行くの?」と茶髪の子が尋ねた。

「わかりません」

「わからない?」

「わかりません。でもそこに行けばわかります。とりあえず、トーメイ高速道路を西に向かいます。それからあとのことは、またあとで考えようと思います。とにかくナカタは西に向かわなくてはならないのです」

二人の女の子は顔を見合わせたが、ナカタさんの話し方には一種独特の説得力があった。そして二人はナカタさんに対して自然な好意を持つことができた。彼女たちは弁当を食べ終え、空き箱をゴミ箱に捨て、ベンチから立ち上がった。

「ねえ、おじさん、私たちについておいでよ。なんとかしてあげられると思うから」

と黒髪の女の子が言った。

ナカタさんは彼女たちのあとから近くにある大きなビルに入った。そんな大きな建物に入るのは、ナカタさんには初めてのことだった。二人は会社の受付のベンチにナカタさんを座らせ、受付の女性にひとこと声をかけてから、「おじさん、ここでちょっと待っていてね」と言った。そして何台も並んだエレベーターの中に消えてしまった。こうもり傘を握りしめ、ズックの鞄を抱えて座っているナカタさんの前を、昼休みから戻ってきたサラリーマンやOLが次々に通り過ぎていった。それもナカタさんがこれまで目にしたことのない光景だった。すべての人々は申し合わせたようにきれいな格好をしていた。ネクタイを締め、光った鞄を持ちハイヒールをはいていた。そしてみんな足早に、同じ方向に歩いていた。こんなにたくさんの人々がここに集まってみんなでどんなことをしているのか、ナカタさんにはさっぱり理解できなかった。

やがて二人組が、白いシャツにストライプのネクタイを締めたひょろりと背の高い男を連れてきた。そしてナカタさんを彼に紹介した。

「この人ね、トウゲグチくんっていって、ちょうどこれから横浜まで車で行くの。それにナカタさんを乗せていってくれるって。東名高速道路の港北パーキングエリアっていうところでおじさんを降ろすから、そこからまた別の車をみつければいいわよ。

とにかく西の方に行きたいって言って聞いてまわって、もし乗せてくれたらお礼に、どこかに停まったときにご飯を一回ぶんくらいご馳走《ちそう》してあげればいいの。わかった？」と茶髪の子が言った。

「おじさん、それくらいのお金は持っている？」と黒髪の子が尋ねた。

「はい。ナカタはそれくらいのお金は持っております」

「ねえ峠口くん、ナカタさんは私たちの知り合いなんだから、ちゃんと親切にしてあげてよね」と茶髪の子が言った。

「そのぶん僕に親切にしてくれれば」と青年は気弱そうに言った。

「そのうちにね」と黒髪の子が言った。

別れ際《ぎわ》に二人の女の子はナカタさんに、「おじさん、これはお餞別《せんべつ》。おなかが減ったら食べてね」と言って、コンビニエンス・ストアで買ったおにぎりのパックと、チョコレートをくれた。ナカタさんは何度もお礼を言った。

「まことにありがとうございました。こんなにご親切にしていただいて、お礼の申し上げようがありません。お二人に良いことがありますように、ナカタは及ばずながらお祈りいたしております」

「お祈りがうまく効いてくれるといいんだけどね」と茶髪の子が言って、黒髪の子がくすくす笑った。

峠口という青年は、ハイエースの助手席にナカタさんを乗せ、首都高速道路から東名高速に入った。道路は渋滞していたので、二人はそのあいだいろんな話をした。峠口くんは人見知りをする性格だったので、最初のうちはあまりしゃべらなかったが、ナカタさんの存在に馴《な》れてくると、やがてほとんど会話を独占するようになった。彼には多くの話すべきことがあったし、たぶんもう二度と会うことのないナカタさんにになら、何でも正直に打ち明けることができた。結婚を約束していた恋人と数カ月前に別れたこと。彼女にほかに好きな人ができたこと。長いあいだ自分に黙って、その相手と二重につきあっていたこと。会社の上司とどうしてもうまくいかず、会社を辞めようかとさえ考えていること。中学生のときに両親が離婚したこと。母親がすぐに再婚して、その相手がろくでもない詐欺《さぎ》師同然の男であったこと。親しい友だちにまとまったお金を貸して、それが返ってくる気配のないこと。アパートの隣の部屋の学生が夜中まで大きな音で音楽を聴いていて、おかげでうまく眠れないこと。

ナカタさんは相手の話に律儀《りちぎ》に耳をかたむけ、ところどころで相づちを打ち、ささやかな所見を述べた。車が港北パーキングエリアに入るときには、ナカタさんはその青年の人生の、ほとんどすべての事実を知るようになっていた。よく理解できないところも多々あったが、峠口さんがまっとうに生きたいと望みつつも、数多くのトラブルに足をひっぱられている気の毒な青年であるという大筋のラインはわかった。

「どうもありがとうございました。ここまで連れてきていただいて、ナカタはとても助かりました」

「いや、僕もあなたと一緒にここまで来られて、とてもよかったですよ、ナカタさん。おかげで気持ちが楽になりました。こういう風に誰かに思い切り話せてよかった。これまで誰にも話せなかったんです。こんな面倒な話をいっぱい聞かされて、ナカタさんが迷惑に思っていなければいいんだけど」

「いいえ、とんでもありません。ナカタもトウゲグチさんとお話ができてよかったです。迷惑とか、そんなことはまったくありません。お気になさらないでください。トウゲグチさんにも、これからはきっと良いことがあると思います」

青年は財布からテレフォン・カードを出して、ナカタさんに渡した。「これを差し上げます。うちの会社で作ったテレフォン・カード。旅行のお餞別代わりというか、こんなのしかあげるものがなくて悪いんだけど」

「ありがとうございます」とナカタさんは言ってそれを受け取り、財布の中に大事にしまった。ナカタさんは誰かに電話をかけることもないし、カードの使い方もわからなかったけれど、断らない方がいいと思った。それが午後の3時だった。

ナカタさんを富士川まで連れて行ってくれるトラックの運転手をみつけるのに、それから一時間ばかりかかった。運転手は鮮魚を運送する冷凍トラックの運転手だった。40代半ばで、体格は大きかった。腕が丸太のように太く、腹も出ていた。

「魚臭いけどいいか」と運転手は言った。

「魚はナカタの好物であります」とナカタさんは言った。

運転手は笑った。「あんたちょっと変わってるな」

「はい。ときどきそう言われることがあります」

「俺は変わった人間って、好きだよ」と運転手は言った。「こんな世の中で普通の顔をして、まともに生きていけるようなやつは、かえって信用できねえもんな」

「そのようなものでしょうか」

「そうだよ。それが俺の意見だ」

「ナカタには意見というものはあまりありません。ウナギは好きですが」

「それもひとつの意見だ。ウナギが好き」

「ウナギも意見なのですか？」

「うん。ウナギが好きというのもひとつの立派な意見だ」

二人はそんな調子で富士川まで行った。運転手の名前はハギタさんといった。

「ナカタさん、あんたこれからこの世界はどうなると思うね？」と運転手が尋ねた。

「申し訳ありませんが、ナカタは頭が悪いので、そういうことは皆目わからないのです」とナカタさんは言った。

「自分の意見をもつのと、頭のいい悪いはべつのことだよ」

「しかしハギタさん、頭が悪いと、そもそものを考えることができません」

「しかしあんたはウナギが好きだ、そうだよな」

「はい、ナカタはウナギが好物であります」

「それが関係性というものなんだ」

「はあ」

「ナカタさんは親子丼《どん》は好きかい？」

「はい。親子丼もナカタの好物であります」

「それもまた関係性だ」と運転手は言った。「そういう風に関係性がひとつひとつ集まると、そこに自然に意味というものが生まれる。関係性がたくさん集まると、その意味もいっそう深くなる。ウナギでも親子丼でも焼き魚定食でも、なんでもいいんだ。わかるかい？」

「よくわかりません。それは食べ物が関係することなのでありましょうか？」

「食べ物には限らない。電車でも天皇でも、なんでもいい」

「ナカタは電車には乗りません」

「そりゃいい。だからね、俺が言いたいのは、つまり相手がどんなものであれ、人がこうして生きている限り、まわりにあるすべてのものとのあいだに自然に意味が生まれるということだ。いちばん大事なのはそれが自然かどうかっていうことなんだ。頭がいいとか悪いとかそういうことじゃないんだ。それを自分の目を使って見るか見ないか、それだけのことだよ」

「ハギタさんは頭がいいのですね」

ハギタさんは大きな声で笑った。「だからさ、こういうのは頭の良し悪《あ》しの問題じゃないんだ。俺はべつに頭なんて良かねえよ。ただ俺には俺の考え方があるだけだ。だからみんなによくうっとうしがられる。あいつはすぐにややこしいことを言い出すってさ。自分の頭でものを考えようとすると、だいたい煙たがられるものなんだ」

「まだナカタにはよくわからないのですが、ナカタがウナギを好きなことと、ナカタが親子丼を好きなことのあいだに、つながりがあるということなのでありましょうか」

「まあ要するにそういうことだ。ナカタさんという人間と、ナカタさんがかかわるもののごとのあいだには、必ずつながりが生まれる。それと同時に、ウナギと親子丼とのあいだにもやはりつながりがあるんだ。そのようなつながりの図式をどんどん広げていくと、ナカタさんと資本家との関係、ナカタさんとプロレタリアートとの関係というようなものも、そこに自然に生まれてくるわけだ」

「プロ――」

「プロレタリアート」、ハギタさんはハンドルから大きな両手を離して、それをナカタさんに見せる。それはナカタさんには野球のグローブのように見える。「こうして一生懸命額に汗して働いている人間がプロレタリアートだ。それに対して、椅子《いす》に座って、身体《からだ》なんか動かさず、他人にあれこれ命令して、俺の百倍くらいの給料をとっているのが資本家だよ」

「資本家という人のことは知りません。ナカタは貧乏なので、偉い人のことはよく知らないのです。偉い人といえば、ナカタは東京都の知事さんしか知りません。知事さんは資本家でありますか」

「まあ、そんなもんだ。知事なんてだいたいが資本家の犬みたいなものだ」

「知事さんは犬さんなのですか」、ナカタさんは自分をジョニー・ウォーカーの家に連れて行った黒い大きな犬のことを思い出し、その不吉な姿を知事さんに重ねた。

「そういう犬がうようよといるんだ、この世界には。走狗《そうく》っていうんだけどな」

「ソウク?」

「走りまわるイヌって書くんだ」

「資本家の猫さんはいないのでしょうか?」とナカタさんは尋ねてみた。

それを聞いてハギタさんは大笑いした。「あんた変わってるよな、ナカタさん。俺はあんたみたいな人が大好きだ。資本家の猫ときたね。実にユニークな意見だよなあ」

「あの、ハギタさん」

「うむ」

「ナカタは貧乏で、知事さんから毎月ホジョをいただいておりました。ひょっとしてそれはいけないことだったでしょうか?」

「毎月いくらもらってたんだね?」

ナカタさんは額を言った。ハギタさんはあきれたように首を振った。

「今どきそれっぽちの金で暮らしていくのはむずかしかろうよ」

「そうでもありません。ナカタはそんなにたくさんのお金をつかいませんから。でもホジョのほかに、ナカタはいなくなった近所の猫さんを探して、そのお礼のお金をいただいておりました」

「ふうん。職業的猫探しか」とハギタさんは感心して言った。「参ったなあ。あんたはほんとにユニークだ」

「実を申しますと、ナカタは実は猫さんと話ができるのです」とナカタさんは思いきってうち明けた。「猫さんの言葉がナカタにはわかるのです。ですから行方のわからなくなった猫さんをずいぶん捜し当てることができました」

ハギタさんはうなずく。「わかるよ。あんたならそれくらいのことはやりかねない。俺はちっとも驚かないよ」

「でも少し前から急に、ナカタは猫さんと話をすることができなくなってしまいました。どうしてでしょう？」

「世界は日々変化しているんだよ、ナカタさん。毎日時間が来ると夜が明ける。でもそこにあるのは昨日と同じ世界ではない。そこにいるのは昨日のナカタさんではない。わかるかい？」

「はい」

「関係性も変化する。誰が資本家で、誰がプロレタリアートか。どっちが右で、どっちが左か。情報革命、ストック・オプション、資産の流動化、職能の再編成、多国籍企業――何が悪で何が善か。ものごとの境界線がだんだん消滅してきているんだ。あんたが猫の言葉を理解できなくなったのは、そのせいもあるかもしれないね」

「ナカタには右と左の区別だけはなんとかわかります。つまり、こっちが右で、こっちが左です。違いますでしょうか」

「そのとおり」とハギタさんは肯《うなず》いた。「それでいいんだ」

二人は最後にサービスエリアの食堂に入って食事をした。ハギタさんはウナギを二人分注文し、自分でその代金を払った。ナカタさんは乗せてもらったお礼に自分が払うと主張したが、ハギタさんは首を振った。

「よせやい。俺は金持ちじゃないけどな、あんたが東京都知事からもらった涙金でメシを食わせてもらうほど落ちぶれちゃいないよ」と彼は言った。

「ありがとうございます。それではありがたくご馳走になります」とナカタさんは言って好意を受けた。

富士川サービスエリアで一時間ばかり運転手に聞いてまわったが、ナカタさんを乗せてくれる運転手はやはりなかなかみつからなかった。しかしそれでもナカタさんは焦《あせ》らなかったし、べつに落ち込んだりもしなかった。彼の意識の中では時間はとてもゆっくりと流れていた。あるいはほとんど流れていなかった。

ナカタさんは気分を変えるために外に出て、あたりをあてもなく歩いた。空には雲もなく、月が地肌までくっきりと見えた。ナカタさんはこうもり傘の先でアスファルトをこつこつと叩《たた》きながら駐車場を歩いた。そこには数えきれないくらいたくさんの巨大なトラックが動物のように肩を並べ、身を休めていた。人の背丈ほどあるタイヤが20個くらいついているものもあった。ナカタさんはしばらくのあいだその光景に見とれていた。こんなに大きな車が、こんな夜中に、こんなにたくさん道路を走っているのだ。その荷台にはいったいどんなものが詰まっているのだろう？　ナカタさんには想像がつかない。そのコンテナに書いてある文字をひとつひとつ読んでいくことができたら、そこに何が入っているのかわかるのだろうか？

しばらく歩くと、駐車場の端の、車の影がまばらになったあたりに、10台ほどのオートバイが駐車しているのが見えた。その近くに若い男たちが集まって、口々に何かを叫んでいた。輪になって何かを取り囲んでいるようだった。ナカタさんは興味を引かれて、そちらに行ってみることにした。何か珍しいものでもみつかったのかもしれない。

近くに寄ってみると、若い男たちは輪になって、その真ん中にいる誰かを殴ったり、蹴《け》ったりして痛めつけていることがわかった。ほとんどは素手だったが、中に一人チェーンを持っているのがいた。警官の持つ警棒のようなかたちをした黒い棒を手にしているものもいた。多くは髪を金髪や茶髪に染めていた。前をはだけた半袖《はんそで》のシャツか、Tシャツか、あるいはランニング・シャツという格好だ。中には肩に入れ墨を入れているものもいた。地面に横たわって殴られたり蹴られたりしているのも、やはり同じようななりをした若い男だった。ナカタさんがこうもり傘の先でアスファルトをこんこんと叩きながら近づいていくと、男たちの何人かが振り向いて鋭い目で見た。でも相手が害のなさそうな老人であることがわかって、警戒を解いた。

「おっさん、いいから向こうに行ってな」と一人が言った。

ナカタさんはかまわずそのまま歩いて近づいていった。地面に倒れた男は口から血を流しているようだった。

「血が出ています。それでは死んでしまいます」とナカタさんは言った。

男たちは虚をつかれてしばらく黙っていた。

「よう、おっさん、お前もついでにぶっ殺してやろうか」とチェーンを持った男がやっと言った。「こっちは一人殺すのも二人殺すのも、手間に変わりねえんだよ」

「わけもなく人を殺すのはいけません」とナカタさんは言った。

「わけもなく人を殺すのはいけません」と誰かがその口振り《まね》を真似して、まわりの数人が笑った。

「おらっちにはおらっちのわけがあって、こうやってんだよ。殺すも殺さねえも、おめえには関係ねえんだ。そのしょうもない傘をさして、雨の降らねえうちにさっさと行っちまいな」と別の一人が言った。

地面に倒れた男が身体をもそもそと動かし、頭を丸刈りにした男が重い作業靴でその脇腹《わきばら》を思い切り蹴りあげた。

ナカタさんは目を閉じた。自分の体の中で何かが静かにわき上がってくるのが感じられた。自分では抑えようもないものだった。軽い吐き気がした。ジョニー・ウォーカーを刺し殺したときの記憶が突然頭によみがえってきた。ナイフを相手の胸に突き刺したときの感触は、まだ彼の手にはっきり残っていた。関係性、とナカタさんは思った。こういうのもハギタさんの言っていた関係性のひとつなのだろうか。ウナギ＝ナイフ＝ジョニー・ウォーカー。男たちの声が歪《ゆが》んで、うまく識別できなくなった。

高速道路から聞こえてくる間断のないタイヤ音がそこに混じり合い、不思議なトーンを形成した。心臓が大きく収縮し、血を全身の末端に送り込んだ。夜が彼を包み込んだ。

ナカタさんは空を見上げ、それからゆっくりとこうもり傘を広げ、頭の上にかざした。そして注意深く、何歩か後ろにさがった。男たちとのあいだに距離を開けた。まわりを眺め、それからまた何歩か後ろにさがった。それを見て男たちは笑った。「このおっさん、けっこういけてるぜ」と一人が言った。「ほんとに傘さしてやがる」しかし彼らの笑いは長くは続かなかった。空から突然、ぬらぬらとした見慣れないものが落ちてきたからだ。それは足下の地面にあたってぴしゃりという奇妙な音を立てた。男たちは取り囲んだ獲物《えもの》を蹴るのをやめ、代わる代わる空を見上げた。空には雲はなかった。しかしその何かは空の一角から、次々に落ちてきた。最初のうちは、ぽつりぽつりとだったが、だんだん数が多くなり、あっという間に土砂降りのようになった。空から降ってきたのは長さが3センチくらいある、真っ黒なものだった。駐車場の照明の下で、それは艶《つや》やかな黒い雪のように見えた。その不吉な雪のようなものは男たちの肩や腕や首筋に落ちて、そのままそこに張りついた。彼らは手でもぎ取ろうとしたが、うまくはがすことができなかった。

「ヒルだ」と誰かが言った。

それが合図になって、男たちは口々に何かを叫びながら、駐車場を横切って洗面所の方に走っていった。途中で一人が通路を進んでくる小型車にぶつかったが、車は徐行していたのでたいした怪我《けが》はないようだった。金髪の若者は地面に倒れて、それから立ち上がってボンネットを平手で思いきり叩き、運転者に向かって大声で毒づいた。しかしそれ以上何かをすることはなく、足をひきずりながら洗面所の方に駆けていった。

ヒルはしばらく勢いよく降っていたが、やがて少しずつ小降りになり、やんだ。ナカタさんは傘をすぼめ、そこからヒルを払い落とし、地面に倒れた男の様子を見に行った。あたりにはヒルが山のように積もって動きまわっていたので、とても近くまでは寄れなかった。倒れた男もやはりヒルに埋もれていた。目を凝らして見ると、男は瞼《まぶた》を切って、そこから血が流れていた。歯も折れているようだった。ナカタさんの手には負えない。誰かを呼んでくるしかない。ナカタさんは歩いて食堂に戻り、駐車場の隅のほうで若い男が怪我をして倒れていると、従業員に教えた。「お巡《まわ》りさんを呼ばないと、死んでしまうかもしれません」とナカタさんは言った。

その少しあとで、ナカタさんは神戸まで乗せていってくれるというトラック運転手をみつけることができた。眠そうな目をした20代半ばの男だった。髪をポニーテールにして、耳にピアスをつけ、中日ドラゴンズの野球帽をかぶり、一人で煙草《たばこ》を吸いながら漫画週刊誌を読んでいた。派手な模様のアロハシャツを着て、ナイキの大振りなシューズを履いていた。背はあまり高くない。煙草の灰を、迷うことなく食べ残したラーメンの汁の中に落とした。彼はナカタさんの顔をまじまじと眺め、それから面倒くさそうにうなずいた。「いいよ、乗っかっていきな。あんたうちのじいちゃんに似てるよ。かっこうとか、話し方のずれ加減とかさ……。最後はすっかりぼけちまって、しばらく前に死んだけどな」

まあ朝までには神戸に着くだろう、と彼は言った。彼は神戸のデパートに納入する家具を運んでいた。駐車場から車を出すときに衝突事故を目にした。パトカーが何台か出動していた。赤い非常灯が回転し、警官がライトを振って駐車場に出入りする車を誘導していた。それほど深刻な事故ではない。しかし数台の車が玉突き状態で衝突したり接触したりしていた。ライトバンの側面がへこみ、乗用車のテールライトが割れていた。運転手は窓を開けて首を突き出し、警官と言葉を交わしていた。それから窓を閉めた。

「空からヒルが山ほど降ってきたんだって」と運転手は無感動に言った。「それが車のタイヤで潰《つぶ》されて、路面がぬるぬるになって、ハンドルがとられちまったらしい。だから気をつけてゆっくり運転しろってさ。それとはべつに地元の暴走族の大きな出入りがあって、けが人が出たみたいだ。ヒルと暴走族、なんかけったいな取り合わせだな。おかげでお巡りさんも忙しい」

彼はスピードを落として、注意深く出口に向かった。それでもタイヤは何度かスリップした。彼はそのたびにハンドルを細かく操作して方向を戻した。

「やれやれ、よほどたくさん落ちてきたと見えるな」と彼は言った。「ずいぶんぬるぬるしてやがる。しかしまあ、ヒルって気味悪いもんだよな。なあ、おじさん、ヒルに張りつかれたことあるか?」

「いいえ、覚えているかぎり、ナカタにはそういうことはありません」

「俺は岐阜の山の中で育ったからな、何度もあるよ。林の中を歩いていると、上から落ちてくることもある。川の中に入ると、足に張りついてくる。こう言っちゃなんだけど、ヒルにかけちゃけっこう詳しいんだ。ヒルってのはね、いったん張りつかれるとなかなかとれねえんだ。大きいやつだと強力で、引き剝《は》がすと皮膚までべろっと剝がれてさ、あとが残っちまう。だから火をあてて焼いて落とすしかねえんだ。やなもんだね。皮膚に張りついて血を吸いやがる。血を吸うとぶよぶよする。気味悪いだろう?」

「はい。たしかに」とナカタさんは同意した。

「でもな、ヒルはサービスエリアの駐車場の真ん中に、空からばらばら落ちてきたりはしねえよ。雨降りとはわけがちがうんだ。そんなアホな話は聞いたこともない。このへんの連中はヒルのことなんてなんにも知らねえんだよな。ヒルが空から落ちてなんかくるもんか。なあ?」

ナカタさんはそれには返事をせずに黙っていた。

「何年か前に山梨でヤスデが大量発生したことがあってさ、そのときもやっぱりタイヤが滑って大変だった。ちょうどこんな具合にぬるぬるして、ずいぶん交通事故が起きた。線路が使えなくて、電車もストップしたよ。でもヤスデだって空から降ってきたわけじゃねえんだ。そのへんから這《は》って出てきたんだ。考えりゃわかるだろうに」

「ナカタも昔、山梨にいたことがあります。戦争中のことですが」

「へえ、どの戦争?」と運転手は尋ねた。

第21章

彫刻家、田村浩一氏刺殺される
自宅の書斎で　床は血の海

世界的に知られる彫刻家、田村浩一氏（5*歳）が東京都中野区野方の自宅の書斎で死亡しているのが、30日午後、家事を手伝っている通いの女性によって発見された。田村さんは全裸で床にうつ伏せに倒れており、床は血だらけで、争ったあとがあり、他殺と見られている。犯行に使用された刃物は、台所から持ち出されたもので、死体の脇《わき》に残されていた。

警察が発表した死亡推定時刻は28日の夕刻だが、田村さんは現在一人暮らしで、そのために死体の発見が2日近く遅れることになった。田村さんは肉を切るための鋭いナイフで胸の数カ所を深く刺され、心臓と肺からの出血多量によってほぼ即死したものと見られている。肋骨《ろっこつ》も何本か折れており、かなり強い力を加えられたらしい。指紋、遺留品などに関する警察発表は、今のところまだ行なわれていない。犯行当時の目撃者もいない模様。

家内は荒らされた様子もなく、近くにあった貴重品や財布にも手をつけられていないところから、個人的怨恨《えんこん》による犯行という見方も出ている。田村さんの自宅のある場所は中野区の静かな住宅街だが、近所の住人も犯行当時の物音にまったく気づかず、事件を知って驚きを隠しきれないようす。田村さんは近所との交際もほとんどなく、ひっそりと暮らしていたということで、まわりの誰も異変には気づかなかった。

田村さんは長男（15歳）と二人暮らしだが、通いの女性の話によれば、十日ばかり前から長男の姿が見えなくなっていたという。長男は同じ時期から中学校にも顔を見せておらず、警察では目下行方を捜している。

田村さんは自宅のほかに、武蔵野市に事務所兼工房を持っているが、事務所に勤務する秘書の女性の話では、殺害される前日までいつもと変わりなく創作を行っていた。事件があった当日、用事があって何度か自宅に連絡をとろうとしたのだが、終日留守番電話になっていたという。

田村さんは昭和2*年、東京都国分寺市生まれ。東京芸術大学彫刻科に進み、在学中から多くの個性的な作品を発表し、彫刻界の新しい波として話題を呼んだ。そのテーマは一貫して、人間の潜在意識を具象化するというもので、既成概念《きせいがいねん》を超えた新しい独自の彫刻のスタイルは、世界的に高い評価を得た。迷宮という形態の持つ美と感応性を自由奔放な想像力で追求した大がかりな『迷宮』シリーズが、作品としては一般的にもっともよく知られている。現在は**美術大学の客員教授をつとめ、2年前にニューヨーク近代美術館でおこなわれた作品展では――

＊　＊　＊

僕はそこで新聞を読むのをやめる。紙面には家の門の写真が載っている。父のもっと若いころの顔写真も載っている。どちらもずいぶん不吉な印象を紙面に与えている。僕は四つに新聞をたたんで、テーブルの上に置く。なにも言わずベッドに腰をかけたまま、指先で目を押さえる。耳の中で鈍い音がずっと一定の周波数で鳴っている。僕は何度か頭を振ってみる。でもその音を追いはらうことはできない。

僕は部屋の中にいる。時刻は7時をまわっている。さっき大島さんと二人で図書館を閉めたばかりだ。佐伯さんは少し前に、フォルクスワーゲン・ゴルフのエンジン音を響かせて帰っていった。図書館の中には僕と大島さんしかいない。そして耳の中で苛立《いらだ》たしい音が鳴りつづけている。

「おとといの新聞だよ。君が山の中にいるあいだに出た記事だ。それを読んで、そこにある田村浩一というのは、ひょっとして君のお父さんじゃないかと思った。考えてみればいろんな状況がぴたりと合っているからね。ほんとうは昨日見せるべきだったんだろうけど、君がまずここに落ちついてからのほうがいいと思ったんだ」

僕はうなずく。僕はまだ目を押さえている。大島さんは机の前の回転椅子《いす》に座り、足を組み、こちらを見ている。なにも言わない。

「僕が殺したわけじゃない」

「もちろんわかっているよ」と大島さんは言う。「君はその日、夕方までこの図書館にいて本を読んでいた。それから東京に帰ってお父さんを殺して、その足でまた高松に戻ってくるのは、どうみても時間的に不可能だ」

でも僕にはそれほど確信がもてない。父が殺されたのは、頭の中で計算してみると、ちょうど僕のシャツにべったりと血がついていた日なのだ。

「しかし新聞の記事によれば、警察は君の行方を捜している。たぶん事件の重要参考人として」

僕はうなずく。

「ここで警察に名乗り出て、君にアリバイがあることをはっきりと証明しておけば、隠れて逃げまわるよりも、話はずいぶん簡単になるはずだ。もちろん僕も君のために証言してあげられる」

「でもそんなことをしたら、そのまま東京に連れ戻されてしまう」

「たぶんそうなるだろうな。なんといっても君は、義務教育を受けていなくてはならない年齢だからね。ひとりで勝手に好きなところに行くことはできない。原則として君にはまだ保護者が必要なんだ」

僕は首を振る。「誰にもなにも説明したくないんだ。東京の家にも、学校にも戻りたくない」

大島さんは口をつぐんだまま僕の顔を正面から見ている。

「それは君自身がきめることだ」、彼はやがて穏やかな声で言う。「君には自分の生きたいように生きていく権利があると僕は思う。15歳であろうが、51歳であろうが、そんなことには関係なくね。しかし残念ながら、そういうのは世間一般の考えかたとは合致しないかもしれない。それにもし仮に君がここでそういう〈誰にもなにも説明したくない。放っておいてくれ〉という道を選んだとしたら、これから先ずっと君は警察や社会から逃げまわらなくてはならなくなるだろうし、それはけっこう過酷な人生になるはずだ。君はまだ15歳で、先はかなり長い。それでかまわないんだね？」

僕は黙っている。

大島さんは新聞を手にとってもう一度記事を眺める。「新聞記事によると、お父さんには身よりは君しかいないということだけど」

「母と姉はいる。でもずっと昔に家を出ていったきり、行方もわからない。もし行方がわかっていたとしても、二人が葬儀に出てくることはないだろうね」

「じゃあ、君がいないとなると、お父さんの亡《な》くなったあとの始末は誰がすることになるんだろう。葬儀とか、あとの事務的な処理とか」

「新聞に出ているように、仕事場で秘書をしている女の人がいて、その人が事務的なことは全部取り仕切っている。事情はわかっているから、まかせておけばなんとかなると思う。僕は父親の残したものをなにひとつ引き継ぐつもりはないし、家だって財産だって適当に処分すればいい」

僕が父から引き継いでいるのは遺伝子だけだ。僕はそう思う。

「もし僕の受けている印象が正しいとすれば」と大島さんは僕に尋ねる。「お父さんが誰かに殺されても、君はそのことをとくに悲しいとも、残念だとも思っていないように見える」

「こうなって残念だとは思う。なんといっても血のつながった父親だからね。でも本当の気持ちを言えば、むしろ残念なのは、もっと早く死んでくれなかったことだよ。そういうのが死んだ人に対してむごい言いかただというのは、よくわかっているけど」

大島さんは首を振る。「かまわない。こういうときだからこそ、君には正直になる権利があると思う」

「そうすれば僕は……」

声は必要な重みに欠けている。僕の口にした言葉は、行き先をみつけられないまま、うつろな空間に吸いこまれてしまう。大島さんは椅子から立ちあがり、僕のとなりに腰を下ろす。

僕は言う。「ねえ、大島さん、僕のまわりで次々にいろんなことが起きる。そのうちのあるものは自分で選んだことだし、あるものはぜんぜん選んでいないことだよ。でもそのふたつのあいだの区別が、僕にはよくわからなくなってきているんだ。つまりね、自分で選んだと思っていることだって、じっさいには僕がそれを選ぶ以前から、もう既に起こるときめられていたことみたいに思えるんだよ。僕はただ誰かが前もってどこかできめたことを、ただそのままなぞっているだけなんだっていう気がするんだ。どれだけ自分で考えて、どれだけがんばって努力したところで、そんなことはまったくの無駄なんだってね。というかむしろ、がんばればがんばるほど、自分がどんどん自分ではなくなっていくみたいな気さえするんだ。自分が自分自身の軌道から遠ざかっていってしまうような。そしてそれは僕にとってはひどくきついことなんだ。いや、怖いっていうほうが近いかもしれない。そう考えはじめると、ときどき身体《からだ》がすくんでしまうみたいになるんだ」

大島さんは手をのばして僕の肩の上に置く。僕はその手のひらの温かみを感じることができる。

「もし仮にそうだとしても、つまりもし君の選択や努力が徒労に終わることを宿命づけられていたとしても、それでもなお君は確固として君であり、君以外のなにものでもない。君は君としてまちがいなく前に進んでいる。心配しなくていい」

僕は目をあげて大島さんの顔を見る。彼のしゃべりかたには不思議な説得力がある。

「どうしてそう思うの？」

「そこにはアイロニーというものが存在するからだ」

「アイロニー？」

大島さんは僕の目をのぞきこむ。「いいかい、田村カフカくん、君が今感じていることは、多くのギリシャ悲劇のモチーフになっていることでもあるんだ。人が運命を選ぶのではなく、運命が人を選ぶ。それがギリシャ悲劇の根本にある世界観だ。そしてその悲劇性は――アリストテレスが定義していることだけれど――皮肉なことに当事者の欠点によってというよりは、むしろ美点を梃子《てこ》にしてもたらされる。僕の言っていることはわかるかい？　人はその欠点によってではなく、その美質によってより大きな悲劇の中にひきずりこまれていく。ソフォクレスの『オイディプス王』が顕著な例だ。オイディプス王の場合、怠惰とか愚鈍さによってではなく、その勇敢さと正直さによってまさに彼の悲劇はもたらされる。そこに不可避的にアイロニーが生まれる」

「しかし救いはない」

「場合によっては」と大島さんは言う、「場合によっては、救いがないということもある。しかしながらアイロニーが人を深め、大きくする。それがより高い次元の救いへの入り口になる。そこに普遍的な希望を見いだすこともできる。だからこそギリシャ悲劇は今でも多くの人々に読まれ、芸術のひとつの元型となっているんだ。また繰りかえすことになるけれど、世界の万物はメタファーだ。誰もが実際に父親を殺し、母親と交わるわけではない。そうだね？　つまり僕らはメタファーという装置をとおしてアイロニーを受け入れる。そして自らを深め広げる」

僕は黙っている。僕は僕自身の思いに深くとらわれている。

「君が高松に来たことを知っている人は？」と大島さんは質問する。

僕は首を振る。「僕がひとりで思いついて、ひとりで来たんだ。誰にも言っていない。誰も知らないと思う」

「それならしばらくのあいだ図書館のこの部屋に身を潜《ひそ》めていることだね。受付の仕事もしないようにして。警察にも君の足取りはたぶんたどれないだろう。それにもしなにかあったら、またあの高知の山中に引っこめばいい」

僕は大島さんの顔を見る。それから言う。「もし大島さんに会えなかったら、僕はたぶんどうしようもなくなっていたと思う。この町でまったくのひとりぼっちで、助けてくれる人もいなくて」

大島さんは微笑《ほほえ》む。僕の肩から手を離し、その手を眺める。

「いや、そんなことはないんじゃないかな。もし仮に僕に出会わなかったとしても、君はきっと別の道を見つけていただろう。どうしてかはわからないけど、そういう気がする。君という人間にはなにかしらそう思わせるところがある」

それから大島さんは立ちあがり、机の上に置かれたべつの新聞をもってくる。

「ところで、その前の日の新聞にこんな記事が載っていた。小さな記事だけど、興味深かったんでよく覚えていたんだ。偶然の一致と言うべきか、これも君の家のかなり近くで起こったことだ」

彼は僕に新聞を手渡す。

空から魚が降ってきた！

イワシとアジが2000匹、中野区の商店街に

29日の夕方6時頃、中野区野方*丁目におよそ2000匹のイワシとアジが空から降ってきて、住民を驚かせた。近所の商店街で買い物をしていた主婦が2人、落下してきた魚にあたって顔などに軽い怪我《けが》をしたが、そのほかには被害はなかった。当時空は晴れており、雲もほとんどなく、風も吹いていなかったという。降ってきた魚の

多くはまだ生きていて、路上ではねまわっており——

＊＊＊

僕はその短い記事を読み、大島さんに返す。新聞記事は事件の原因についていくつかの憶測をおこなっているが、どれも説得性に欠けている。警察は盗難あるいはいたずらの可能性もあるとして捜査をおこなっている。魚が空から降ってくるような気象的要素はまったくなかったと述べている。農林水産省の広報担当者は、今の時点ではまだコメントを出していない。

「この出来事になにか心当たりはある？」と大島さんはたずねる。

僕は首を振る。心当たりはまったくない。

「君のお父さんが殺された翌日、その現場のすぐ近くに、イワシとアジが２０００匹空から降ってきた。これはきっと偶然の一致なんだろうね」

「たぶん」

「そして新聞には、東名高速道路の富士川サービスエリアで、同じ日の深夜に大量のヒルが空から降ってきたという記事が載っていた。狭い場所に局地的に降ったんだ。

そのおかげでいくつか軽い衝突事故が起こった。かなり大きなヒルだったらしい。どうしてヒルの大群が空から雨みたいにばらばらと降ってきたのか、誰にも説明できない。風もほとんどない、晴れた夜だった。それについても心当たりはない？」

僕は首を振る。

大島さんは言う、そして新聞をかさねて折り畳む。「というわけでここのところ世間では、奇妙なこと、説明のつかないことが立てつづけに起こっている。もちろんそこにはつながりはないかもしれない。ただの偶然の一致かもしれない。でも僕にはどうも気になるんだ。なにかがひっかかる」

「それもメタファーかもしれない」と僕は言う。

「あるいはね。しかしアジとイワシとヒルが空から降ってくるというのが、いったいなんのメタファーになるんだろう？」

我々はしばらくのあいだ黙っている。長いあいだ言葉にすることのできなかったものを言葉にしてみる。

「ねえ大島さん、父親が何年も前から僕に予言していたことがあるんだ」

「予言？」

「このことはまだほかの誰にも話したことがないんだ。正直に話しても、たぶん誰も信じてはくれないと思ったから」

大島さんはなにも言わず黙っている。でもその沈黙は僕を励ましてくれる。

僕は言う。「予言というよりは、呪《のろ》いに近いかもしれないな。父は何度も何度も、それを繰りかえし僕に聞かせた。まるで僕の意識に鑿《のみ》でその一字一字を刻みこむみたいにね」

僕は深く息を吸いこむ。そして僕がこれから口にしなくてはならないものごとをもう一度確認する。もちろん確認するまでもなく、それはそこにある。それはいつだってそこにある。でも僕はその重みをもう一度測ってみなくてはならない。

僕は言う。「お前はいつかその手で父親を殺し、いつか母親と交わることになるって」

それをいったん口に出してしまうと、あらためてかたちある言葉にしてしまうと、僕の心の中に大きな空洞のような感覚が生まれる。その架空の空洞の中で、僕の心臓は金属的な、うつろな音をたてている。大島さんは表情を変えずに、長いあいだ僕の顔を見ている。

「君はいつか君の手でお父さんを殺し、いつかお母さんと交わることになる――そうお父さんが言ったわけだね」

僕は何度かうなずく。

「それはオイディプス王が受けた予言とまったく同じだ。そのことはもちろん君にはわかっているんだろうね？」

僕はうなずく。「でもそれだけじゃない。もうひとつおまけがある。僕には6歳年上の姉もいるんだけど、その姉ともいつか交わることになるだろうと父は言った」

「君のお父さんはそれを君に向かって予言したんだね？」

「そうだよ。でもそのとき僕はまだ小学生で、交わるという言葉の意味もわからなかった。それがどういうことか理解できたのは何年もあとのことだった」

大島さんは何も言わない。

「僕はどんなに手を尽くしてもその運命から逃れることはできない、と父は言った。その予言は時限装置みたいに僕の遺伝子の中に埋めこまれていて、なにをしようとそれを変更することはできないんだって。僕は父を殺し、母と姉と交わる」

大島さんはまだ長い沈黙の中にいる。彼は僕の言葉をひとつひとつ検証し、そこになにかの手がかりを見いだそうとしているようだ。

彼は言う、「いったいどうして、君のお父さんは君に向かってそんなひどい予言をしなくてはならなかったんだろう？」

「僕にはわからない。父はそれ以上なにも説明しなかったからね」僕は首を振る。「あるいは父は、自分を捨てて出ていった母と姉に復讐《ふくしゅう》をしたかったのかもしれない。彼女たちを罰したかったのかもしれない。僕という存在を通して」

「たとえそうすることによって、君が損なわれてしまったとしても」

僕はうなずく。「僕は父にとってたぶんひとつの作品のようなものに過ぎないんだ。彫刻と同じだよ。たとえ壊しても損なっても、それは父の自由なんだ」

「もしそれがほんとうだとしたら、ずいぶん歪《ゆが》んだ考えかたのように僕には思える」と大島さんは言う。

「ねえ、大島さん、僕の育った場所ではすべてのものが歪んでいた。なにもかもがひどく歪んでいたせいで、まっすぐなものが逆に歪んでいるように見えるほどだった。ずっと前からそのことはわかっていた。でも僕は子どもだったし、そこ以外にいる場所がなかったんだ」

大島さんは言う。「君のお父さんの作品をこれまで何度か実際に見たことがある。才能のある優れた彫刻家だった。オリジナルで、挑戦的で、おもねるところがなく、力強い。彼の造っているものはまちがいなく本物だった」

「そうかもしれない。でもね、大島さん、そういうものをひっぱりだしてきたあとの残りかすを、毒のようなものを、父はまわりにまきちらし、ぶっつけなくちゃならなかったんだ。父は自分のまわりにいる人間をすべて汚して、損なっていた。父が求めてそうしていたのかどうか、僕は知らない。ただそうしないわけにはいかなかったということなのかもしれない。もともとそういうふうにつくられていたということなのかもしれない。でもどっちにしても父はそういう意味では、とくべつななにかと結びついていたんじゃないかと思うんだ。僕の言いたいことはわかる?」

「わかると思う」と大島さんは言う。「そのなにかはおそらく、善とか悪とかという峻別《しゅんべつ》を超えたものなんだろう。力の源泉と言えばいいのかもしれない」

「そして僕はその遺伝子を半分受け継いでいる。母が僕を置いて出ていったのも、そのせいかもしれない。不吉な源泉から生まれたものとして、汚れたもの、損なわれたものとして僕を切り捨てたんじゃないのかな」

大島さんは指先で軽くこめかみを押さえ、なにかを考えている。そして目を細めて僕の顔を見る。「でも彼が君のほんとうのお父さんではないという可能性はないんだろうか。生物学的に言って」

僕は首を振る。「何年か前に病院で検査をした。父と二人で病院に行って、血液をとって遺伝子チェックをしてもらった。僕らは百パーセントまちがいなく、生物学的に父親と息子だった。僕はその検査結果の書類を見せてもらった」

「とても念が入っている」

「父は僕にそのことを教えておきたかったんだ。僕が彼の生んだ作品なんだということをね。署名するのと同じように」

大島さんの指はまだずっとこめかみにあてられている。

「しかし実際には、君のお父さんの予言は当たらなかったことになる。だって君はお父さんを殺してはいない。君はそのときこの高松にいた。誰か別の人間が東京でお父さんを殺した。そういうことになるね？」

僕は黙って自分の手を広げ、それを眺める。夜の深い闇《やみ》の中で、真っ黒な不吉な血にまみれていたその両手を。

「正直なところ僕にはそれほど確信が持てないんだ」と僕は言う。

僕は大島さんにすべてをうちあける。その夜、図書館からの帰りに何時間か意識をうしなって、神社の林の中で目を覚ましたとき、僕のシャツにはべっとりと誰かの血がついていたこと。その血を神社の洗面所で洗い流したこと。数時間ぶんの記憶がまったく消えてしまっていること。話が長くなるので、その夜にさくらの部屋に泊まったところは省く。大島さんはときどき質問し、細かい事実を確認し、頭の中に入れていく。でもそれについての意見は口にしない。

「その血を僕がどこでつけてきたのか、それが誰の血なのか、まったくわからない。僕にはなにも思いだせない」と僕は言う。「でもね、メタファーとかそんなんじゃなく、僕がこの手でじっさいに父を殺したのかもしれない。そんな気がするんだ。たしかに僕はその日東京には戻らなかった。大島さんが言うようにずっと高松にいた。それはたしかだよ。でも『夢の中で責任が始まる』、そうだね？」

「イェーツの詩だ」と大島さんは言う。

僕は言う、「僕は夢をとおして父を殺したかもしれない。とくべつな夢の回路みたいなのをとおって、父を殺しにいったのかもしれない」

「君はそう考える。それは君にとってある意味での真実かもしれない。しかし警察は――あるいはほかの誰だって同じだけど――君の詩的責任までは追及しないはずだ。いかなる人間も同時にふたつのちがう場所には存在できない。それはアインシュタインが科学的に証明しているし、法的にも認められている概念だ」

「でも僕は今ここで科学や法律のことを話しているわけじゃない」

大島さんは言う、「でもね、田村カフカくん、君が言っていることはあくまで仮説に過ぎない。それもかなり大胆でシュールレアリスティックな仮説だ。まるでサイエンス・フィクション小説の筋書きみたいに聞こえる」

「もちろんただの仮説だよ。それはよくわかっているさ。たぶん誰もこんなばかばかしい話は信じてくれないと思う。でも仮説に対する反証のないところに、科学の発展はない――父親はいつもそう言っていた。仮説というのは頭脳の戦場なんだってね。口癖のようにそう言っていた。そして今のところ、その反証が僕にはひとつも思いつけないんだ」

大島さんは沈黙する。

僕も言うべきことを思いつけない。

「とにかくそれが君がはるばる四国まで逃げてきた理由なんだね。お父さんの呪いから逃れることが」と大島さんは言う。

僕はうなずく。そして畳まれた新聞を指さす。「でもやっぱり逃れることはできなかったみたいだ」

距離みたいなものにはあまり期待しないほうがいいような気がするねとカラスと呼ばれる少年は言う。

「君はたしかに隠れ家を必要としているようだ」、大島さんはそう言う。「それ以上のことは、僕にもまだうまく言えない」

自分がひどく疲れていることに気がつく。突然身体を支えているのがおっくうになる。となりに座っている大島さんの腕の中にもたれこむ。大島さんは僕を抱きしめてくれる。僕はその膨らみのない胸に顔をつける。

「ねえ大島さん、僕はそんなことをしたくないんだ。父を殺したくなんかなかった。母とも姉とも交わりたくなんかない」

「もちろん」と大島さんは言う。そして僕の短い髪を指で梳《す》く。「もちろん、そんなことはあり得ない」

「たとえ夢の中でも」

「あるいはメタファーの中でも」と大島さんは言う。「アレゴリーの中でも、アナロジーの中でも」

「もしよかったら、今夜ここに泊まって、君と一緒にいてあげてもいいんだよ」と大島さんは少しあとで言う。「僕はそのへんの椅子《いす》で寝られるから」

でも僕は断る。ひとりでいたほうがいいと思うと僕は言う。

大島さんは額にかかった前髪を後ろにやる。少し迷ってから言う、「僕はたしかに性同一性障害の女性のゲイというわけのわからない人間だけど、もしそのことを君がなにか心配しているのなら——」

「そうじゃないよ」と僕は言う。「そういうんじゃないんだ。ただ今夜はひとりでゆっくりと考えてみたいんだ。いろんなことが一度に起こってしまったから。それだけ」

大島さんはメモ用紙に電話番号を書く。「もし夜中に誰かと話をしたくなったら、ここにかけて。遠慮しなくていい。どうせ眠りが浅いんだ」。僕は礼を言う。

その夜に僕は幽霊を見る。

第22章

ナカタさんの乗ったトラックが神戸の街に入ったのは朝の5時過ぎで、街はすっかり明るくなっていたが、積み荷を搬入しようにも、まだ倉庫は開いていない。二人はトラックを港の近くの広い通りに停め、そこで仮眠を取ることにした。青年は仮眠用の後部シートに横になって、気持ちよさそうにいびきをかいて眠った。ナカタさんはときどきそのいびきで目を覚ましたが、またすぐに心地よい眠りの中に戻っていった。不眠というのはナカタさんがいまだかつて経験したことのない現象のひとつだった。

青年が身を起こして、大きなあくびをしたのは8時前だった。

「よう、おじさん、腹減ったかい？」と青年は電気剃刀《かみそり》を使い、バックミラーに向かって髭《ひげ》を剃《そ》りながら言った。

「はい。ナカタも少しおなかが減ったような気がします」

「じゃあ、近くに朝飯を食べに行こうぜ」

ナカタさんは富士川を出て神戸に着くまで、車の中でだいたい眠っていた。青年はそのあいだろくに口もきかず、ラジオの深夜番組を聞きながら車を運転していた。ときどきラジオにあわせて歌を歌った。どれもナカタさんが聞いたことのない曲ばかりだった。日本語の歌なのだろうが、ナカタさんには歌詞そのものがほとんど理解できなかった。ところどころで断片的に単語が聞き取れるだけだった。ナカタさんは鞄《かばん》から、前日新宿で二人の若いOLにもらったチョコレートとパック入りのおにぎりを出して、それを青年と二人でわけて食べた。

青年はまた眠気ざましのためだと言って、ひっきりなしに煙草《たばこ》を吸った。おかげで神戸に着くまでに、ナカタさんの服にはすっかり煙草の匂《にお》いがしみこんでいた。

ナカタさんは鞄と傘を持ってトラックから降りた。

「よう、そんな重いものは車の中に置いていきなよ。すぐ近くだし、食い終わってまた戻ってくるんだからさ」と青年は言った。

「はい。おっしゃるとおりですが、ナカタはこれを持っていないと気持ちが落ち着かないのです」

「ふうん」と青年は言って目を細めた。「まあいいや。べつに俺が持つわけじゃねえんだから、おじさんの勝手だ」

「ありがとうございます」

「俺ね、星野っていうんだ。中日ドラゴンズのカントクやってた星野と同じ字。親戚《しんせき》関係はねえけどな」

「はい。ホシノさんですね。よろしく。ナカタと申します」

「それ知ってるよ、もう」と星野さんは言った。

青年はそのあたりの地理に詳しいらしく、先に立って大股《おおまた》でどんどん歩いていった。ナカタさんはそのあとを半ば駆けるようにしてついていった。そして二人は裏通りにある小さな食堂に入った。店はトラックの運転手や、港湾に関係する肉体労働者で混み合っていた。ネクタイをしめている人間は一人も見あたらない。客はみんなまるで燃料でも補給するみたいに、真剣な顔つきで黙々と朝食をとっていた。食器がぶつかりあう音と、注文を通す従業員の声と、NHKテレビのニュース・アナウンサーの声が店の中に響いていた。

青年は壁に貼《は》ってあるメニューを指さした。「おじさん、なん
しなよ。ここはね、安くてうめえんだ」

「はい」と言って、ナカタさんは言われたまましば

すぐに自分が字が読めないことを思い出した。

「申し訳ありませんが、ホシノさん、ナカタは頭がよくないもので、字というも読めないのです」

「ふうん」と星野さんは感心したように言った。「そうか、字が読めねえのか。そういうのって昨今《さっこん》珍しいよなあ。まあいいや、俺は焼き魚と卵焼きを食べるけど、同じもんでいいか？」

「はい。焼き魚も卵焼きも、ナカタの好物であります」

「そりゃよかった」

「ウナギも好物でありますが」

「うん。ウナギは俺も好きだよ。でもな、やっぱり朝からウナギってわけにもいかねえしなあ」

「はい。それにナカタは昨夜、ハギタさんという方にウナギをご馳《ち》走《そう》になりました」

「そりゃよかった」と青年は言った。「焼き魚定食に卵焼きをつけて、二人前。ひとつは飯を大盛りね」と彼は店の従業員に向かって怒鳴った。

「焼き魚定食、卵焼き、二人前。ひとつ大盛り！」と相手も大声で復唱した。

「よう、字が読めねえと不便だろう」と青年はナカタさんに尋ねた。

「はい。字が読めずに、ときどき困ることがあります。東京都中野区から出ないかぎりそれほどの不便はないのですが、今のように中野区の外に出てしまいますと、ナカタはずいぶん困ります」

「そうだよなあ。神戸は中野区からは遠く離れているものな」

「はい。北も南もわかりません。わかるのは右と左だけです。これでは道に迷ってしまいますし、切符も買えません」

「しかし、そんな具合でよくここまで来れたもんだよな」

「はい。ナカタは方々でいろんな方に親切にしていただきました。ホシノさんもそのうちの一人です。お礼の申し上げようもありません」

「字が読めねえのは何といっても困るだろうな。うちのじいちゃんだって、頭はたしかにぼけてはいたけど、字くらい読めたもんな」

「はい。ナカタはとくべつに頭が良くないのです」

「うちの人もみんなそんな具合なの？」

「いいえ、そんなことはありません。上の弟はイトウチュウというところでブチョウをしておりますし、下の弟はツウサンショウという役所で働いております」

「へえ」と青年は感心して言った、「すげえインテリなんだな。じゃあおじさんだけがちょっと変なんだ」

「はい。ナカタだけが途中で事故にあいまして、頭が良くないのであります。ですから弟たちや姪《めい》や甥《おい》に迷惑をかけないようにしろ、あまり人前には出ないようにしろと、いつも注意を受けております」

「そりゃ、あんたみたいなのがのこのこ顔を見せると、普通の人にとっちゃ世間体が悪かろうぜ」

「ナカタにはむずかしいことはよくわかりませんが、とにかく中野区の中で暮らしておりますかぎり、ナカタは道に迷わずにすんでおりました。知事さんにもお世話になりましたし、猫さんたちともうまくやっておりました。月に一度は散髪をし、ときどきはウナギを食べることもできました。しかしジョニー・ウォーカーさんが出てきましたので、ナカタは中野区にもいられなくなってしまったのです」

「ジョニー・ウォーカー？」

「はい。長靴をはいて、丈の高い黒い帽子をかぶったひとです。チョッキを着てステッキをもっています。猫を集めて魂を抜きます」

「まあいいや」と星野さんは言った。「長い話は俺も苦手だ。それでとにかく、なにやかやあって、ナカタさんは中野区を出てきた」

「はい。ナカタは中野区を出てまいりました」

「で、これからどこに行くんだい？」

「ナカタにはまだよくわかりません。しかしここに着いてわかったのですが、ここからさらに橋を越えていくことになります。近くにある大きな橋です」

「つまり、四国に行くってことかい」

「申し訳ありませんが、ホシノさん、ナカタには地理のことはよくわかりません。橋を越えると四国なのですか？」

「そうだよ。このへんで大きな橋といえば、四国に行く橋のことだね。三本あって、ひとつは神戸から淡路島を越えて徳島までいく橋。もうひとつは倉敷の下あたりから坂出《さかいで》にわたる橋だ。それから尾道《おのみち》と今治《いまばり》を結ぶやつもある。一本ありゃそれで間に合うはずなんだが、政治家がでしゃばってきて三本もできちまった」

青年はコップの水をデコラ張りのテーブルの上にこぼして、指で簡単な日本の地図を描いた。そして四国と本州のあいだに三本の橋を架けた。

「この橋はずいぶん大きいのですか？」とナカタさんは尋ねた。

「ま、冗談抜きででかいね」

「そうですか。とにかくナカタはその橋のどれかをわたってみようと思います。たぶん近くにある方の橋になると思います。あとのことはまたそれから考えます」

「ということはつまり、ナカタさんは行く先に知り合いがいるとか、そういうんじゃないんだ」

「はい。ナカタには知り合いというような人はまったくおりません」

「ただ橋を越えて四国に行って、そこのどこかに行ってみようというだけなんだ」

「はい。そのとおりであります」

「それで、そのどこかがどこかというのもわからねえんだ」

「はい。ナカタには皆目わかりません。そこに行ってみればわかるのではないかと思いますが」

「参ったな」と星野さんは言った。髪の乱れを直し、ポニーテールがまだそこにあることをたしかめ、また中日ドラゴンズの帽子をかぶった。

やがて焼き魚定食が運ばれてきて、二人は黙々とそれを食べた。

「よう、卵焼き、うめえだろ」と星野さんは言った。

「はい。とてもおいしいです。いつもナカタが中野区で食べる卵焼きとは、ずいぶん違っています」

「これが関西の卵焼きなんだ。東京で出るみたいな、あの座布団《ざぶとん》みたいなかすかすのものとは、出来が違うんだ」

二人はそのあと黙って卵焼きを食べ、塩焼きしたアジを食べ、貝のみそ汁を飲み、カブの漬け物を食べ、ほうれん草のおひたしを食べ、海苔《のり》を食べ、温かいごはんを一粒残らず平らげた。ナカタさんはいつも正確に一口32回咀嚼《そしやく》したので、全部食べ終わるまでにかなり時間がかかった。

「ナカタさん、おなかいっぱいになったか？」

「はい。ナカタはおなかいっぱいになりました。ホシノさんはいかがでしょう？」

「俺も腹いっぱいだよ、さすがに。どうだい、こんな風に朝飯がうまくてたっぷりあると、なかなか幸福な気分になるだろう」

「はい。ずいぶん幸福な気分になります」

「よう、ウンコしたくないか？」

「はい。そう言われれば、ナカタはだんだんそういう気持ちになってまいりました」

「じゃあしてくればいい。便所はあっちにあるから」

「ホシノさんはいいのですか？」

「俺はまたあとでゆっくりやるから、先にしてきな」

「はい。ありがとうございます。それではナカタはウンコをして参ります」

「あのね、そんな大きな声で、みんなに聞こえるように復唱することねえんだよ。ほかの人はまだメシを食ってるんだからさ」

「はい。申し訳ありません。ナカタはあまり頭が良くないものですから」

「うん。いいから早く行ってきな」

「ついでに歯も磨いてきてかまいませんでしょうか」

「いいよ。歯も磨いてきな。まだ時間はあるから、好きなことすりゃいい。でもさ、ナカタさん、傘くらいは置いていった方がいいんじゃねえかい。ちょっと便所にいくだけなんだからさ」

「はい。傘は置いてまいります」

ナカタさんが便所から戻ってきたとき、星野さんはもう勘定を済ませていた。

「ホシノさん、ナカタはちゃんとお金を持っておりますので、朝ご飯のぶんくらいはナカタが払います」

青年は首を振った。「いいんだよ、これくらいのもの。俺な、うちのじいちゃんにはずいぶん借りがあるんだ。昔、グレてたころ」

「はい。しかしナカタはホシノさんのじいちゃんではありません」

「それは俺っちの問題だから、あんたが気にすることじゃない。うるせえことといわずに、黙ってゴチになってりゃいいんだ」

ナカタさんは少し考えてから、青年の好意を受けることにした。「ありがとうございます。それではご馳走になります」

「たかがしけた食堂のアジと卵焼きだ。そんなぺこぺこ礼を言われるほどのことじゃねえよ」

「しかしホシノさん、考えてみますと、ナカタはみなさんのお世話になり続けまして、中野区を出て以来、お金というものをほとんど使っておりません」

「そりゃたいしたもんだ」と星野さんは感心した。「なかなかできるこっちゃない」

ナカタさんは食堂の人に頼んで、持参した小さな魔法瓶に温かいお茶を入れてもらった。そしてその魔法瓶を大事に鞄にしまった。

二人はトラックを停めたところまで歩いて戻った。

「よう、それで、四国に行く話だけどさ」

「はい」とナカタさんは言った。

「あんたそもそも四国に何をしに行くの？」

「それはナカタにもよくわからないのです」

「目的もなきゃ、行く先もよくわからねえ。でもとにかく四国に行くと」

「はい。ナカタは大きな橋を渡ります」

「橋を渡れば、いろんなことがもっとはっきりするってか」

「はい。たぶんそうなります。しかしじっさいに橋を渡ってみないことには、ナカタには何もわかりません」

「ふうん」と青年は言った。「橋を渡るのが大事なことなんだ」

「はい。橋を渡るのはなんといってもとても大事なことです」

「参ったな」と星野さんは頭を掻《か》いた。


青年はトラックを運転して、運んできた家具をデパートの倉庫に搬入しに行った。そのあいだナカタさんは、港の近くにある小さな公園のベンチに座って時間をつぶした。

「よう、おじさん、こっから動くんじゃねえよ」と青年は言った。「あそこに便所があって、水飲み場もある。だから用は足りるだろう。遠くに行ったら迷っちまうし、一回迷っちまったら元に戻れないからな」

「はい。ここは中野区ではありませんから」

「そのとおり。ここはもう中野区じゃねえんだ。だからここにじっとして、動くんじゃないよ」

「はい。わかりました。ナカタはここから動きません」

「うん。俺はさ、荷物の納入をすませたら、またここに戻って来るからな」

ナカタさんは言われたとおりベンチから一歩も動かなかった。便所にもいかなかった。ひとつの場所にじっと留まって時間をつぶすのは、ナカタさんにとって苦痛ではない。というか、それは彼のもっとも得意とするもののひとつだった。

ベンチからは海が見えたし、海を見るのはずいぶん久しぶりだった。小さいころ、何度か家族で海水浴に行ったことがあった。水着を着て、浜辺で水遊びもした。潮干《しおひ》狩《が》りに行ったこともある。しかしそのときの記憶はひどくぼんやりとしている。別の世界で起こった出来事のように思える。それからあと海を見た記憶はない。

ナカタさんは山梨県の山中で起こった奇妙な事故のあと、東京の学校に戻った。しかし意識と身体能力は回復したものの、記憶のすべては失われてしまっていたし、読み書きの能力はどうしても戻ってこなかった。教科書を読むこともできなかったし、試験も受けられなかった。既得知識がひとつ残らず失われ、抽象的なものごとを思考する能力が大幅に減退していた。それでもなんとか卒業だけはさせてもらった。授業で教えられる教科はほとんど理解できなかったけれど、わからないなりに教室の隅で静かに座っていることだけはできた。先生にこうしろと言われたことは、ちゃんとそのとおり従った。誰にも迷惑をかけなかった。だから教師は彼の存在をおおむね忘れることができた。いわゆる「お客様」ではあるけれど、「お荷物」ではない。

彼が不思議な「事故」にあうまでは優等生であったという事実も、すぐに忘れられてしまった。学校におけるすべての行事や行動は、ナカタさんを抜きにして行われた。友だちもできなかった。しかしナカタさんはそういうことを気にしなかった。むしろ誰にもかまわれないおかげで、自分だけの世界に好きにひたっていることができた。学校での活動で彼が夢中になれるのは、学校で飼われている小動物(ウサギ、山羊《やぎ》)の世話をしたり、花壇の花の手入れをしたり、教室の掃除をしたりすることだった。彼は常ににこにこと、飽きることなくそのような作業に没頭していた。

学校だけではなく家庭にあっても、彼の存在はほとんど忘れられていた。長男が字が読めなくなり、学業が正常に続けられなくなったことがわかると、教育熱心な両親は出来のいい弟たちに関心を移し、ナカタさんにはほとんど見向きもしなくなった。区立の中学校にあがるのは無理だったから、小学校を卒業すると長野の親戚《しんせき》の家に預けられることになった。母親の実家だった。彼はそこで農業の実習をする学校に通った。字が読めないせいで教科では苦労はしたけれど、農耕の実習作業はナカタさんの好みにあっていた。もし学校内でのいじめがそれほど激しいものでなかったら、ナカタさんはそのまま農業の道に進んでいただろう。しかし同級生たちはことあるごとに、都会から来たよそもののナカタさんを殴った。その怪我《けが》があまりにひどくなったので（片方の耳たぶはそのときにつぶされてしまった）、祖父母は彼を学校にやらないことに決めた。そして家の手伝いをさせながら彼を育てた。言うことをよくきくおとなしい子どもだったので、祖父母は彼をかわいがった。

猫と話ができるようになったのも、このころのことだ。家には何匹かの猫が飼われていて、その猫たちはナカタさんと親しい友だちになった。最初のうちは片言しか通じなかったけれど、ナカタさんは外国語を習得するみたいに我慢強くその能力を発展させ、やがてはかなり長い会話ができるようになった。ナカタさんは暇さえあれば、縁側に座って猫たちと話をしていた。猫たちは自然や世の中についてのさまざまな事実をナカタさんに教えてくれた。実際の話、世界の成りたちについての基礎的知識のほとんどは猫から学んだようなものだった。

15歳になると、彼は近くの家具製造会社で木工の仕事をするようになった。会社とはいっても民芸家具を製作する木工所のようなところで、そこで作られる椅子《いす》やテーブルや箪笥《たんす》は東京に出荷された。ナカタさんは木工の仕事もすぐに好きになった。もともと手先が器用だったし、細かい面倒な部分も手を抜かず、無駄口もきかず、愚痴ひとつ言わずに仕事をしたので、雇い主には気に入られ、かわいがられた。図面を読んだり、計算をしたりすることは不得意だったが、それ以外のことならなんでも上手にこなせた。いったん作業のパターンが頭に入ってしまうと、同じことを飽きることなく延々と繰り返した。2年間見習い工をやったあと、本雇いに昇格した。

その生活が50歳を過ぎるまで続いた。事故に遭うこともなく、病気をすることもなかった。酒も飲まず、煙草も吸わず、夜更《よふ》かしも過食もしなかった。テレビを見ることもなく、ラジオを聴くのは朝のラジオ体操のときだけだった。ただ来る日も来る日も家具を作り続けていた。そのあいだに祖父母が亡《な》くなり、両親も亡くなった。ナカタさんはまわりの人々に好意を持たれてはいたが、かといってとくに親しい友だちはできなかった。まあそれは仕方ないといえば仕方ないことだった。普通の人はナカタさんと10分も話をすると、話題が尽きてしまうのだ。

ナカタさんはそんな生活をとくに寂しいとも不幸だとも思わなかった。性欲はまったく感じなかったし、誰かと一緒にいたいという感情を持つこともなかった。ナカタさんには、自分の成りたちがほかの人々とは違っているのだということがわかっていた。地面に落ちる自分の身体の影が、まわりの人々のそれより薄くて淡いことにも気づいていた（ほかの人は誰もそのことに気づかなかったのだが）。彼が心を通じ合わせることができる相手は猫だけだった。休みの日には近くの公園に行って、終日そこのベンチに座り、猫たちと話をした。不思議なことに猫たちと話すときには話題は尽きなかった。

ナカタさんが52歳のときに家具会社の社長が亡くなり、時を移さず木工所も閉鎖された。重苦しい色調の民芸調の家具は、以前ほど売れなくなっていた。職人も老齢化し、若い人々はそのような伝統的な手仕事に興味を持たなくなっていた。以前は野原の真ん中にあった木工所も、まわりが住宅地になってしまい、作業の騒音や、木っ端《こぱ》を燃やす煙についての苦情がひっきりなしに寄せられていた。市内に税理士の事務所を持っている経営者の息子には、当然のことながらその会社を継ぐつもりはなく、父親が亡くなるとすぐ木工所を閉鎖し、不動産業者に売却した。不動産業者はその工場を壊し、跡地を整地し、マンション・メーカーに売った。マンション・メーカーは6階建てのマンションをそこに建設した。マンションは売り出した当日に全室完売した。

そのようにしてナカタさんは職を失った。会社には負債が残っていたということで、わずかな退職金が出ただけだった。そのあとの仕事は見つからなかった。読み書きのできない、民芸家具を作る以外に専門技術もない50代の男が、再就職の口をみつけるのはまず不可能だ。

ナカタさんはその工場で37年間にわたって、1日の休暇をとることもなく黙々と働いてきたから、地元の郵便局にいささかの蓄《たくわ》えがあった。ナカタさんは日常的にお金をほとんど使わなかったし、仕事に就かなくても楽に老後を送ることができるくらいの貯金だった。読み書きのできないナカタさんのために、市役所職員である親切な従《い》兄弟《とこ》がその貯金を管理してくれていた。しかし心根は優しいのだがいささか考えが足りないところがあるその従兄弟は、悪質なブローカーに騙《だま》されてスキー場近くのリゾート・マンションの投資に首を突っ込み、大きな借金を抱え込んで、一家揃《そろ》ってどこかに姿を消してしまった。ナカタさんの失職とほとんどときを同じくして、一家揃ってどこかに姿を消してしまった。金融関係の暴力団に追われていたらしい。誰も彼らの行く先を知らなかった。生きているのかどうかさえわからない。

ナカタさんが知り合いに付き添ってもらって郵便局に行き、口座の残高を調べると、そこにはわずか数万円が残されていただけだった。少し前に振り込まれたばかりの退職金も、消えた預金の中に含まれていた。ナカタさんはひどく運が悪かったとしか言いようがない。職を失うと同時に、無一文になってしまったわけだから。親戚はみんな彼に同情したが、その従兄弟のおかげで誰もが多かれ少なかれ被《こうむ》っていた。借金を踏み倒されたり、連帯保証人になったりしていた。ナカタさんのために何かをしてやれるほどの余裕は彼らにもなかった。

結局、東京にいる上の弟がナカタさんを引き取って、とりあえず面倒をみることになった。弟は中野区に単身者用の小さなアパートを一棟所有し、経営していたので(それは両親から遺産として引き継いだものだった)、そこの一室をナカタさんに提供した。彼は両親が遺産としてナカタさんに残した現金——それほど多くのものではないが——を管理し、そのほか東京都から知的障害者のための補助金が下りるように手配した。弟がみた「面倒」はそれくらいだった。ナカタさんは読み書きこそできないものの、日常生活のたいていの作業は自分ひとりで処理できたし、部屋と生活費さえ与えておけば、あとは誰の世話にもならずにやっていくことができた。

弟たちはナカタさんとほとんど接触を持たなかった。顔を合わせたのも最初の何度かだけだ。ナカタさんと弟たちは30年以上も離れて暮らしていたし、それぞれの生活環境の違いはあまりにも大きなものだった。肉親としての親しみというようなものはなかったし、もし仮にあったとしても、弟たちは自分たちの生活を維持することに忙しく、知能に障害のある兄にかまっている暇はなかった。

しかしナカタさんは肉親に冷淡にされても、べつにつらいとも思わなかった。ひとりでいることに馴《な》れていたし、誰かにかまわれたり親切にされたりするとむしろ緊張した。一生かけてこつこつと貯《た》めた貯金を従兄弟に使いこまれたことについても腹は立たなかった。もちろん「困ったことになった」というくらいは理解できたが、とくにがっかりしたわけでもない。リゾート・マンションというのがどういうものなのか、「投資」というのが何を意味するのか、ナカタさんには理解できなかったのだ。そんなことを言えば、「借金」という行為の意味すらよくわかっていなかった。ナカタさんはきわめて限定された語彙《ごい》の中で生きていたのだ。

ナカタさんがお金の額として実感できるのは、せいぜい5000円くらいまでだった。それ以上の額になると、10万円だって、100万円だって、1000万円だって同じようなものだった。それは「たくさんのお金」なのだ。貯金があったといっても、そのお金を目にしたわけではない。ただ「今はこれだけ貯金がある」と数字を聞かされてきただけだ。要するにそれはただの抽象概念に過ぎなかった。だから今それが急に消えたと言われても、何かをなくしたという実感が湧《わ》いてこなかった。

そんなわけで、ナカタさんは弟の提供してくれたアパートに住み、都から補助を受け、とくべつパスを使って都バスに乗り、近所の公園で猫と話をして、心静かに日々を送っていた。中野区の一画が彼の新しい世界になった。猫や犬と同じように自分が自由に動けるエリアを設定し、よほどのことがないかぎりそこを離れなかった。そこにいる限り彼は安心して日々を送ることができた。不満もなく、怒りもなかった。孤独を感じることもなく、将来を思い煩《わずら》うこともなく、不便を感じることもなかった。巡ってくる一日いちにちを、のんびりと丁寧に味わっているだけだった。そんな生活が10年以上続いていた。

ジョニー・ウォーカーが現れるまでは。

ナカタさんは長いあいだ海を目にしたことがなかった。長野県にも中野区にも海はなかったからだ。ナカタさんはそのときになって初めて、自分が海というものを長い期間にわたって失っていたことに気づいた。そういえば海について考えたこともなかった。彼はそれを確認するために、何度も自分に向かってうなずいた。帽子をとり、手のひらで短く刈り込んだ髪を撫《な》でた。そしてまた帽子をかぶりなおし、海を見つめた。海についてナカタさんが知っていることといえば、それがひどく広いということと、中に魚が住んでいるということと、水が塩辛いということくらいだった。

ナカタさんはベンチに座って、海から吹いてくる風の匂《にお》いを嗅《か》ぎ、かもめが空を飛ぶ姿を眺め、遠くに停泊している船を眺めた。いつまで見ていても見飽きることはなかった。ときどき真っ白なかもめが公園にやってきて、初夏の緑の芝生の上に降りた。その色の取り合わせはいかにも美しかった。ナカタさんは芝生の上を歩くかもめに向かって、ためしに声をかけてみたが、かもめは醒《さ》めた目でちらりとこちらを見るだけで、返事をしなかった。猫の姿は見えなかった。その公園にやってくる動物は、かもめと雀《すずめ》だけだった。魔法瓶からお茶を出して飲んでいるときに、ぱらぱらと雨が降りだし、ナカタさんは大事にもっていた傘をさした。

12時前に星野青年が戻ってきたときには、もう雨はあがっていた。ナカタさんは傘をすぼめてベンチに座り、ずっと同じ姿勢で海を見ていた。青年はトラックをどこかに置いてきたらしく、タクシーでやってきた。

「よう、ごめんな。すっかり遅くなっちまってよ」と青年は言った。彼はビニールのボストン・バッグを肩から下げていた。「もっと早く終わるはずだったんだけど、なんかいろいろと面倒なことがあってさ。デパートの納入ってさ、どこに行ってもいちいちうるせえことを言うやつが一人くらいいるんだ」

「ナカタはちっともかまいません。ここに座って、ずっと海を見ておりました」

「ふうん」と青年は言った。そしてナカタさんが見ている方に目をやった。そこにはうらぶれた突堤と油の浮いた海が見えるだけだった。

「ナカタは長いあいだ海を見たことがありませんでした」

「そうか」

「最後に海を見たのは、小学生のときであります。ナカタはそのときエノシマという海岸に行きました」

「そりゃ、ずいぶん昔だね」

「そのころは日本はアメリカに占領されておりまして、エノシマの海岸はアメリカの兵隊さんでいっぱいでありました」

「嘘《うそ》だろう」

「はい。嘘ではありません」

「よせやい」と青年は言った。「日本がアメリカに占領されるわけがないじゃないか」

「むずかしいことはナカタにはわかりません。しかしアメリカには大きな飛行機がありました。それが東京に大きな爆弾をたくさん落としまして、ナカタはそれで山梨県に行きました。そこで病気になりました」

「ふうん。まあ、それはいいや。長い話は俺も苦手だ。でも、とにかく行こうぜ。思ったより遅くなっちまったからさ。うろうろしてると日が暮れる」

「私たちはどこに行くのでしょうか」

「四国だよ。橋を越えていくんだ。よう、これから四国に行くんだろう」

「はい。しかしホシノさんはお仕事が——」

「いいんだよ。仕事なんてものは、なんとかしようと思えばなんとかなるんだ。このところまじめに働きすぎたんで、ちょうどひと休みしようかなと思ってたところだ。実は俺、四国ってまだ行ったことがないんだ。一度行ってみるのも悪くない。それにおじさん、字が読めねえとなると、切符なんか買うのも俺と一緒の方が楽なんじゃないか。それとも俺がついていくと迷惑かい？」

「いいえ、ナカタはちっとも迷惑ではありません」

「じゃあそれで決まりだ。バスの時刻もちゃんと調べてきた。これから一緒に四国に行こう」

第23章

その夜、僕は幽霊を見る。

〈幽霊〉という呼びかたが正しいのかどうか、僕にはわからない。しかし少なくともそれは生きている実体ではない。この現実の世界のものではない——ひと目見ればそのことはわかる。

僕はなにかの気配でふと目を覚まし、その少女の姿を目にする。真夜中なのに部屋の中は不思議なほど明るい。窓から月の光が射《さ》しこんでいるのだ。寝る前に窓のカーテンを引いておいたはずなのに、今ではそれが大きく開いている。彼女は月の光の中でくっきりとした輪郭のシルエットとなり、骨のような白さをもった光に洗われている。

彼女の年齢は僕と同じくらい、15歳かそれとも16歳。きっと15歳だ。僕はそう判断する。15歳と16歳とのあいだには大きなちがいがある。体つきは小柄で華奢《きゃしゃ》だけど、姿勢はよく、弱々しい印象はまるでない。髪はまっすぐで、首のあたりまでの長さ、前髪が額の上に落ちている。裾《すそ》の広がった淡いブルーのワンピースを着ている。丈は長くもなく短くもない。靴も靴下もはいていない。ワンピースのカフスのボタンはきちんとはめられている。襟ぐりは丸く大きく、かたちのいい首筋を目立たせている。

彼女は机の前に座って頬杖《ほおづえ》をつき、壁のどこかを見ている。そしてなにかを考えている。でもむずかしいことを考えているのではなさそうだ。どちらかというと、それほど遠くない過去の温かい回想にふけっているように見える。ときどき口もとにほんのわずか、微笑《ほほえ》みのようなものが浮かぶ。でも月の光の影になっているせいで、こちらから微妙な表情を読みとることはできない。僕は眠っているふりをする。彼女がそこでなにをしているにせよ、その邪魔をしたくないと思う。僕は息をひそめ、気配を消す。

その少女が〈幽霊〉であることが僕にはわかる。まずだいいちに彼女は美しすぎる。顔立ちそのものが美しいというだけじゃない。彼女ぜんたいのありかたが、現実のものであるにはあまりにも整いすぎているのだ。まるで誰かの夢の中からそのまま抜け出てきた人のように見える。その純粋な美しさは僕の中に、哀《かな》しみに似た感情を引き起こす。それはとても自然な感情だ。でも自然でありながら、普通の場所には存在しないはずの感情だ。

僕は布団《ふとん》にくるまって息を殺している。その一方で、彼女は机に頰杖をついたまま、その姿勢をほとんど崩さない。ときどき顎《あご》の位置が手の中で小さく動き、それにあわせて頭の角度がほんのわずか変化する。部屋の中にある動きといえば、ただそれだけだ。窓のすぐそばの大きなハナミズキが、月の光を浴びて静かに光っているのが見える。風はやんでいる。どんな音も僕の耳には届かない。自分が知らないうちに死んでしまったような感覚がある。僕は死んで、少女と一緒に深い火口湖の底に沈んでいるのだ。

彼女は急に頰杖をつくのをやめ、両手を膝《ひざ》の上に置く。スカートの裾のところに、小さなふたつの白い膝が揃《そろ》えられている。彼女はふと思いついたように壁を見つめるのをやめ、身体《からだ》の向きを変えてこちらに視線を向ける。手を額にやり、落ちた前髪に触れる。いかにも少女らしい細い指は、なにかを思いだそうとするみたいにしばらく額の上に留まっている。彼女は僕を見ている。僕の心臓が乾いた音をたてる。でも不思議なことに僕のほうには自分が見られているという感触がない。少女が見ているものは僕ではなく、僕の向こう側にあるものなのかもしれない。

僕ら二人が沈んでいる火口湖の底では、すべてがひっそりとしている。火山の活動が終わったのはずいぶん昔の話だ。そこには孤独が柔らかな泥のように積もっている。水の層をくぐり抜けてきたわずかな光が、遠い記憶の名残のようにあたりを白く照らしている。深い水底には生命のしるしは見あたらない。どれくらいの時間、彼女は僕を――あるいは僕のいる場所を――眺めていたのだろう。時間の決まりがうしなわれてしまっていることに僕は気づく。そこでは時間は心の必要に応じて引き延ばされたり、淀《よど》んだりしている。でもやがて少女はなんの前触れもなく椅子《いす》から立ちあがり、ひっそりとした足どりでドアのほうに向かう。ドアは開かない。しかし彼女は音もなくその奥に消える。

僕はそのあとも布団の中でじっとしている。目を薄く開けたまま身動きひとつしない。彼女はまた戻ってくるかもしれない。僕はそう思う。いや、戻ってきてほしいと願う。しかしどれだけ待っても少女は戻ってこない。僕は顔をあげ、枕《まくら》もとの目覚まし時計の夜光針に目をやる。3時25分。僕はベッドを出て、彼女の座っていた椅子に手を触れてみる。温かみは感じられない。机の上を調べてみる。一本の髪でもそこに落ちていないだろうか？　でもなにもみつからない。僕はその椅子に腰をおろし、手のひらで頬を何度かこすり、長いため息をつく。

僕は眠ることができない。部屋を暗くし、布団の中に潜りこむ。でもどうしても寝つけない。その謎《なぞ》の少女に、自分が異様なほど強く心を引かれていることに思い当たる。僕がまず最初に感じたのは、ほかのどんなものにも似ていない、激しい力を持ったなにかが自分の心の中に生まれて、そこに根を下ろし、しっかりと育ちつつあるという実感だった。肋骨《ろっこつ》の檻《おり》の中に閉じこめられた熱い心臓が、僕の意思とは無関係に収縮し、拡大する。拡大し、収縮する。

もう一度明かりをつけ、ベッドに起きあがったまま朝を迎える。本を読むこともできないし、音楽を聴くこともできない。なにもできない。僕はただそこに身を起こして朝を待つしかない。空が白んでから、ようやく少しだけ眠ることができる。眠っているあいだに僕は泣いたようだ。目が覚めたとき枕は冷たく湿っている。でもそれがなんのために流された涙なのか、僕にはわからない。

9時過ぎに大島さんがマツダ・ロードスターのエンジン音とともにやってきて、我々は二人で図書館を開ける準備をする。準備が終わると、僕は大島さんのためにコーヒーをつくる。大島さんはコーヒーのつくりかたを教えてくれる。グラインダーで豆を挽《ひ》き、注ぎ口の細いとくべつなポットでお湯をしっかり沸騰《ふっとう》させ、それを少し落ち着かせ、ペーパーフィルターを使って時間をかけてコーヒーを抽出していく。できあがったコーヒーに大島さんはほんの少しだけ、なにかのしるしのように砂糖を入れる。クリームは入れない。それがいちばんおいしいコーヒーの飲みかたなのだと彼は主張する。僕はアールグレイ紅茶をつくって飲む。大島さんは艶《つや》のある茶色の半袖のシャツを着て、白い麻のズボンをはいている。ポケットから出した真新しいハンカチで眼鏡を拭《ふ》き、あらためて僕の顔を見る。

「なんだか寝たりない顔をしているように見えるね」と彼は言う。

「ひとつお願いがあるんだけど」と僕は言う。

「なんなりとも」

「『海辺のカフカ』を聴いてみたいんだ。レコード盤は手に入らない？」

「CDじゃなくて」

「できれば古いレコードがいいんだ。昔のままの音で聴いてみたいから。となると、レコードを聴くための装置も必要になってくるけど」

大島さんはこめかみに指をやって考える。「そういえば、納戸《なんど》の中に古いステレオがあったような気がするね。動くかどうか確信はないけれど」

納戸は駐車場に面した小さな部屋で、明かり採りの高い窓がひとつついているだけだ。そこにはいろんな時代からいろんな事情で寄せ集められたいろんな品物が、ほとんど無秩序に収納されている。家具、食器、雑誌、衣服、絵画……、いくらかでも価値のあるものもあれば、ほとんど無価値としか思えないものも（むしろそっちのほうがずっと多いのだが）ある。「誰かがいつかここを始末しなくちゃいけないんだけど、そんな勇気のある人間はなかなかいなくてね」と大島さんは暗い声で言う。

時間の吹き溜《だ》まりのようなその部屋の中で、僕らはサンスイの旧式ステレオ・コンポーネントをみつけだす。機械じたいはなかなかしっかりしたものだが、それが最新型であったときから、おそらく25年くらいの歳月が経過しているにちがいない。白いほこりが薄くかぶっている。レシーバー・アンプと、オートマチックのレコード・プレイヤー、ブックシェルフ・スピーカー。機械と一緒に古いＬＰのコレクションもみつかった。ビートルズ、ローリング・ストーンズ、ビーチボーイズ、サイモンとガーファンクル、スティーヴィー・ワンダー……１９６０年代に流行《はや》った音楽ばかりだ。それが30枚ばかり。僕はレコード盤をジャケットから出してみる。ていねいに聴かれていたらしく、傷はほとんどない。かびもはえていない。

納戸の中にはギターもある。弦もいちおう揃っている。見たこともないタイトルの古い雑誌が積みあげてある。年代もののテニスラケットもある。そこはまるで近過去の遺跡みたいに見える。

「レコードとかギターとかテニスラケットとかは、たぶん佐伯さんのボーイフレンドの持っていたものだろう」と大島さんは言う。「前にも言ったように、彼はこの建物に暮らしていたから、そのときの彼の持ち物をここにまとめて放りこんであるみたいだ。ステレオはもう少し新しい時代のものみたいだけどね」

僕らはそのステレオとレコード・コレクションを部屋に運ぶ。ほこりを払い、コンセントを差しこみ、プレイヤーをアンプに接続し、スイッチを入れる。アンプのパイロット・ランプが緑色に点灯し、プレイヤーは滑らかに回転を始める。回転精度を示すストロボも、少しのあいだ迷っていたが、やがて心をきめたようにしっかりと静止する。僕はカートリッジに比較的まともな針がついていることを確認してから、ビートルズの『サージェント・ペパーズ・ロンリー・ハーツ・クラブ・バンド』の赤いビニールでできたレコード盤をターンテーブルに載せる。おなじみのギターのイントロがスピーカーから流れだす。音は思ったよりずっとクリアだ。

「僕らの国は数多くの問題を抱えてはいるけれど、少なくともその工業技術には敬意を表すべきだな」と大島さんは感心したように言う。「ずいぶん長いあいだ使われていなかったはずなのに、ちゃんとまともな音が出るんだ」。僕らはしばらくのあいだ

『サージェント・ペパーズ・ロンリー・ハーツ・クラブ・バンド』に耳を澄ませている。それは僕がこれまでCDで聴いてきた『サージェント・ペパーズ』とはちがう音楽みたいに思える。

大島さんが言う、「これで再生装置はみつかったわけだけど、『海辺のカフカ』のシングル盤のほうは、みつけるのはちとむずかしいかもしれない。今となってはかなりの貴重品だからね。うちの母親に聞いてみよう。彼女なら持っているかもしれない。持っていなくても、持っている人を知っているかもしれない」

僕はうなずく。

大島さんは生徒に注意をする先生のように、僕の前で人差し指を立てる。「ただし、前にも言ったと思うけれど、その曲は佐伯さんがここにいるときには絶対にかけないでほしいんだ。なにがあっても。それはわかってるよね」

僕はうなずく。

「まるで映画の『カサブランカ』みたいだ」と大島さんは言う。そして『アズ・タイム・ゴーズ・バイ』の出だしをハミングする。「その曲だけは演奏しないでくれ」

「ねえ大島さん、ひとつたずねたいことがあるんだけど」と僕は思いきって質問する。「ここに出入りするような15歳くらいの女の子って、誰かいる?」

「ここに、というと、この図書館のこと？」

僕はうなずく。大島さんは首をかすかに傾《かし》げ、それについてすこし考える。

「少なくとも僕の知るかぎりでは、15歳くらいの女の子はこのあたりにはひとりもいない」と彼は言う。そしてまるで窓から部屋の中をのぞきこむみたいに、僕の顔をじっと見る。「どうしてまたそんな不思議なことを訊《き》くんだい？」

「このあいだ、ちょっと見かけたような気がしたから」と僕は言う。

「このあいだって、いつ？」

「昨日の夜」

「昨日の夜に君は15歳くらいの女の子をこのあたりで見かけた」

「そう」

「どんな女の子？」

僕は少し赤くなる。「べつに普通の女の子だよ。髪が肩までで、ブルーのワンピースを着ていた」

「きれいな女の子だった？」

僕はうなずく。

「それは君の欲望が生みだしたつかの間の幻影かもしれない」、大島さんはそう言ってにっこりと笑う。「世の中ではいろんな不思議なことがおこるんだ。それにそういうのは、君くらいの年頃の健康なヘテロ・セクシュアルとしては、とくに異常なことではないのかもしれない」

僕は山の中で大島さんに裸の身体を見られたことを思いだして、顔がもっと赤くなる。

昼休みに大島さんは、四角い封筒に入れた『海辺のカフカ』のシングル盤をこっそりと手渡してくれる。

「やはりうちの母親が持っていた。それもなんと同じものを5枚も持っていた。まったく物持ちのいい人なんだ。ものを捨てるということができない。困った習性だけど、こういうときにはたしかに便利だ」

「ありがとう」と僕は礼を言う。

僕は部屋に戻ってレコードを封筒から取りだす。おそらく一度も使用されることなくどこかにしまいこまれていたレコードは、不思議なくらい真新しい。まず最初にジャケットの写真を見る。そこには19歳当時の佐伯さんが写っている。彼女は録音スタジオのピアノの前に座って、カメラのレンズを見ている。譜面台に頬杖をついて軽く首を傾げ、いくらかはにかんだ、でも自然な微笑みを浮かべている。閉じられた唇が気持ちよく横に広がり、口もとにチャーミングな小さなしわをつくりだしている。化粧はまったくしていないみたいだ。前髪が額に落ちかからないように、プラスチックの髪留めでとめられている。右側の耳が半分ばかり髪のあいだからのぞいている。裾の短い、ゆるやかなかたちの無地のワンピース、色は淡いブルー。左手首には細い銀色のブレスレット、それが身につけているただひとつの装飾品だ。美しいはだしの足。ピアノ椅子の足もとに脱ぎ捨てられた一対の華奢なサンダル。

彼女はなにかを象徴しているように見える。象徴されているのは、たぶんいつかの時間であり、どこかの場所だ。それからまたある種の心のありかただ。彼女はそのような幸福な偶然の出会いから醸《かも》しだされてきた妖精《スピリット》のように見える。永遠に傷つくはずのないナイーブでイノセントな想《おも》いが、彼女のまわりに春の胞子のように浮かんで漂っている。写真の中では、時間はぴたりと止まっている。１９６９年――僕が生まれるはるか以前の風景だ。

もちろん昨夜この部屋を訪れた少女が佐伯さんであることは、最初からわかっていた。それはもともと疑いの余地のないことだった。僕はただそれをたしかめておきたかっただけなのだ。

写真の佐伯さんは19歳で、15歳のときより顔立ちは少しだけ大人びて、成熟している。顔の輪郭が——むりに比べればということだけれど——いくらか鋭くなっているかもしれない。ちょっとした心もとなさのようなものが、そこからは消えているかもしれない。でもおおまかなことをいえば、19歳の彼女は15歳のころとだいたい同じだ。そこにある微笑みは、僕がゆうべ目にした少女の微笑みそのままだし、頬杖のつきかたも、首の傾げかたもぴたりと同じだ。そしてその顔だちや雰囲気は、当たり前といえば当たり前なのだけど、現在の佐伯さんにそっくり引き継がれている。僕は今の佐伯さんの表情や仕草に、19歳の彼女と15歳の彼女をそのまま見いだすことができる。整った顔だちや、現実離れをした妖精っぽさは今でもそこにある。体つきだってほとんどかわっていない。僕はそのことを嬉《うれ》しく思う。

それでもレコード・ジャケットの写真には、中年になった今の佐伯さんからはうしなわれてしまったものの姿が鮮やかに記録されている。それはある種の力のほとばしりのようなものだ。それはこれ見よがしの派手なものじゃない。岩のあいだからこっそりと湧《わ》きでる清水のように無色で透明で、誰の心にもまっすぐに届く、混じりけのない自然な訴えかけだ。その力はとくべつな輝きとなって、ピアノの前に座った19歳の佐伯さんの全身からあふれ出ていた。彼女の口もとに浮かぶ微笑みを眺めているだけで、幸福な心がたどる美しい道筋をそのままなぞることができた。蛍が暗闇《くらやみ》に描く光のあとを、眼の奥にとどめることができるのと同じように。

僕はそのジャケット写真を手に持って、ひとしきりベッドの端に腰かけている。なにを考えるともなく、時間をやり過ごす。それから目を開け、窓際《まどぎわ》に行って外の空気を胸に吸いこむ。風の中に海の匂《にお》いがする。松林を抜けてくる風だ。僕が昨夜この部屋で目にしたのは、まちがいなく15歳のときの佐伯さんの姿だった。本物の佐伯さんはもちろん生きている。50歳を過ぎた女性としてこの現実の世界で、現実の生活を送っている。彼女は今も二階の部屋で机に向かって仕事をしているはずだ。この部屋を出て階段をあがっていけば、実際に彼女に会うことができる。話をすることもできる。でもそれにもかかわらず、僕がここで目にしたのは彼女の〈幽霊〉だった。人は同時に二カ所に存在することはできない、と大島さんは言った。でもある場合にはそれは起こりうるのだ。僕はそのことを確信する。人は生きながら幽霊になることがある。

そしてもうひとつ大事な事実——僕はその〈幽霊〉に心をひかれている。僕は今そこにいる佐伯さんにではなく、今そこにはいない15歳の佐伯さんに心をひかれている。それもとても強く。ことばでは説明のつかないくらい強く。これはなにがあろうと現実の出来事だ。その少女はあるいは現実の存在ではないかもしれない。でも僕の胸の中で強く動悸《どうき》を打っているのは、僕の現実の心臓だ。あの夜、僕の胸についていた血が現実のものだったのと同じように。

閉館時間に近くなって、佐伯さんが下りてくる。彼女のヒールが階段の吹き抜けの部分にいつもの音を響かせる。彼女の顔をみとめると僕の筋肉はこわばり、心臓の鼓動がすぐ耳もとにまであがってくる。僕は佐伯さんの中に、あの15歳の少女の姿を見ることができる。少女はまるで冬眠する小さな動物のように、佐伯さんの身体の中の、小さなくぼみにこっそりと眠っている。僕にはそれが見える。

佐伯さんは僕になにかを質問する。でもそれに答えることができない。質問の意味さえよくつかめない。もちろん彼女の言葉は僕の耳に入ってくる。それは鼓膜を振動させ、その振動は脳に伝えられ、言語に置き換えられる。でもことばと意味の繋《つな》がりがつかめない。僕はどぎまぎして赤くなり、要領を得ないことを口にする。大島さんがかわりに彼女の質問に返事をしてくれる。僕はそれに合わせてうなずく。佐伯さんは微笑み、僕と大島さんに別れの挨拶《あいさつ》をして帰っていく。駐車場から彼女のフォルクスワーゲン・ゴルフのエンジン音が聞こえる。それが遠ざかり、やがて消える。大島さんはあとに残って、僕が図書館を閉めるのを手伝ってくれる。

「ひょっとして君は誰かに恋でもしているのかい」と大島さんは言う。「ずいぶんぼんやりしているみたいだ」

どう返事をすればいいのかわからないので僕は黙っている。それから僕は質問する。

「ねえ大島さん、妙なことをきくみたいだけど、人が生きながら幽霊になることってあるの？」

大島さんはカウンターの上を片づけていた手を休め、僕の顔を見る。

「とても興味深い質問だ。しかしその質問は文学的な、つまりメタフォリカルな意味での、人間の精神のありかたについての質問なんだろうか。それとももっと実際的な質問なんだろうか」

「たぶん実際的な意味で」と僕は言う。

「幽霊が実際的なものだと仮定してみて、ということだね」

「そう」

大島さんは眼鏡をはずし、ハンカチで拭《ふ》き、またそれをかける。

「それは〈生き霊《りょう》〉と呼ばれるものだ。外国のことは知らないけれど、日本ではしばしばそういうものが文学作品に登場する。たとえば『源氏物語』の世界は生き霊で満ちている。平安時代には、少なくとも平安時代の人々の心的世界にあっては、人はある場合には生きたまま霊になって空間を移動し、その思いを果たすことができた。『源氏物語』を読んだことはある？」

僕は首を振る。

「この図書館にもいくつか現代語訳があるから読んでみるといい。たとえば光源氏の愛人であった六条御息所《ろくじようのみやすどころ》は、正妻の葵上《あおいのうえ》に対する激しい嫉妬《しっと》に苛《さいな》まれ、悪霊となって彼女に取り憑《つ》いた。夜な夜な葵上の寝所を襲い、ついには取り殺してしまった。葵上は源氏の子をみごもっていて、そのニュースが六条御息所の憎しみのスイッチをオンにしたんだね。光源氏は僧侶《そうりょ》を集め、祈禱《きとう》をして悪霊を追い払おうとしたが、その怨念《おんねん》はあまりにも強く、それに対抗することはなにをもってしても不可能だった。

しかしこの話のもっとも興味深い点は、六条御息所は自分が生き霊になっていることにまったく気がついていないというところにある。悪夢に苛まれて目を覚ますと、長い黒髪に覚えのない護摩《ごま》の匂いが染《し》みついているので、彼女はわけがわからず混乱する。それは葵上のための祈禱に使われている護摩の匂いだった。彼女は自分でも知らないあいだに、空間を超えて、深層意識のトンネルをくぐって、葵上の寝所に通っていたんだ。これは『源氏物語』の中ではもっとも不気味でスリリングな場面のひとつだ。六条御息所はのちに自分が知らぬうちになした所業を知り、自らの深い業《ごう》を恐れ、髪を切り出家した。

怪奇なる世界というのは、つまりは我々自身の心の闇のことだ。19世紀にフロイトやユングが出てきて、僕らの深層意識に分析の光をあてる以前には、そのふたつの闇の相関性は人々にとっていちいち考えるまでもない自明の事実であり、メタファーですらなかった。いや、もっとさかのぼれば、それは相関性ですらなかった。エジソンが電灯を発明するまでは、世界の大部分は文字通り深い漆黒の闇に包まれていた。そしてその外なる物理的な闇と、内なる魂の闇は境界線なくひとつに混じり合い、まさに直結していたんだ――こんな具合に」

大島さんは両方の手のひらをぴたりとひとつにあわせる。

「紫式部の生きていた時代にあっては、生き霊というのは怪奇現象であると同時に、すぐそこにあるごく自然な心の状態だった。そのふたつの種類の闇をべつべつに分けて考えることは、当時の人々にはたぶん不可能だっただろうね。しかし僕らの今いる世界はそうではなくなってしまった。外の世界の闇はすっかり消えてしまったけれど、心の闇はほとんどそのまま残っている。僕らが自我や意識と名づけているものは、氷山と同じように、その大部分を闇の領域に沈めている。そのような乖離《かいり》が、ある場合には僕らの中に深い矛盾と混乱を生みだすことになる」

「大島さんの山小屋のまわりにはほんとうの闇があったよ」

「そうだ。そのとおり。あそこにはまだほんとうの闇がある。僕はときどき闇を見るためだけにあそこに行く」と大島さんは言う。

「人が生き霊になるきっかけや原因は、いつもそういうネガティブな感情なの？」と僕は質問する。

「そのように結論づけるだけの根拠はない。しかし浅学非才《せんがくひさい》な僕が知る限りにおいては、そのような生き霊はほとんどすべて、ネガティブな感情から生みだされているようだ。人間が抱く激しい感情はだいたいにおいて、個人的なものでありネガティブなものなんだ。そして生き霊というものは、激しい感情から自然発生的に生みだされる。残念ながら人類平和の実現や論理性の貫徹のために人が生き霊になる例はない」

「じゃあ、愛のためには？」

大島さんは椅子に腰を下ろし、考えこむ。

「それはむずかしい質問だ。僕にはうまく答えられない。ただ僕に言えるのは、そういう具体的な例は一度も目にしたことがないということだ。たとえば『雨月物語』には『菊花の約《ちぎり》』という話がある。読んだことは？」

「ない」と僕は言う。

「『雨月物語』は上田秋成が江戸時代後期に書いた作品だが、時代は戦国時代に設定されている。上田秋成はそういう意味ではいくぶんレトロ的というか、懐古的な傾向を持った人なんだ。

二人の武士が友人となり、義兄弟の契《ちぎ》りを結ぶ。これは侍にとってはとても大事な関係だ。義兄弟の契りを結ぶというのは、すなわち命を預けあうことだからね。相手のためにはすすんで命を落とす。それが義兄弟というものだ。

二人は遠く離れた場所に住み、別の主君に仕えている。菊の花の咲くころにあなたのところになにがあってもうかがいます、とひとりの侍が言う。それでは用意をしてあなたを待っていましょう、ともうひとりが言う。しかし友を訪れることになっていた侍は藩のトラブルに巻きこまれ、監禁の身になってしまう。外に出ることが許されない。手紙を送ることも許されない。やがて夏が終わり、秋が深まり、菊の花が咲く季節がやってくる。このままでは友と交わした約束を果たすことができない。侍にとって約束はなによりも大事なことだ。信義は命よりも大切なものだ。その侍は腹を切り、魂となって千里の道を走り、友の家を訪れる。そして菊の花の前で心ゆくまで語り合って、そのまま地表から消えてしまう。とても美しい文章だ」

「しかし彼は霊となるためには死ななくてはならなかった」

「そういうことだね」と大島さんは言う。「人は信義や親愛や友情のためにはなかなか生き霊にはなれないみたいだ。そこでは死ぬことが必要となる。信義や親愛や友情のために人は命を捨て、霊になる。生きたまま霊になることを可能にするのは、僕の知る限りでは、やはり悪《あ》しき心だ。ネガティブな想《おも》いだ」

僕はそれについて考えてみる。

「しかし君が言うように、前向きな愛のために人が生き霊になる例だってあるかもしれない。僕はそれほど詳しくこの問題を追究したわけじゃないからね。それは起こりうるかもしれない」と大島さんは言う。「愛というのは、世界を再構築することだから、そこではどんなことだって起こりうるんだ」

「ねえ大島さん」と僕はたずねる。「大島さんは恋をしたことはある?」

彼はあきれたような目で僕の顔をのぞきこむ。「やれやれ君は人のことをなんだと思っているんだ。僕はヒトデでもなきゃ山椒《さんしょう》の木でもない。血の通った人間だよ。恋くらいしたことあるさ」

「そういう意味で言ったんじゃないんだ」と僕は赤くなって言う。

「わかってるよ」と彼は言う。そして優しく微笑む。

大島さんが帰ってしまうと僕は部屋に戻り、ステレオ装置のスイッチを入れ、『海辺のカフカ』をターンテーブルに載せる。回転数を45にあわせ、カートリッジの針を落とす。そして歌詞カードを読みながら、その歌を聴く。

『海辺のカフカ』

あなたが世界の縁にいるとき
私は死んだ火口にいて
ドアのかげに立っているのは
文字をなくした言葉。

眠るとかげを月が照らし
空から小さな魚が降り
窓の外には心をかためた
兵士たちがいる。

（リフレイン）

海辺の椅子にカフカは座り
世界を動かす振り子を想う。
心の輪が閉じるとき
どこにも行けないスフィンクスの
影がナイフとなって
あなたの夢を貫く。

溺《おぼ》れた少女の指は
入り口の石を探し求める。
蒼《あお》い衣の裾《すそ》をあげて
海辺のカフカを見る。

僕は三度繰りかえしてそのレコードを聴く。まず疑問がひとつ頭に浮かぶ。どうしてこんな歌詞のついた曲が１００万枚以上を売るような大ヒットになったのだろう？　そこで使われている言葉は難解とまでは言わないまでもずいぶん象徴的なものだし、シュールレアリスティックなおもむきさえある。少なくともたくさんの人がすぐに覚えて口ずさめるようなものじゃない。でも繰りかえし聴いているうちに、その歌詞は少しずつ親しげな響きを帯びてくる。そこにあるひとつひとつの言葉が僕の心に居場所をみつけて収まっていく。それは不思議な感覚だ。意味をこえたイメージが切り絵のように立ちあがって、ひとり歩きを始めるのだ。まるで深い夢を見ているときのように。

まずだいいちにメロディーが素晴らしい。ひねったところのない美しい旋律だ。でも決してありきたりのものじゃない。そして佐伯さんの声が、そのメロディーに違和感なく溶けこんでいる。プロの歌手としては声量が不足しているし、テクニックがあるわけでもない。でもその声は庭の踏み石を濡《ぬ》らす春の雨のように、僕らの意識を柔らかく洗う。彼女がまず自分でピアノの伴奏をつけながら歌い、たぶんあとからそこに小編成のストリングスとオーボエがかぶせられている。きっと予算の関係もあったのだろう、当時にしてもずいぶん素朴な編曲だけど、余計なものがくわえられていないことがかえって新鮮な効果を生んでいる。

それからリフレインの部分に不思議なコードが二つ登場する。それ以外のコードはどれもごくシンプルでありふれたものなのだけど、その二つだけがいやに意外で斬新《ざんしん》なのだ。どういうなりたちの和音なのか、ちょっと聴いただけではわからない。でもそれを最初に耳にしたとき、僕は一瞬混乱する。少し大げさに言えば、裏切られたような気持ちにさえなってしまう。その響きの突然の異質さが僕の心を揺さぶり、不安定なものにする。まるで予想もしないときにどこかのすきまから冷たい風が吹きこんできたみたいに。でもリフレインが終わると、最初の美しいメロディーがまた登場し、僕らをもとあった調和と親密さの世界に連れ戻してくれる。すきま風はもう吹きこんでいない。やがて歌が終わり、ピアノが最後の一音を叩き、ストリングスが和音を静かに維持し、オーボエが余韻を残してメロディーを締めくくる。

繰り返して聴いているうちに、この『海辺のカフカ』が多くの人の心をとらえた理由のようなものを、僕はおおまかにではあるけれど理解することができるようになる。そこにあるのは自然な才能と無欲な心の、率直で優しい<u>かさなり</u>なのだ。それは「奇跡的な」という表現を用いてもいいくらいのぴったりとしたかさなりだ。地方都市に住む19歳のシャイな女の子が、遠い場所にいる恋人を想う歌詞を書き、ピアノに向かって曲をつくり、それをなんのてらいもなくありのままに歌う。彼女は誰かに聴かせるためではなく、自分自身のためにその曲をつくった。自分の心を少しでも温めるために。その無心さが人々の心を静かに、でもたしかに打つ。

僕は冷蔵庫の中のもので簡単に夕食をすませる。それからもう一度『海辺のカフカ』をターンテーブルに載せる。椅子の中で目を閉じ、19歳の佐伯さんがスタジオでピアノを弾きながら、その歌を歌っている光景を思い浮かべる。彼女が抱いていた温かい想いについて考える。そしてその想いが意味のない暴力によって、思いもよらず断ち切られてしまわなくてはならなかったことについて。

レコードが終わり、針があがり、もとに戻る。

佐伯さんは『海辺のカフカ』の歌詞をこの部屋の中で書いたのだろう。レコードを何度も聴いているうちに、僕はだんだんそう確信するようになる。そして海辺のカフカとは、壁にかかった油絵の中に描かれている少年のことなのだ。僕は椅子に座り、昨夜彼女がそうしていたのと同じように机に頬杖をつき、同じ角度で壁のほうに視線を向ける。僕の視線の先には油絵がある。たぶんまちがいない。佐伯さんはこの部屋でこの絵を眺め、少年のことを想いながら『海辺のカフカ』の詩を書いたのだ。おそらくは夜の闇がもっとも深まった時刻に。

僕は壁の前に立ち、すぐ近くからもう一度その絵をよく眺めてみる。少年は遠くを見ている。その目は謎めいた深みをたたえている。彼が見ている空の一角には、輪郭のくっきりとした雲がいくつか浮かんでいる。いちばん大きな雲のかたちは、うずくまったスフィンクスのように見えなくもない。スフィンクス——と僕は記憶をたどる——それはたしか青年オイディプスがうち負かした相手だ。オイディプスは謎をかけられ、それを解いた。怪物は自分がうち破られたことを知り、崖《がけ》から身を投げて自殺した。オイディプスはその手柄によってテーベの王位につき、王妃である実の母と結ばれることになった。

そしてカフカという名前——佐伯さんはその絵の中の少年が漂わせている謎めいた孤独を、カフカの小説世界に結びついたものとしてとらえたのだろう、僕はそう推測する。だからこそ彼女は少年を「海辺のカフカ」と呼んだ。不条理の波打ちぎわをさまよっているひとりぼっちの魂。たぶんそれがカフカという言葉の意味するものだ。

カフカという名前や、スフィンクスの部分だけではなく、歌詞のいくつかの行に、僕の置かれている状況とのかさなりが見いだせる。「空から小さな魚が降り」という部分は、中野区の商店街にイワシとアジが空から降ったという事実そのままだ。「影がナイフとなって／あなたの夢を貫く」という部分は、父親がナイフで刺し殺されたことを意味しているかのようだ。僕はその歌詞を一行一行ノートに書き写し、何度も読みかえす。気になる部分に鉛筆でアンダーラインを引く。しかし結局のところすべてはあまりにも暗示的だし、僕は途方に暮れてしまう。

「ドアのかげに立っているのは／文字をなくした言葉」
「溺れた少女の指は／入り口の石を探し求める」
「窓の外には心をかためた／兵士たちがいる」

これらの表現はいったいなにを意味しているのだろう。それとも符合と見えるものはただの思わせぶりな偶然の一致に過ぎないのだろうか。僕は窓辺に行って外の庭を眺める。外には淡い闇が降りはじめている。僕は閲覧室のソファに座り、谷崎訳の『源氏物語』のページを開く。10時になるとベッドに入り、枕もとの明かりを消し、目を閉じる。そして15歳の佐伯さんがこの部屋に戻ってくるのを待つ。

（下巻につづく）

村上春樹
安西水丸 著

村上朝日堂

ビールと豆腐と引越しが好きで、蟻ととかげと毛虫が嫌い。素晴らしき春樹ワールドに水丸画伯のクールなイラストを添えたコラム集。

村上春樹
安西水丸 著

日出る国の工場

好奇心で選んだ七つの工場を、御存じ、春樹&水丸コンビが訪ねます。カラーイラストとエッセイでつづる、楽しい〈工場〉訪問記。

村上春樹著

雨天炎天
—ギリシャ・トルコ辺境紀行—

ギリシャ正教の聖地アトスをひたすら歩くギリシャ編。一転、四駆を駆ってトルコ一周の旅へ——。タフでワイルドな冒険旅行！

村上春樹著

村上朝日堂ジャーナル
うずまき猫のみつけかた

マラソンで足腰を鍛え、「猫が喜ぶビデオ」の効果に驚き、車が盗まれ四苦八苦。水丸画伯と陽子夫人の絵と写真満載のアメリカ滞在記。

村上春樹
安西水丸 著

村上朝日堂超短篇小説
夜のくもざる

読者が参加する小説「ストッキング」から、全篇関西弁で書かれた「ことわざ」まで、謎とユーモアに満ちた「超短篇」小説36本。

村上春樹著

もし僕らのことばがウィスキーであったなら

アイラ島で蒸溜所を訪れる。アイルランドでパブをはしごする。二大聖地で出会ったウィスキーと人と——。芳醇かつ静謐なエッセイ。

夏目漱石著

吾輩は猫である

明治の俗物紳士たちの語る珍談・奇譚、小事件の数かずを、迷いこんで飼われている猫の眼から風刺的に描いた漱石最初の長編小説。

夏目漱石著

三四郎

熊本から東京の大学に入学した三四郎は、心を寄せる都会育ちの女性美禰子の態度に翻弄されてしまう。青春の不安や戸惑いを描く。

夏目漱石著

虞《ぐ》美《び》人《じん》草《そう》

我執と虚栄に心おごる美女が、ついに一切を失って破局に向う悽愴な姿を描き、偽りの生き方が生む人間の堕落と悲劇を追う問題作。

夏目漱石著

坑夫

恋愛事件のために出奔し、自棄になって坑夫になる決心をした青年が実際に銅山で見たものは……漱石文学のルポルタージュ的異色作。

志賀直哉著

小僧の神様・城の崎にて

円熟期の作品から厳選された短編集。交通事故の予後療養に赴いた折の実際の出来事を清澄な目で凝視した「城の崎にて」等18編。

谷崎潤一郎著

春琴抄

盲目の三味線師匠春琴に仕える佐助は、春琴と同じ暗闇の世界に入り同じ芸の道にいそしむことを願って、針で自分の両眼を突く……。

太宰治著

斜陽

〝斜陽族〟という言葉を生んだ名作。没落貴族の家庭を舞台に麻薬中毒で自滅していく直治など四人の人物による滅びの交響楽を奏でる。

太宰治著

人間失格

生への意志を失い、廃人同様に生きる男が綴る手記を通して、自らの生涯の終りに臨んで、著者が内的真実のすべてを投げ出した小説。

芥川龍之介著

地獄変・偸盗《ちゅうとう》

地獄変の屛風を描くため一人娘を火にかけて芸術の犠牲にし、自らは縊死する異常な天才絵師の物語「地獄変」など〝王朝もの〟第二集。

芥川龍之介著

蜘蛛《くも》の糸・杜子春

地獄におちた男がやっとつかんだ一条の救いの糸をエゴイズムのために失ってしまう「蜘蛛の糸」、平凡な幸福を讃えた「杜子春」等10編。

三島由紀夫著

金閣寺

読売文学賞受賞

どもりの悩み、身も心も奪われた金閣の美しさ――昭和25年の金閣寺焼失に材をとり、放火犯である若い学僧の破滅に至る過程を抉る。

三島由紀夫著

春の雪

（豊饒の海・第一巻）

大正の貴族社会を舞台に、侯爵家の若き嫡子と美貌の伯爵家令嬢のついに結ばれることのない悲劇的な恋を、優雅絢爛たる筆に描く。

川端康成著
山の音
野間文芸賞受賞

得体の知れない山の音を、死の予告のように怖れる老人を通して、日本の家がもつ重苦しさや悲しさ、家に住む人間の心の襞を捉える。

呉茂一著
ギリシア神話（上・下）

時代を通じ文学や美術に多大な影響を与え続けたギリシア神話の世界を、読みやすく書きながら、日本で初めて体系的にまとめた名著。

阿刀田高著
アラビアンナイトを楽しむために

千と一夜にわたりペルシャの美姫が語った夢物語を、阿刀田流にアレンジすれば……。面白度百パーセントのやさしい古典読本第二弾。

阿刀田高著
旧約聖書を知っていますか

預言書を競馬になぞらえ、全体像をするめにたとえ――「旧約聖書」のエッセンスのみを抽出した阿刀田式古典ダイジェスト決定版。

ソポクレス
福田恆存訳
オイディプス王・アンティゴネ

知らずに父を殺し、母を妻とし、ついには自ら両眼をえぐり放浪する――ギリシア悲劇の最高傑作「オイディプス王」とその姉妹編。

ワイルド
福田恆存訳
ドリアン・グレイの肖像

快楽主義者ヘンリー卿の感化で背徳の生活にふける美青年ドリアン。彼の重ねる罪悪はすべて肖像に現われ次第に醜く変っていく……。

ディケンズ
山西英一訳
大いなる遺産（上・下）
莫大な遺産の相続人になったことで運命が変転する少年ピップを主人公に、イギリスの庶民の喜び悲しみをユーモアいっぱいに描く。

ディケンズ
中野好夫訳
二都物語（上・下）
フランス革命下のパリとロンドン――燃え上がる革命の炎の中で、二つの都にくりひろげられる愛と死のドラマを活写した歴史ロマン。

ディケンズ
中野好夫訳
デイヴィッド・コパフィールド（一～四）
逆境にあっても人間への信頼を失わず、作家として大成したデイヴィッドと彼をめぐる精彩にみちた人間群像！　英文豪の自伝的長編。

ドストエフスキー
木村浩訳
白痴（上・下）
白痴と呼ばれる純真なムイシュキン公爵を襲う悲しい破局……作者の〝無条件に美しい人間〟を創造しようとした意図が結実した傑作。

ドストエフスキー
江川卓訳
悪霊（上・下）
無神論的革命思想を悪霊に見立て、それに憑かれた人々の破滅を実在の事件をもとに描く。文豪の、文学的思想的探究の頂点に立つ大作。

ドストエフスキー
工藤精一郎訳
罪と罰（上・下）
独自の犯罪哲学によって、高利貸の老婆を殺し財産を奪った貧しい学生ラスコーリニコフ。良心の呵責に苦しむ彼の魂の遍歴を辿る名作。

新潮文庫最新刊

林真理子著
知りたがりやの猫
猫は見つめていた。飼い主の不倫の恋も、新たな幸せも――。官能や嫉妬、諦念に憎悪。女のあらゆる感情が溢れだす11の恋愛短編集。

赤川次郎著
森がわたしを呼んでいる
一夜にして生まれた不思議の森が佐知子を招く。未知の世界へ続くミステリアスな冒険の行方は。会心のファンタスティック・ワールド。

よしもとばなな著
なんくるない
どうにかなるさ、大丈夫。沖縄という場所が、人が、言葉が、声ならぬ声をかけてくる――。何かに感謝したくなる四つの滋味深い物語。

吉田修一著
7月24日通り
私が恋の主役でいいのかな。港が見えるリスボンみたいなこの町で、OL小百合が出会った奇跡。恋する勇気がわいてくる傑作長編！

舞城王太郎著
みんな元気。
妹が空飛ぶ一家に連れ去られた！　彼らは家族の交換に来たのだ。『阿修羅ガール』の著者による、〈愛と選択〉の最強短篇集！

柴田錬三郎ほか著
剣狼
―幕末を駆けた七人の兵法者―
激動する世を生き、剣一筋に時代と切り結んだ男たち――。千葉周作、近藤勇、山岡鉄舟ら七人の剣客の人生を描き切った名作七篇。

新潮文庫最新刊

齋藤孝著
読書入門
―人間の器を大きくする名著―
心を揺さぶり、ゾクゾク、ワクワクさせる興奮を与えてくれる、力みなぎる50冊。この幸福な読書体験が、あなたを大きく変える！

池田清彦著
正しく生きるとはどういうことか
道徳や倫理は意味がない。人が自由に、そして協調しながらより善く生きるための原理、システムを提案する、斬新な生き方の指針。

山崎洋子著
沢村貞子という人
潔く生きて、美しく老いた――女優沢村貞子。その人生の流儀と老いの日々を、長年を共に過ごし最期を看取った著者が爽やかに綴る。

中野香織著
モードの方程式
衣服には、こんなにも豊かな物語が潜んでいる――。ファッションに関する薀蓄に溢れた、時代を読み解くための知的で洒脱なコラム集。

岩宮恵子著
思春期をめぐる冒険
―心理療法と村上春樹の世界―
思春期は十代だけのものではない。心理療法の実例と村上春樹の小説世界を通じ、大人にとっての思春期の重要性を示した意欲作。

岩中祥史著
出身県でわかる人の性格
―県民性の研究―
日本に日本人はいない。ただ、県民がいるだけだ。各種の資料統計に独自の見聞と少々の偏見を交えて分析した面白県別雑学の決定版。

新潮文庫最新刊

伊東成郎著
新選組
二千二百四十五日
近藤、土方、沖田。幕末乱世におのれの志を貫き通した最後のサムライたち。有名無名の同時代人の証言から今甦る、男たちの実像。

伊集院憲弘著
客室乗務員は見た！
VIPのワガママ、突然のビンタ、機内出産！　客室乗務員って大変なんです。元チーフパーサーが語る、高度1万メートルの裏話。

森　功著
黒い看護婦
―福岡四人組保険金連続殺人―
悪女〈ワル〉たちは、金のために身近な人々を脅し、騙し、そして殺した。何が女たちを犯罪へと駆り立てたのか。傑作ドキュメント。

S・キング
池田真紀子訳
トム・ゴードンに恋した少女
9歳の少女が迷い込んだ巨大な国立公園。残酷な森には人智を越えたなにかがいた――。絶望的な状況で闘う少女の姿を描く感動作。

フリーマントル
松本剛史訳
トリプル・クロス
（上・下）
世界三大マフィア同盟！　だがそれは「ボス中のボス」をめぐる裏切りの連鎖の始まりでもあった。因縁の米露捜査官コンビが動く。

M・パール
鈴木恵訳
ダンテ・クラブ
（上・下）
南北戦争後のボストン。ダンテの「地獄篇」を模した連続猟奇殺人に、博学多識の文豪たちが挑む！　独創的かつ知的な歴史スリラー。

海《うみ》辺《べ》のカフカ (上)

新潮文庫　む-5-24

平成十七年三月一日発行
平成十九年六月五日二十二刷

著者　村《むら》上《かみ》春《はる》樹《き》

発行者　佐藤隆信

発行所　株式会社　新潮社

郵便番号　一六二―八七一一
東京都新宿区矢来町七一
電話　編集部(〇三)三二六六―五四四〇
　　　読者係(〇三)三二六六―五一一一
http://www.shinchosha.co.jp

価格はカバーに表示してあります。

乱丁・落丁本は、ご面倒ですが小社読者係宛ご送付ください。送料小社負担にてお取替えいたします。

印刷・二光印刷株式会社　製本・加藤製本株式会社
© Haruki Murakami 2002　Printed in Japan

ISBN978-4-10-100154-8 C0193